# ACIDENTES NA INFÂNCIA

Melhor prevenir do que remediar

# ACIDENTES NA INFÂNCIA

## Melhor prevenir do que remediar

Aspásia Basile Gesteira Souza

São Paulo • Rio de Janeiro
2020

*EDITORA ATHENEU*

| | | |
|---|---|---|
| *São Paulo* | — | *Rua Avanhandava, 126 - 8º andar*<br>*Tel.: (11)2858-8750*<br>*E-mail: atheneu@atheneu.com.br* |
| *Rio de Janeiro* | — | *Rua Bambina, 74*<br>*Tel.: (21)3094-1295*<br>*E-mail: atheneu@atheneu.com.br* |

*CAPA*: Equipe Atheneu
*PRODUÇÃO EDITORIAL*: Texto & Arte Serviços Editoriais

**CIP-BRASIL. CATALOGAÇÃO NA PUBLICAÇÃO**
**SINDICATO NACIONAL DOS EDITORES DE LIVROS, RJ**

S713a

Souza, Aspásia Basile Gesteira
Acidentes na infância – Melhor prevenir do que remediar/Aspásia Basile Gesteira Souza. – 1. ed. – Rio de Janeiro: Atheneu, 2020.
284 p.; 21 cm.

Inclui bibliografia e índice
ISBN 978-85-388-1065-0

1. Crianças-Acidentes-Prevenção. 2. Emergências pediátricas. I. Título.

19-61531 CDD: 618.920025
CDU: 616-083.98-053.2

Leandra Felix da Cruz – Bibliotecária – CRB-7/6135

22/11/2019 26/11/2019

A organizadora e os autores desta obra empenharam-se para citar todos os textos e autores utilizados nos diferentes capítulos, dando-lhes os devidos créditos autorais. Caso ocorra qualquer erro, involuntário, este será prontamente corrigido, por meio de errata.

SOUZA, A.B.G.
*Acidentes na Infância – Melhor prevenir do que remediar*

# Organizadora


**Aspásia Basile Gesteira Souza**

Enfermeira graduada pela Faculdade de Enfermagem da Universidade Federal de São Paulo (Unifesp). Mestre em Enfermagem Pediátrica pela Escola de Enfermagem da Universidade de São Paulo (EEUSP). Especialista em Enfermagem Cardiovascular, modalidade Residência, pelo Instituto Dante Pazzanese de Cardiologia. Especialista em Enfermagem em Pediatria e Puericultura pela Unifesp. Professora Convidada do Programa de Pós-Graduação, *lato sensu*, da Faculdade Santa Marcelina. Coordenadora de Cursos de Pós-Graduação em Enfermagem em Neonatologia e Enfermagem em Emergências Pediátricas. Terapeuta Reikiana. Empresária na área de Consultoria em Educação. Palestrante. Escritora com dez livros publicados na área de Literatura Médica e Literatura Infantil. Editora Técnica e Coordenadora Editorial.

# Colaboradores


## Adebal de Andrade Filho

Médico graduado pela Universidade Federal de Minas Gerais (UFMG). Mestrado em Ciências da Saúde – Infectologia e Medicina Tropical pela UFMG. Residência em Clínica Médica pela Fundação Hospitalar de Minas Gerais – Hospital João XXIII, com área de atuação em Toxicologia Médica pela Associação Médica Brasileira (AMB). Coordenador do Centro de Informação e Assistência Toxicológica de Minas Gerais e do Programa de Residência em Toxicologia Médica do Hospital João XXIII.

## Aline Santa Cruz Belela-Anacleto

Enfermeira graduada pela Universidade Federal do Triângulo Mineiro (UFTM). Doutorado em Ciências da Saúde pela Universidade Federal de São Paulo (Unifesp). Mestrado em Ciências da Saúde pela Unifesp. Especialização em Enfermagem em Cuidados Intensivos Pediátricos, modalidade Residência, pela Unifesp. Professora-Adjunta do Departamento de Enfermagem Pediátrica da Escola Paulista de Enfermagem da Unifesp.

## Ana Laura Bastos da Costa Kawasaka

Médica graduada pela Universidade Estadual Paulista (Unesp). Residência Médica em Pediatria, pelo Instituto da Criança do Hospital das Clínicas da Faculdade de Medicina da Universidade de São Paulo (HCFMUSP). Residência Médica em Cardiologia Pediátrica pelo Instituto do Coração (InCor) do HCFMUSP. Especialização em Ecocardiografia Infantil pelo InCor-FMUSP. Título de Especialista em Pediatria pela Sociedade Brasileira de Pediatria (SBP). Título de Especialista em Cardiologia Infantil pela Sociedade Brasileira de Cardiologia (SBC).

## Ana Márcia Chiaradia Mendes-Castillo

Enfermeira graduada pela Escola de Enfermagem da Universidade de São Paulo (EEUSP). Pós-Doutorado em Enfermagem pela USP. Doutorado em Ciências pela USP. Mestrado em Enfermagem Pediátrica pela EEUSP. Professora Doutora da Faculdade de Enfermagem da Universidade Estadual de Campinas (Unicamp). Pesquisadora e Líder do Grupo de Estudo e Pesquisa sobre Criança, Adolescente e Família (GECAF).

## Ana Paula Dias França Guareschi

Enfermeira graduada pela Escola de Enfermagem da Universidade de São Paulo (EEUSP). Doutorado em Ciências da Saúde pela USP. Mestrado em Enfermagem Pediátrica pela Universidade Federal de São Paulo (Unifesp). Especialização em Enfermagem Pediátrica pela Unifesp. Especialização em Administração Hospitalar pela Universidade de Ribeirão Preto (Unaerp). Especialização em Psicopedagogia pelo Centro Universitário São Camilo (CUSC). Especialização em Educação a Distância pelo Centro Universitário do Serviço Nacional de Aprendizagem Comercial (Senac). Professora-Adjunta I do Departamento de Enfermagem Pediátrica da Escola Paulista de Enfermagem da Unifesp. Membro do Núcleo de Estudos da Criança e do Adolescente (NECAd) do Grupo de Pesquisa da Escola Paulista de Enfermagem (EPE-Unifesp).

## Aspásia Basile Gesteira Souza

Enfermeira graduada pela Faculdade de Enfermagem da Universidade Federal de São Paulo (Unifesp). Mestre em Enfermagem Pediátrica pela Escola de Enfermagem da Universidade de São Paulo (EEUSP). Especialista em Enfermagem Cardiovascular, modalidade Residência, pelo Instituto Dante Pazzanese de Cardiologia. Especialista em Enfermagem em Pediatria e Puericultura pela Unifesp. Professora Convidada do Programa de Pós-Graduação, *lato sensu*, da Faculdade Santa Marcelina. Coordenadora de Cursos de Pós-Graduação em Enfermagem em Neonatologia e Enfermagem em Emergências Pediátricas. Terapeuta Reikiana. Empresária na área de Consultoria em Educação. Palestrante. Escritora com dez livros publicados na área de Literatura Médica e Literatura Infantil. Editora Técnica e Coordenadora Editorial.

## Bruna Cristina Busnardo Trindade de Souza

Enfermeira graduada pela Faculdade de Americana (FAM). Especialização em Urgência e Emergência no Atendimento Pré-Hospitalar pela Fundação Hermínio Ometto – Centro Universitário Hermínio Ometto (FHO-Uniararas). Credenciada pelo Curso *Prehospital Trauma Life Support* (PHTLS) pelo Hospital das Clínicas da Faculdade de Medicina da Universidade de São Paulo (HCFMUSP). Enfermeira Assistencial do Serviço de Atendimento Móvel de Urgência (SAMU) do Município de Sumaré, São Paulo. Credenciada pela American Heart Association em ACLS (Suporte Avançado de Vida em Cardiologia). Prêmio Internacional "Identidade da Enfermagem", concedido no *Open Meeting In Congress* – Gestão e Liderança na Enfermagem, na II Conferência Internacional de Identidade do Enfermeiro (São Paulo, 2019).

## Camila Cazissi da Silva

Enfermeira graduada pela Universidade Paulista (UNIP). Mestrado em Ciências da Saúde pela Universidade Estadual de Campinas (Unicamp). Especialização em Enfermagem Pediátrica e Neonatal pela Faculdade Albert Einstein. Enfermeira da Unidade de Terapia Intensiva Pediátrica do Hospital das Clínicas da Unicamp. Membro do Grupo de Estudos do Brinquedo (GEBrinq-Unifesp). Membro do Grupo de Estudos da Criança, Adolescente e Família (GECAF-Unicamp).

## Cássia Galli Hamamoto

Enfermeira graduada pela Faculdade de Medicina de Marília (Famema). Licenciatura em Enfermagem pela Universidade do Sagrado Coração (USC). Especialista em Enfermagem Neonatal pela Associação Brasileira de Obstetrizes e Enfermeiros Obstetras (Abenfo). Assistente de Ensino no Curso de Graduação em Enfermagem da Famema. Chefe da Disciplina de Enfermagem Pediátrica e Preceptora da Disciplina Cuidado ao Indivíduo Hospitalizado – Saúde da Criança da Famema.

## Denise Miyuki Kusahara

Enfermeira graduada em Enfermagem pela Universidade Federal de São Paulo (Unifesp). Doutorado e Mestrado em Ciências da Saúde pela Unifesp. Especialização em Enfermagem em Cuidados Intensivos Pediátricos, modalidade Residência, pela Unifesp. Professora-Adjunta do Departamento de Enfermagem Pediátrica da Escola Paulista de Enfermagem da Unifesp.

## Erika Sana Moraes

Enfermeira graduada pela Faculdade de Medicina de Marília (Famema). Mestrado em Ciências da Saúde pela Universidade Estadual de Campinas (Unicamp). Especialização em Terapia Intensiva Pediátrica pelo Centro Universitário São Camilo (CUSC). Professora-Assistente da Disciplina Enfermagem na Saúde da Criança e do Adolescente da Faculdade Anhanguera de Campinas (FAC). Enfermeira da Unidade de Terapia Intensiva Pediátrica do Hospital das Clínicas da Unicamp. Membro do Grupo de Estudos da Criança, Adolescente e Família (GECAF-Unicamp).

## Fernanda Bigio Cavalhieri

Enfermeira graduada pela Universidade de Marília (Unimar). Mestrado em Ciências da Saúde pela Universidade de São Paulo (USP), Programa de Pós-Graduação em Saúde Coletiva. Especialização em Programa Saúde da Família pelo Instituto de Estudos Avançados e Pós-Graduação pela Faculdade Iguaçu-Paraná. Especialização em Enfermagem Obstétrica pela Faculdade Iguaçu. Preceptora do Curso de Graduação em Enfermagem da Faculdade de Medicina de Marília (Famema). Enfermeira Responsável Técnica do Programa Saúde da Criança da Secretaria Municipal de Saúde de Marília.

### Fernanda Martins Viana

Médica graduada pela Universidade Estadual de Campinas (Unicamp). Mestrado em Administração de Empresas pela Fundação Getulio Vargas (FGV). Residência Médica em Pediatria pelo Instituto da Criança do Hospital das Clínicas da Faculdade de Medicina da Universidade de São Paulo (ICr-HCFMUSP). Residência Médica em Cardiologia Pediátrica pelo Instituto do Coração (InCor) do HCFMUSP. Especialista em Pediatria pela Sociedade Brasileira de Pediatria (SBP). Especialista em Cardiologia Infantil pela Sociedade Brasileira de Cardiologia (SBC).

### Fernanda Paula Cerântola Siqueira

Enfermeira graduada pela Faculdade de Medicina de Marília (Famema). Doutorado em Ciências da Saúde pela Universidade de São Paulo (USP). Mestrado em Enfermagem Fundamental pela USP. Especialização em Enfermagem em Unidade de Terapia Intensiva pela Universidade do Sagrado Coração (USC). Título de Especialista em Enfermagem Pediátrica pela Sociedade Brasileira de Enfermagem Pediátrica (SOBEP). Docente no Curso de Graduação em Enfermagem da Famema na Disciplina de Enfermagem Clínica. Professora da Unidade de Prática Profissional 3 (UPP3) – Cuidado ao Indivíduo Hospitalizado – Saúde da Criança. Tutora de Núcleo do Programa de Residência Integrada Multiprofissional em Saúde, área de concentração Materno-Infantil da Famema.

### Fernando Madalena Volpe

Médico graduado pela Universidade Federal de Juiz de Fora (UFJF). Doutorado em Psiquiatria e Psicologia Médica pela Universidade Federal de São Paulo (Unifesp). Mestrado em Epidemiologia pela Universidade Federal de Minas Gerais (UFMG). Residência Médica em Psiquiatria pelo Hospital das Clínicas da UFMG. Especialização em Gestão da Saúde, modalidade MBA (*Master in Business and Management*) pela Fundação Getulio Vargas (FGV). Docente Permanente do Programa de Pós-Graduação em Promoção da Saúde e Prevenção da Violência da UFMG. Médico da Gerência de Ensino e Pesquisa da Fundação Hospitalar do Estado de Minas Gerais (FHEMIG).

### Herberto José Chong Neto

Médico graduado pela Universidade Federal do Paraná (UFPR). Pós-Doutorado em Saúde da Criança e do Adolescente pela UFPR. Doutor em Medicina Interna pela UFPR. Mestre em Ciências da Saúde pela Pontifícia Universidade Católica do Paraná (PUC-PR). Especialização em Alergia Pediátrica pelo Hospital de Clínicas da UFPR. Residência em Pediatria pelo Hospital de Clínicas da UFPR. Professor-Adjunto do Curso de Medicina da UFPR na Disciplina de Pediatria. Professor do Programa de Pós-Graduação em Saúde Coletiva, nível Mestrado, pela UFPR. Vice-Coordenador do Programa de Residência Médica em Alergia e Imunologia Pediátrica do Hospital de Clínicas da UFPR.

## Juliana Bastoni da Silva

Enfermeira graduada pela Universidade Estadual de Campinas (Unicamp). Doutorado em Ciências pela Escola de Enfermagem da Universidade de São Paulo (EEUSP). Mestrado em Enfermagem pela Unicamp. Docente da Disciplina de Enfermagem Pediátrica do Curso de Graduação em Enfermagem da Universidade Federal do Tocantins (UFT). Pesquisadora do Grupo de Estudos e Pesquisas em Saúde da Criança (GEPESC; vinculado à UFT).

## Karina Jorgino Giacomello

Enfermeira graduada pela Universidade Estadual de Campinas (Unicamp). Mestrado em Ciências da Saúde pela Unicamp. Especialização na modalidade Residência Multiprofissional com Foco na Atenção Integral ao Paciente do Sistema Único de Saúde (SUS) pelo Hospital Municipal Dr. Mario Gatti (HMMG), Campinas, São Paulo. Experiência no Cuidado à Criança Hospitalizada e no Atendimento Pré-Hospitalar. Enfermeira do Serviço de Enfermagem Pediátrica (SEP) do Hospital de Clínicas da Unicamp (HC-Unicamp). Membro do Grupo de Estudos da Criança, Adolescente e Família (GECAF-Unicamp).

## Letícia Spina Tapia

Fisioterapeuta graduada pela Universidade Bandeirante de São Paulo (Uniban). Enfermeira graduada pelo Centro Universitário São Camilo (CUSC). Mestrado em Ensino em Ciências da Saúde pela Universidade Federal de São Paulo (Unifesp). Especialização em Docência pela Universidade Cidade de São Paulo (Unicid). Especialização em Educação a Distância (EAD) pelo Centro Universitário do Serviço Nacional de Aprendizagem Comercial (Senac). Especialização em Designer Instrucional pelo Instituto Brasileiro de Desenho Instrucional (IBDIN). Professora Convidada do Programa de Pós-Graduação do Centro de Estudos de Enfermagem e Nutrição (CEEN) da Pontifícia Universidade Católica de Goiás (PUC-GO) e do CUSC. Fundadora da Creche Segura e Coordenadora Nacional do Programa Escola Segura.

## Luciana de Lione Melo

Enfermeira graduada pela Universidade de São Paulo, Campus Ribeirão Preto (USP-RP). Pós-Doutoranda pela Universidade Federal de São Paulo (Unifesp). Doutorado em Enfermagem pela USP-RP. Professora-Doutora da Faculdade de Enfermagem da Universidade Estadual de Campinas (Unicamp) da área de Enfermagem na Saúde da Criança e do Adolescente. Pesquisadora do Grupo de Estudos do Brinquedo (GEBrinq-Unifesp). Pesquisadora e Líder do Grupo de Estudos da Criança, Adolescente e Família (GECAF-Unicamp).

## Luciana Vilaça

Enfermeira graduada pela Pontifícia Universidade Católica de Minas Gerais (PUC-Minas). Mestrado Profissional em Promoção da Saúde e Prevenção da Violência pela Universidade Federal de Minas Gerais (UFMG). Especialização em Enfermagem em Unidade de Terapia Intensiva Neonatal e Pediátrica pela PUC-Minas. Enfermeira da Unidade de Internação Pediátrica do Hospital Infantil João Paulo II da Fundação Hospitalar do Estado de Minas Gerais (FHEMIG).

## Rafael Cerântola Siqueira

Médico Veterinário graduado pela Universidade de Marília (Unimar). Doutorado em Ortopedia de Animais Selvagens pela Universidade Estadual Paulista "Júlio de Mesquita Filho" (Unesp), Campus Botucatu. Mestrado em Ortopedia Veterinária pela Unesp-Botucatu. Residência em Medicina Veterinária em Clínica Cirúrgica e Anestesiologia de Pequenos Animais. Professor dos Módulos de Cirurgias Abdominais no Instituto Qualittas de Pós-Graduação.

## Rafaella Coelho Gato Du Pin Calmon

Médica graduada pela Universidade Federal do Pará (UFPA). Residência Médica em Pediatria pelo Hospital Infantil Darcy Vargas, São Paulo. Residência Médica em Cardiologia Pediátrica pelo Instituto do Coração (InCor) do Hospital das Clínicas da Faculdade de Medicina da Universidade de São Paulo (HCFMUSP). Especialista em Pediatria pela Sociedade Brasileira de Pediatria (SBP). Especialista em Cardiologia Infantil pela Sociedade Brasileira de Cardiologia (SBC).

## Thais Érika Giaxa Medeiros

Enfermeira graduada pela Faculdade de Medicina de Marília (Famema). Mestrado Profissional em Enfermagem Obstétrica pela Universidade Estadual Paulista "Júlio de Mesquita Filho" (Unesp) – Campus Botucatu. Especialização em Obstetrícia pela Universidade do Sagrado Coração (USC). Especialização em Educação Profissional em Enfermagem pela Fundação Oswaldo Cruz (Fiocruz). Especialização em Enfermagem em Urgência e Emergência pela Fundação Armando Álvares Penteado (FAAP). Docente do Curso de Graduação em Enfermagem, Disciplinas Enfermagem Materno-Infantil e Gerenciamento dos Serviços de Enfermagem. Preceptora dos estágios de Enfermagem Obstétrica, Clínica Médica, Saúde da Criança, Saúde Pública e Urgências e Emergências na Universidade de Marília (Unimar). Docente no Curso de Graduação em Medicina, Disciplinas de Primeiros Socorros e Medicina Social da Unimar. Tutora do Programa de Capacitação para Profissionais de Atendimento Pré-Hospitalar (APH) Móvel. Enfermeira Intervencionista do Serviço de Atendimento Móvel de Urgência (SAMU).

## Vânia de Oliveira Carvalho

Médica graduada pela Universidade Federal do Paraná (UFPR). Doutora em Saúde da Criança e do Adolescente pela UFPR. Residência em Pediatria pelo Hospital de Clínicas da UFPR. Especialização em Dermatologia Pediátrica pela UFPR. Professora-Associada do Curso de Graduação em Medicina da UFPR na Disciplina de Pediatria. Professora do Programa de Pós-Graduação em Saúde da Criança e do Adolescente, nível Doutorado, pela UFPR. Coordenadora do Curso de Especialização em Dermatologia Pediátrica da UFPR. Presidente do Departamento Científico de Dermatologia da Sociedade Brasileira de Pediatria (SBP).

# Dedicatória

*Às minhas filhas, Melina e Verônica,*
*pela infância que eu pude presenciar.*
*Ao meu marido, Antonio Carlos,*
*pelo que aprendeu com nossas filhas.*
*Às crianças privadas de amparo e afeto.*

# Agradecimentos

*A toda a Equipe da Editora Atheneu e da Texto & Arte, pela parceria.*
*Ao Dr. Paulo Rzezinski, por mais esta oportunidade.*
*Aos autores, que partilharam o seu saber.*

# Apresentação

As alarmantes taxas de acidentes envolvendo crianças chamam a atenção para a urgente necessidade de orientar a população, sobretudo pais e cuidadores, para os modos de prevenir a sua ocorrência, cercando a criança de cuidados suficientemente seguros e, na falha dessa proteção, intervir para amenizar suas graves consequências, muitas delas, fatais. Esse cuidado deve ser estendido à rede escolar, considerado, também, um ambiente de risco.

O tema é motivo de preocupação para diferentes setores da sociedade civil, que têm se dedicado a questões que envolvem a orientação, a prevenção e os primeiros socorros. Entre os agentes públicos, medidas como a instituição do programa "Lições de Primeiros Socorros" – "Lei Lucas", para professores, funcionários e alunos da rede escolar básica do Estado de São Paulo (Lei n. 15.661/2015, alterada pela Lei n. 16.802, de 27 de julho de 2018), pretendem atuar, também, nessas questões.

Com o intuito de contribuir com a luta para diminuir os acidentes na infância e suas cruéis consequências, esta obra pretende oferecer ao leitor as ferramentas básicas para identificar as situações de perigo, os sinais de alteração apresentados pela criança e os cuidados iniciais a serem implementados pelo socorrista, leigo ou profissional, nos eventos que atingem, especialmente, crianças até os 9 anos de idade, população considerada a de maior risco.

***Aspásia Basile Gesteira Souza***
Organizadora

# Prefácio

É uma honra ter sido convidada para escrever o prefácio deste livro *Acidentes na Infância – Melhor prevenir do que remediar*, sob a coordenação da Professora Aspásia Basile Gesteira Souza.

A Professora Aspásia é uma profissional dedicada e autora de muitos livros que contribuem para o aprimoramento técnico e científico de profissionais da saúde, que buscam por conhecimento e atualização, nas áreas da Pediatria e Neonatologia. Sempre me impressionou seu espírito dinâmico, organizado e incentivador para com seus alunos.

Todos os seus livros são disseminadores de conhecimento com temas de relevância em nosso cenário e utilizados por alunos da graduação e profissionais já graduados, não apenas da área de Enfermagem, mas também de outras áreas da Saúde que buscam aperfeiçoar e obter novos conhecimentos.

O tema apresentado nesta obra contempla as principais lesões que podem acometer a criança e o adolescente, podendo fornecer subsídios para os leitores obterem um caminho na promoção à prevenção de acidentes nessa faixa etária tão vulnerável.

As crianças são susceptíveis aos acidentes em razão da imaturidade física e mental, inexperiência, incapacidade para perceber situações de perigo e outros fatores que devem ser conhecidos por seus cuidadores para prevenir acidentes. Nesse sentido, a escolha de um ambiente mais favorável e seguro à criança, ganha destaque.

Este livro mostra a importância do tema, pois, hoje, no Brasil, os acidentes são a principal causa de morte em crianças de 1 a 14 anos de idade e estudos demonstram que esses acidentes, em sua maioria, poderiam ser evitados com medidas simples de prevenção.

A escolha dos temas para os capítulos é pertinente ao cenário atual de incidência dos acidentes mais frequentes e a escolha dos autores constitui um grupo, seleto e experiente de profissionais, que certamente contribuíram para a riqueza técnica e científica deste livro.

É uma obra do mais elevado valor didático, de consulta necessária para todos os profissionais e cuidadores que lidam com crianças.

Parabéns, Professora Aspásia e a toda a equipe que a auxiliou na elaboração deste livro tão esperado.

***Sueli Lefort***
Pediatra. Neonatologista. Doutora em Ciências e Mestre em Medicina pelo Instituto da Criança do Hospital das Clínicas da Faculdade de Medicina da Universidades de São Paulo (ICr-HCFMUSP).
Professora-Coordenadora da Disciplina de Puericultura, Pediatria e Neonatologia do Curso de Medicina da Faculdade Santa Marcelina.
Médica Supervisora da Unidade Neonatal do Hospital Santa Marcelina, Unidade Itaquera.

# Sumário

# 1 Acidentes na infância: panorama geral

Aspásia Basile Gesteira Souza
Juliana Bastoni da Silva

## Introdução

Os acidentes, em ambiente doméstico e escolar, e a violência contra a criança são importantes fatores de morbidade (adoecimento e sequelas) e mortalidade até os 9 anos de idade.

Segundo dados do Fundo das Nações Unidas para a Infância (Unicef), milhões de crianças morrem ou ficam com sequelas permanentes, em decorrência de acidentes. No Brasil, estima-se que, a cada ano, uma em cada 10 crianças necessita de pelo menos um atendimento no sistema de saúde, em virtude de traumas físicos. Esses agravos correspondem a 20% das causas de internação hospitalar e deixam mais de 200 mil crianças e jovens com incapacidade física por toda a vida.

## Classificação

De acordo com a Classificação Estatística Internacional de Doenças e Problemas Relacionados à Saúde (CID 10), **acidentes** e **violências** são denominados **causas externas**, ou seja, não doenças.

Os **acidentes** compreendem as **lesões não intencionais**. Esse grupo engloba eventos, como: queda, acidente de trânsito, afogamento, queimadura, sufocação e engasgamento, envenenamento ou intoxicação aguda. São eventos que resultam da transmissão rápida de um tipo de energia dinâmica, térmica ou química, de um corpo a outro, ocasionando lesões e até a morte. O Ministério da Saúde brasileiro define acidente como "evento não intencional e evitável, causador de lesões físicas e emocionais, no âmbito doméstico ou social, como trabalho, escola, esporte e lazer".

As **violências** compreendem as **lesões intencionais**, como os homicídios, suicídios, agressões de todos os tipos e ferimentos autoprovocados.

Tanto os acidentes quanto as violências afetam a saúde e o desenvolvimento dos indivíduos e são considerados como **eventos previsíveis** e, portanto, preveníveis.

A adoção do termo "acidente", principalmente no meio científico internacional, é controverso, pois é visto como um fator prejudicial às ações de controle das injúrias causadas, já que pode transmitir a ideia de que se trata de um imprevisto, um infortúnio e, portanto, que é inevitável. Assim, alguns autores optam pelo uso do termo "injúrias não intencionais" em seus trabalhos científicos.

## Prevenção

A prevenção dessas injúrias na infância é um assunto importante, e com respaldo legal, desde a *Declaração dos Direitos da Criança*, aprovada pela Assembleia das Nações Unidas, em 1959, em seu 2º Princípio:

> A criança tem o direito de ser compreendida e protegida, e deve ter oportunidades para seu desenvolvimento físico, mental, moral, espiritual e social, de forma sadia e normal e em condições de liberdade e dignidade.

No Brasil, o *Estatuto da Criança e do Adolescente* (ECA), de 1990, reafirma, de modo amplo, o direito à proteção do indivíduo nessas fases do ciclo da vida.

A prevenção das injúrias não intencionais se dá com o controle e cuidados dos agentes físicos, materiais, emocionais e sociais a que os indivíduos estão expostos.

As possíveis sequelas e os óbitos, decorrentes de causas externas, ocorrem tanto em países industrializados e urbanizados quanto em países subdesenvolvidos.

Os **fatores de risco** para essas injúrias são de diferentes etiologias, dentre elas: características individuais da criança; condições sociais e culturais da família; ambiente relacional (fatores interpessoais); comunidade (fatores institucionais); idade, sexo e estágio de desenvolvimento da criança; situações de vulnerabilidade, que podem estar relacionadas com renda, moradia, trabalho, rede de apoio, nível educacional e número de filhos da família.

No Brasil, os **acidentes** representam a **principal causa de morte** de crianças entre 0 e 14 anos de idade. Com o intuito de atrair a atenção para esse problema tão relevante, foi instituído o "Dia Nacional de Prevenção de Acidentes com Crianças", que é lembrado em 30 de agosto.

Segundo dados do Departamento de Informática do Sistema Único de Saúde (DATASUS, 2016, publicados em 2018), foram computados 3.733 **óbitos** de crianças e adolescentes até 14 anos, tendo como principal causa os **acidentes de trânsito**, que corresponderam a 34% do total das mortes, seguida pelos casos de **afogamentos** e **sufocações** (Figura 1.1).

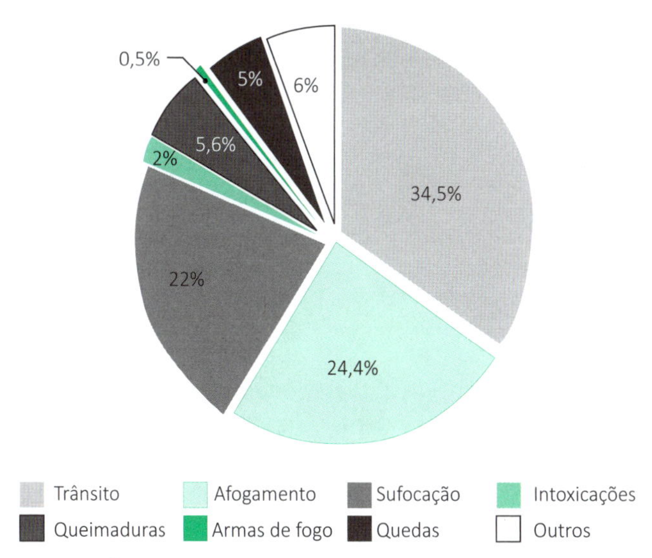


**Figura 1.1. Óbitos de crianças entre 0 e 14 anos de idade, segundo o tipo de acidente, durante o ano de 2016.**

*Fonte: Adaptada de DATASUS, 2016; http://criancasegura.org.br/noticia/ranking-dos-acidentes-que-mais-matam-e-ferem-criancas-no-brasil-2018/.*

Outro dado relevante, quando o tema é acidentes e violência na infância, diz respeito ao elevado número de **hospitalizações**. Dados de 2017 revelam que foram internadas 113.358 crianças com menos de 14 anos, a maioria delas após quedas, em um total de 51.928 (46%) dos casos, predominantemente na faixa etária entre 5 e 14 anos, que corresponderam a 38.440 hospitalizações por **quedas** (74%). A segunda causa de internação se deu por outros motivos (queda de objeto sobre a criança, choque elétrico, mordedura, picada de animais, ingestão de corpo estranho, entorse etc.), seguida por **queimaduras** e **acidentes de trânsito**, que compreendem colisões, capotamentos, atropelamentos, entre outros (Figura 1.2).

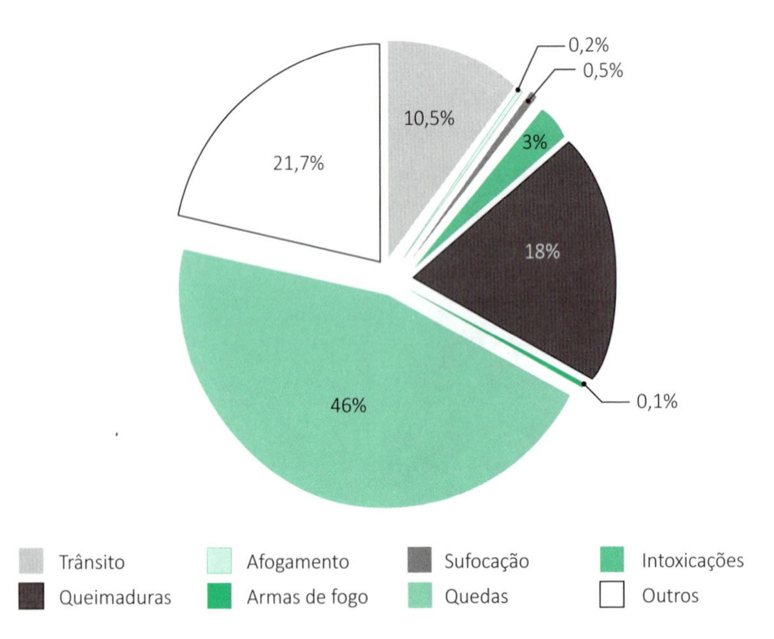


**Figura 1.2. Número de hospitalizações de crianças menores de 14 anos de idade, por causas externas, durante o ano de 2017.**

*Fonte: Adaptada de DATASUS, 2016; http://criancasegura.org.br/noticia/ranking-dos-acidentes-que-mais-matam-e-ferem-criancas-no-brasil-2018/.*

Esse cenário configura-se como uma séria questão de saúde pública, levando a gastos acima de R$ 63 milhões, apenas no Sistema Único de Saúde (SUS).

Para acompanhar esses dados, o Ministério da Saúde desenvolveu o Sistema de Vigilância de Violências e Acidentes (VIVA), implantado em 2006, e constituído por dois componentes: Vigilância de Violência Interpessoal e Autoprovocada (VIVA/Sinan) e Vigilância e Acidentes em Serviços Sentinelas de Urgência e Emergência (VIVA-Inquérito).

Quanto à frequência dos óbitos em menores de 14 anos, ao se analisarem os dados de 2016, observa-se que 70% dos casos ocorreram em meninos.

O tipo de evento fatal ou que ocasiona a hospitalização se modifica de acordo com a **faixa etária**. Assim, os casos fatais de **sufocação** prevalecem em **lactentes**, os afogamentos em crianças entre 1 e 4 anos e os acidentes de trânsito em maiores de 5 anos. Embora o número de mortes tenha diminuído, entre os anos 2016 e 2017, os dados ainda são alarmantes (Figura 1.3), o que exige da sociedade e dos governos, em seus diferentes níveis, intervenções educativas e de saúde realmente eficazes para diminuir essas taxas.

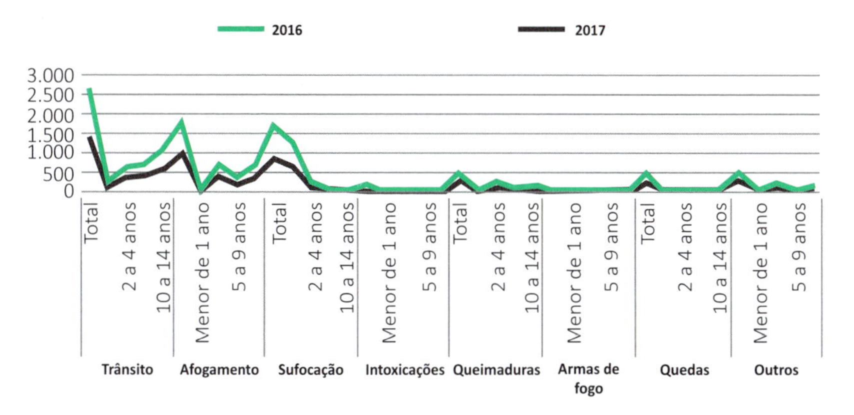


**Figura 1.3. Comparação do número de óbitos, segundo a idade e o tipo de injúria, entre os anos 2016 e 2017.**

*Fonte: Adaptada de DATASUS, 2016; http://criancasegura.org.br/noticia/ranking-dos-acidentes-que-mais-matam-e-ferem-criancas-no-brasil-2018/.*

No Brasil, uma das Organizações não Governamentais (ONGs), preocupada com o tema é a Criança Segura Brasil, subsidiária da Safe Kids Worldwide, única rede global de prevenção de acidentes na infância, que desenvolve atividades, desde 2001, com o intuito de **promover a cultura de segurança e prevenção de injúrias**. Curiosamente, entre os anos 2001 e 2016, o Brasil apresentou uma redução média de 40% na taxa geral de mortalidade por acidentes em crianças até 14 anos de idade, melhora que pode estar associada ao trabalho educativo e preventivo realizado por essa organização.

Entretanto, as mortes causadas por sufocação tiveram aumento nas suas taxas de ocorrência, com um acréscimo de 11% entre os anos 2001 e 2016 (Figura 1.4). A injúria é prevalente em lactentes com até 1 ano de idade, e em meninas.

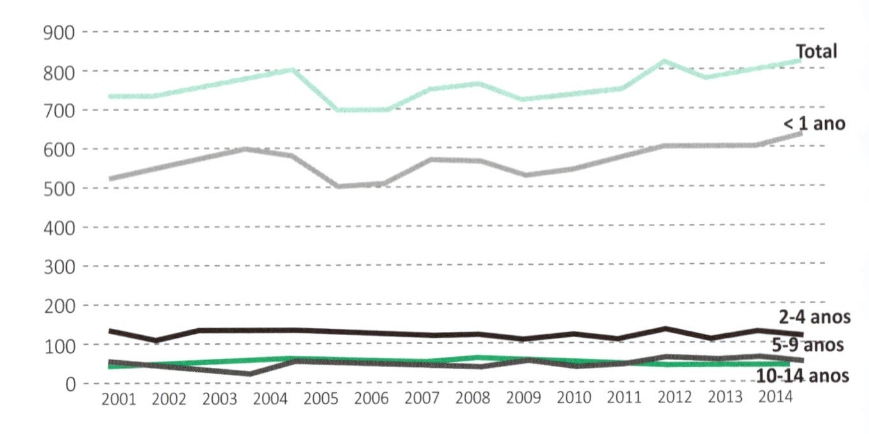


**Figura 1.4. Evolução na taxa de mortalidade por sufocação, entre 2001 e 2016, segundo a faixa etária.**

*Fonte: Adaptada de DATASUS, 2016; http://criancasegura.org.br/noticia/ranking-dos-acidentes-que-mais-matam-e-ferem-criancas-no-brasil-2018/.*

A organização Criança Segura Brasil atua na prevenção de acidentes na infância e, para isso, trabalha com a comunicação e as Políticas Públicas, além de mobilizar e empoderar diversas pessoas, como leigos, profissionais de saúde, de educação e trânsito, para que promovam a prevenção de acidentes na infância. A promoção de cursos a distância e presenciais é a principal maneira de fornecer subsídios às pessoas para essa finalidade.

Dentre as inúmeras conquistas obtidas junto à sociedade, destaca-se o avanço ocorrido em 2009, com a obrigatoriedade do selo do Instituto Nacional de Metrologia, Qualidade e Tecnologia (Inmetro), nas cadeirinhas veiculares, com o intuito de garantir maior segurança às crianças no transporte automotivo.

O Instituto Nacional de Metrologia, Qualidade e Tecnologia (Inmetro) monitora, desde 2006, os casos de **acidentes de consumo** e, a partir de 2013, cria o Sistema Inmetro de Monitoramento de Acidentes de Consumo (Sinmac), que são aqueles que ocorrem quando um produto ou serviço provoca um dano ao usuário, desde que sejam utilizados ou praticados da maneira recomendada pelo fabricante. Esse sistema estimula a participação do consumidor para notificar esses acidentes e pode contribuir para a melhoria da indústria nacional.

Dados do Sinmac revelam que, em 2017, os acidentes de consumo mais frequentes foram aqueles relacionados com os produtos da categoria "Bebês e Crianças", correspondendo a 27,3% do total. Entre os produtos infantis, os **brinquedos** (bonecos, triciclos, carrinhos, mordedores, bicicletas, chocalhos, patinetes), corresponderam à subcategoria com maior ocorrência de acidentes (39%). Ao se analisar os tipos de produtos, isoladamente, os carrinhos, na subcategoria "Transporte de Crianças", e os **triciclos** e os **carrinhos** de brinquedo lideraram as reclamações. Vale lembrar que esses dados são subestimados, pois dependem da notificação das vítimas dos acidentes, por seus responsáveis e/ou profissionais de saúde (Figura 1.5).

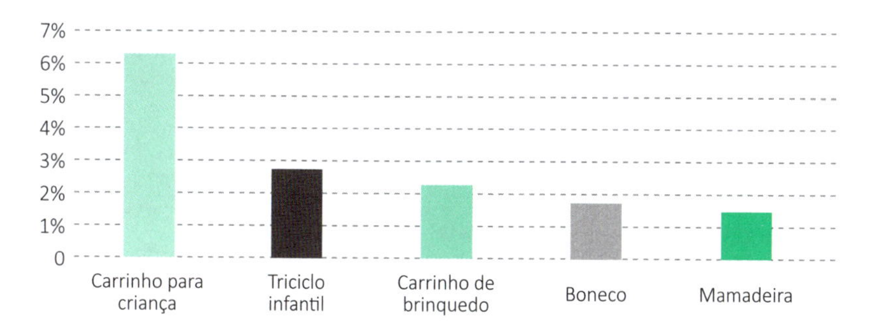


**Figura 1.5. Percentual de acidentes de consumo relacionados com produtos infantis, em 2017.**

*Fonte: Adaptada de Inmetro, 2017.*

Outro avanço obtido junto à Associação Brasileira de Normas Técnicas (ABNT) foi a normatização da produção de peças de vestuário infantil, que possuam cordões, botões e zíperes, para evitar acidentes como sufocação e engasgamento. Além disso, em 2016, a organização Criança Segura Brasil passou a coordenar a Comissão da ABNT, com o objetivo de garantir a segurança nos parquinhos infantis.

## Comentários finais

É possível perceber que participar dos espaços políticos, sobretudo, por meio de instituições cujo objetivo é a prevenção de acidentes na infância, pode ser um caminho para garantir a proteção de nossas crianças.

Tendo em vista que os dados estatísticos revelam o enorme risco a que as crianças estão expostas, especialmente nos primeiros cinco anos de vida, outra questão eminente é a necessidade de **treinamento** para todas as pessoas que convivem ou cuidam de crianças pequenas e escolares, para **identificar os riscos** de acidentes, **prevenir** sua ocorrência e saber **intervir** nas situações corriqueiras ou nas emergências, até a criança ter acesso a um serviço de socorro especializado.

## Referências


- Assembleia das Nações Unidas. Declaração dos direitos da criança; 1959. [acesso em 28 mai 2019]. Disponível em: http://www.direitoshumanos.usp.br/index.php/Crian%C3%A7a/declaracao-dos-direitos-da-crianca.html.
- Belela-Anacleto ASC, Mandetta MA. Prevenção de acidentes na infância: uma convocação da Sociedade Brasileira de Enfermeiros Pediatras. Acta Paul Enferm. 2016;29(5):7-8.
- Brasil. Ministério da Saúde. Departamento de Informática do Sistema Único de Saúde – DATASUS. Incidência de Mortalidade e Internação em crianças. Brasília: Ministério da Saúde; 2012.
- Brasil. Ministério da Saúde. Secretaria de Vigilância em Saúde. Departamento de Vigilância de Doenças e Agravos não Transmissíveis e Promoção da Saúde. Sistema de Vigilância de Violências e Acidentes (Viva). Brasília: Ministério da Saúde; 2009, 2010 e 2011.
- Brasil. Ministério da Saúde. Secretaria de Vigilância em Saúde. Departamento de Vigilância de Doenças e Agravos não Transmissíveis e Promoção da Saúde. Brasília: Ministério da Saúde; 2013.
- Brasil. Ministério da Justiça. Diário Oficial da União. Estatuto da Criança e do Adolescente. Lei n. 8.069, de 13 de julho de 1990. [acesso em 28 maio 2019]. Disponível em: http://pesquisa.in.gov.br/imprensa/jsp/visualiza/index.jsp?jornal=1&pagina=1&data=16/07/1990.
- Criança Segura. Ranking dos acidentes que mais matam e ferem crianças no Brasil [2018]. [acesso em 04 out 2019]. Disponível em: http://criancasegura.org.br/noticia/ranking-dos-acidentes-que-mais-matam-e-ferem-criancas-no-brasil-2018/.
- Criança Segura Brasil. Relatório Institucional 2015-2016. [acesso em 29 mai 2019]. Disponível em: http://criancasegura.org.br/wp-content/uploads/2017/12/relatorio-institucional-crianca-segura-2015-2016.pdf/.

- Filócomo FRF, Harada MJCS, Mantovani R, Ohara CVS. Perfil dos acidentes na infância e adolescência atendidos em um hospital público. Acta Paul Enferm. 2017;30(3):287-94. [acesso em 29 mai 2019]. Disponível em: http://www.scielo.br/pdf/ape/v30n3/1982-0194-ape-30-03-0287.pdf.
- Instituto Nacional de Metrologia, Qualidade e Tecnologia – Inmetro. Informação ao consumidor. Sistema Inmetro de Monitoramento de Acidentes de Consumo – Sinmac. Relatórios específicos de acidentes de consumo registrados no Brasil. [acesso em 29 mai 2019]. Disponível em: http://www.inmetro.gov.br/consumidor/pdf/acidente-consumo-infografico-2017.pdf.
- Harada MJCS. Injúrias físicas não intencionais na infância e adolescência. In: Harada MJCS, Pedreira MLG, Viana DL. Promoção da saúde. São Caetano do Sul: Yendis; 2012. p. 237-61.
- Martins CBG. Acidentes na infância e adolescência: uma revisão bibliográfica. Rev Bras Enferm. 2006;59(3):344-8.
- Mendes-Castillo AM. 30 de agosto – Dia da prevenção de acidentes com crianças. Rede de Blogs Científicos da Universidade Estadual de Campinas (Unicamp). Criançalogia. 2017. [acesso em 29 mai 2019]. Disponível em: https://www.blogs.unicamp.br/criancalogia/2017/08/30/30-de-agosto-dia-da- prevencao-de-acidentes-com-criancas/.
- United Nations Children's – Unicef. The State of the World's Children 2015 – Executive Summary. Nova York: Unicef; 2015. [acesso em 29 mai 2019]. Disponível em: http://www.unicef.org/publications/files/SOWC_2015_Summary_and_Tables.pdf.
- Word Health Organization – WHO. World report on child injury prevention. Geneva: WHO Press; 2008.

## Testes

**1. Sobre acidentes na infância, assinale a alternativa incorreta:**

A. Podem ser chamados de lesões ou injúrias não intencionais.
B. Acidentes de trânsito são os que mais causam hospitalização.
C. Situações de vulnerabilidade social são fatores de risco.
D. O Brasil apresentou redução relevante na taxa geral de mortalidade.
E. As mortes por sufocação apresentaram aumento nos últimos anos.

**2. Assinale a alternativa correta:**

A. Acidentes, como o próprio nome sugere, não podem ser evitados.
B. Acidentes e violências são considerados causas externas de morbimortalidade.
C. As quedas são causas pouco comuns de hospitalização na infância.
D. Acidentes na infância podem gerar sequelas físicas, apenas.
E. Afogamentos e sufocações são pouco frequentes em crianças pequenas.

**3. É correto afirmar que:**

A. O enfermeiro e o educador físico tem papel restrito no atendimento das crianças vítimas de injúrias não intencionais.
B. As instituições públicas foram as principais responsáveis pela redução dos acidentes na infância nos últimos anos.
C. A sufocação é o acidente mais frequente em crianças com até 1 ano de idade.
D. Dentre os acidentes de consumo de produtos infantis, em 2017, os relacionados com mamadeiras foram os mais frequentes.
E. Nenhuma das alternativas está correta.

**4. Os profissionais da saúde e da educação podem contribuir para reduzir os danos decorrentes dos acidentes na infância com:**

A. Ações educativas focadas na prevenção e diminuição de riscos, para pais e outros cuidadores.
B. Intervenção rápida, adequada e eficaz, nos diversos tipos de acidentes.

C. Ações sociais e políticas, por meio de suas *expertises* junto às organizações governamentais e não governamentais.
D. Notificação dos acidentes com crianças para os órgãos competentes.
E. Todas as alternativas estão corretas.

**5. Em uma consulta de puericultura, como o enfermeiro ou médico podem abordar a questão da prevenção de acidentes na infância com os pais ou responsáveis pela criança?**

___

___

___

___

___

| Respostas | |
|---|---|
| 1 | B (maior causa de óbito) |
| 2 | B |
| 3 | C |
| 4 | E |
| 5 | Estatisticamente, os tipos de acidentes variam de acordo com a idade e o desenvolvimento neuromotor da criança. Portanto, a partir da avaliação de seu desenvolvimento durante a consulta e, a partir das informações fornecidas pelos responsáveis, o profissional de saúde fornecerá as orientações sobre a prevenção de acidentes, reforçando a necessidade de modificação do ambiente, como, por exemplo: colocação de telas de proteção nas janelas, barreiras de acesso às escadas, armazenamento seguro de medicamentos e produtos de limpeza, não deixar a criança sozinha sobre camas sem grades e trocadores. Essas orientações sensibilizarão os cuidadores para o risco de acidentes e a importância de sua prevenção. Além da adoção de medidas de segurança, a supervisão constante da criança por um adulto responsável é sempre necessária. |

# 2 O ambiente seguro para as crianças

Ana Laura Bastos da Costa Kawasaka
Fernanda Martins Viana
Rafaella Coelho Gato Du Pin Calmon

## Introdução

Os acidentes não intencionais são a principal causa de mortes na população com menos de 14 anos de idade. Todo cuidado é pouco quando se trata de crianças, especialmente aquelas menores que 5 anos de idade. Seus cérebros estão em constante desenvolvimento e ainda não há capacidade plena de avaliar riscos. Assim, cabe aos cuidadores evitar erros e omissões que resultem em acidentes.

Entender o desenvolvimento da criança é essencial para que pais e cuidadores saibam antever os perigos e possam agir para evitar injúrias.

## Características do desenvolvimento

O **desenvolvimento neuropsicomotor** é um processo de mudanças no comportamento social, na habilidade motora e na linguagem, intermediado pelo sistema nervoso, e que permite o ganho de **novas habilidades**. Notadamente importante nos primeiros anos de vida, é um dos fatores que influencia o risco para acidentes.

### ▪ Crianças de 0 a 1 ano

O primeiro ano de vida é marcado por uma grande evolução nas habilidades neuropsicomotoras da criança. Em um intervalo curto de tempo, aquele bebê que quase não se mexia, começa a **rolar**, a **engatinhar**, a apoiar-se nos móveis e a **andar**. Dessa maneira, algo que não parecia arriscado, como, por exemplo, trocar a fralda, passa a ser um risco de um dia para o outro; por isso, é essencial que os cuidadores estejam atentos, pois a criança depende totalmente do julgamento de um adulto para se manter segura.

**Os acidentes mais comuns nessa faixa etária são: queimaduras, quedas e acidentes de trânsito.**

## ▪ Crianças de 1 a 4 anos

Nessa faixa etária, a criança adquire novas habilidades motoras, é **curiosa** e tem grande motivação para **explorar** o ambiente e **imitar** o comportamento dos adultos. No entanto, essa sensação de independência não vem acompanhada da percepção de perigo e nem da capacidade de se proteger. É importante começar a **conversar com a criança** sobre os riscos e **estabelecer regras**, mas tendo a convicção de que ela ainda **não tem a noção de causa e efeito** (por exemplo, se ela se machucar ao pular do sofá, não significa que não pule novamente).

**Os acidentes mais comuns nessa idade são: quedas, acidentes de trânsito, queimaduras e engasgamentos, e a principal causa de morte é o afogamento.**

## ▪ Crianças de 5 a 9 anos

Nessa fase, as crianças são mais influenciáveis, buscam aceitação social e independência e tendem a **desafiar regras**. No entanto, apresentam habilidades motoras, visuais e auditivas limitadas e **não tem julgamento crítico** para reconhecer riscos e sair de situações de perigo. Impulsividade e distração são, também, características que contribuem para o risco de acidentes.

A partir dos 9 anos de idade, os pré-adolescentes e os jovens conquistam mais autonomia e passam a ter menos supervisão de adultos, desejam viver novas experiências e têm a falsa ideia de que são inatingíveis, colocando-se em situações de risco mais facilmente. Assim, a causa mais frequente de morte nessa faixa passa a ser as que envolvem os acidentes de trânsito, e a maior causa de internação são as quedas.

**Os acidentes mais frequentes nessa faixa etária são: atropelamentos, quedas, afogamentos e queimaduras.**

## Atitudes seguras

Em um ambiente com crianças, **todos os espaços devem estar preparados para recebê-las**. Cada ambiente tem sua particularidade, seus riscos, seus perigos, mas alguns cuidados e atitudes são recomendados para todos os ambientes e situações, tais como:

- Mantenha **supervisão constante** e conscientize-se de que a responsabilidade pela segurança da criança é sua.
- Observe os cômodos da casa e da escola e atue preventivamente. Tente fazer a avaliação sob o ponto de vista da criança: sente-se no chão e olhe ao redor.
- Converse com a criança desde cedo e explique riscos e regras, mesmo que a compreensão dela ainda seja limitada.
- Adote comportamentos seguros e seja o exemplo para a criança; isso é essencial.
- **Não ignore sinais de perigo** pensando que coisas ruins só acontecem com os outros.
- Utilize todos os dispositivos de segurança disponíveis, sempre se certificando de que são atestados e liberados pelo Instituto Nacional de Metrologia, Qualidade e Tecnologia – Inmetro, e que possuem o Selo de Identificação da Conformidade.

## Preparando o ambiente

O ambiente deve ser ajustado de modo a **reduzir os riscos de acidentes**, adotando-se medidas e dispositivos de segurança.

### ▪ Medidas de segurança

- Evite móveis próximo a janelas, mesmo que estejam protegidas com redes de segurança; as crianças podem escalar, cair ou ter acesso a elas.
- Os **móveis devem ter cantos arredondados** ou proteções nas quinas.
- Os armários, cômodas e objetos maiores, como televisores, devem ser fixados na parede para evitar o risco de pender sobre a criança.
- As portas e gavetas precisam ser trancadas com chave ou travas.

- Evite tapetes soltos no ambiente e com material escorregadio.
- Não deixe objetos ou aparelhos com fios e cabos sobre os móveis, pois as crianças podem puxá-los.
- Evite cordões em cortinas e persianas, ou mantenha-os fora do alcance e da visão da criança, em razão do risco de estrangulamento.
- Mantenha os fios de aparelhos elétricos escondidos.
- Substitua os fios elétricos desencapados.
- **Proteja as tomadas** com tampas, fita isolante ou móveis.
- Não deixe ao alcance das crianças carregadores elétricos conectados às tomadas.
- Mantenha as escadas portáteis fora de alcance.
- **Instale grades ou redes de proteção** em sacadas e mezaninos, e portões de segurança no topo e na base das escadas e, no caso de serem abertas, instale redes ao longo delas.
- Adapte grades de segurança ou portões no acesso para ambientes perigosos, como área da piscina, área de serviço e cozinha.
- Instale redes de proteção, grades e travas de segurança em janelas, inclusive nas pequenas janelas de banheiros e na área de serviço.
- No caso de creches, é recomendável que as maçanetas sejam fixadas acima da altura habitual.
- Observe se as escadas e rampas possuem piso antiderrapante e corrimão.

## ▪ Dispositivos de segurança

Os aparatos de segurança são aliados importantes. Existem diferentes tipos e modelos no mercado, mas devem ser **certificados pelo Inmetro**:

- **Trava multiuso:** evita a abertura de portas de armários, gavetas e eletrodomésticos (micro-ondas, frigobar, forno), e o acesso a objetos e substâncias de risco ou que a criança prenda os dedos ao fechá-los (Figura 2.1).
- **Portão de segurança:** evita que a criança acesse ambientes perigosos; pode ser usada entre os batentes da porta ou entre paredes (Figura 2.2).

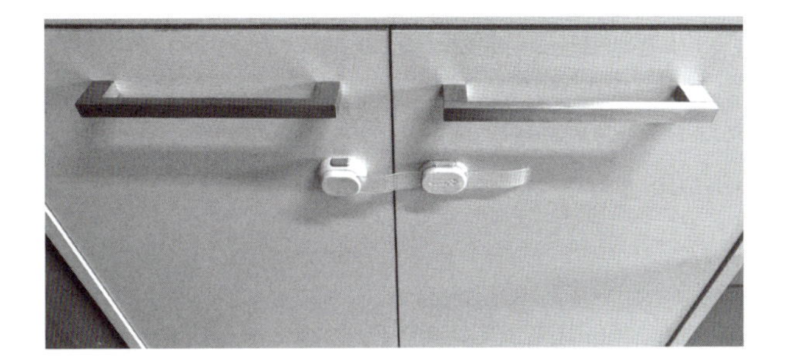

**Figura 2.1. Trava multiuso.**

*Fonte: Arquivo da autora Ana Laura Bastos da Costa Kawasaka.*

**Figura 2.2. Portão de segurança para isolar ambientes.**

*Fonte: Arquivo da autora Ana Laura Bastos da Costa Kawasaka.*

- **Trava para-porta:** mantém a porta aberta, evitando que a criança prenda os dedos se houver um fechamento brusco, e impede que se tranque no cômodo. O ideal é colocá-la em todas as portas.
- **Prendedor de corda de cortina:** mantém os cordões de cortinas e persianas fora do alcance da criança.

- **Grades de cama:** evita quedas depois da transição do berço.
- **Protetor de tomada:** previne os choques elétricos ao impedir que a criança introduza algum objeto na tomada.
- **Protetor de quina:** evita que a criança se machuque ao se chocar com uma quina; o ideal é colocá-lo em todas as quinas, altas e baixas, de todos os móveis.
- **Rede de proteção e trava de janela:** evita quedas acidentais ou saltos intencionais.

## Ambiente doméstico, creche e pré-escola

Os cuidados de segurança descritos aplicam-se a diferentes ambientes, mas cada espaço da residência, creche e pré-escola tem sua particularidade e é fundamental prepará-los para receber os pequenos.

**Todos os objetos e substâncias que apresentem risco devem ser mantidos trancados ou armazenados no alto**, assim que a criança começa a rolar e a se arrastar. Atenção a fósforos, álcool, objetos cortantes, de vidro, cerâmica, sacos plásticos e toalhas de mesa, que podem ser puxadas pelas crianças menores.

### ▪ Quarto

É o "cantinho" da criança e deve ser **adaptado para cada fase do desenvolvimento**.

Evite o uso de tapetes soltos e brinquedos espalhados pelo chão.

O espaço entre as barras do berço deve ser menor que 6 cm (Figura 2.3), e suas grades laterais altas o suficiente para impedir que a criança consiga transpô-las.

Não use cobertores, almofadas e protetores laterais ("*kit*-berço"), pois representam risco de sufocamento. Não há necessidade de travesseiro dentro do berço durante o primeiro ano de vida; em alguns casos está indicado o tipo antirrefluxo, que deve ser colocado sob o lençol, evitando que o bebê possa se sufocar ao virar o rosto para baixo. Dispositivos como babá eletrônica não devem ficar dentro do berço ou com os fios ao alcance do bebê (Quadro 2.1).

**Figura 2.3. Berço seguro. Espaço entre as barras do berço menor que 6 cm.**

*Fonte: Arquivo da autora Ana Laura Bastos da Costa Kawasaka.*

| Quadro 2.1. Segurança no sono |
| --- |
| Berço certificado pelo Inmetro<br>Espaço entre barras menor do que 6 cm |
| Não usar cobertores grossos,<br>almofadas e "*kit*-berço" (risco de sufocação) |
| Bebê deitado de barriga para cima<br>(menor risco de morte súbita) |
| Camas com grades protetoras<br>Colchão e travesseiro firmes |

*Fonte: Elaborado pelas autoras.*

O **colchão deve ser firme, de espuma, sem embalagem plástica**, com densidade 18 (D18), para crianças com até 3 anos de idade ou 15 kg, e densidade 23 (D23), para crianças entre 15 e 50 kg (altura até 1,60 m). É permitido o uso de capas protetoras impermeáveis. O **espaço entre o berço e o colchão não pode ultrapassar 3 cm**, para evitar que a boca e o nariz se encaixem nessa folga.

Se o quarto tiver camas do tipo beliche, as crianças menores de 6 anos devem ficar na cama de baixo para evitar quedas, pois ainda não terem coordenação motora para subir com segurança. O uso de grades laterais na parte de cima é sempre obrigatório.

Muito cuidado com a mobília usada como trocador. Segundo recomendações da Sociedade Brasileira de Pediatria (SBP), a mobília deve ter elevação nos quatro cantos, base antiderrapante, e na falta desses itens, o bebê deverá ser trocado no chão. Nunca deixe a criança sozinha, mesmo as muito pequenas que ainda não rolam, pois, qualquer mínimo descuido pode resultar em queda. Tenha tudo à mão antes de começar a troca de roupas e fralda. Atenção especial se for usar água quente para a higiene perineal, pois pode causar queimaduras, prefira água morna, em garrafa térmica.

Na hora de vestir a criança, alguns cuidados são importantes:

- Evite roupas com golas pequenas e restritas, que podem comprimir o pescoço e obstruir a via aérea, dificultando a respiração.
- Evite roupas com gorro ou capuz com cordões na área do pescoço; mesmo os ajustáveis não devem ter extremidades e laços salientes, evitando que enrolem no pescoço. Outros tipos de correntes, amarrilhos e fitas, decorativas ou não, podem medir até 5 cm de comprimento, para evitar que a criança se enganche em algum objeto.
- Não use roupas com alcinhas em menores de 1 ano de idade.
- Até os 7 anos de idade, evite roupas e acessórios com adornos. **Verifique se botões, adesivos e apliques estão bem fixados**, pois, se deglutidos, há risco de engasgamento. O zíper da roupa não deve ter abertura no puxador, uma vez que pode lesionar os dentes de leite e os lábios, se levado à boca.
- Evite fechos com velcro para não irritar a pele, assim como etiquetas, que devem ser costuradas com fios de poliamida. Para as crianças maiores, os velcros mais seguros têm a base com pontas arredondadas, sem arestas, e a face mais macia fica voltada para a parte em contato com o corpo.
- Escolha modelos de roupas flexíveis e fáceis de vestir e tirar. Os tecidos de fibras naturais, como linho e algodão puro, são os mais recomendados. As fibras sintéticas devem ser evitadas, porque dificultam a transpiração e são mais inflamáveis.

## ▪ Banheiro

O banheiro é um dos ambientes que mais desperta a curiosidade das crianças, principalmente porque adoram brincar com água. Por isso, precisa de muita atenção.

O **vaso sanitário** deve ser mantido com a **tampa fechada**, se possível lacrada com algum dispositivo de segurança, para evitar afogamento ou ingestão de água por crianças que já se deslocam. Deixe a porta trancada. Cuidado com fechaduras que só trancam por dentro, pois os pré-escolares podem se trancar, sem saber sair.

Em casas com regulagem de aquecimento central, o controle da temperatura da água do chuveiro é de responsabilidade dos adultos e, antes do banho das crianças, a temperatura da água deve ser testada para evitar queimaduras.

O banho na banheira é utilizado, em geral, até os 24 meses, e deve ser sempre com supervisão. Não deixe a criança sozinha, nem por alguns segundos e nunca preencha a banheira com a criança dentro, porque a temperatura da água pode aumentar subitamente ou, ainda, ela pode escorregar e se afogar, mesmo com pouca água, que não deve ultrapassar a altura da cintura.

O banho de aspersão, com a criança em pé, é iniciado quando ela for capaz de manter o equilíbrio, mesmo quando manipulada para lavar o corpo ou a cabeça, a presença de um adulto é imprescindível todo o tempo. Coloque tapete ou adesivo antiderrapante para evitar quedas. Após os 5 anos de idade, o banho pode ser supervisionado.

Todos os utensílios afiados, como: lâminas de barbear, barbeadores, tesouras e instrumentos de manicure devem ser mantidos fora do alcance das crianças. Os secadores de cabelo oferecem risco de choque elétrico, por isso desconecte o aparelho da tomada e guarde-o, quando fora do uso.

Medicamentos, suplementos, antissépticos bucais e demais produtos que ofereçam perigo de intoxicação devem ser mantidos trancados em caixas ou armários. Os medicamentos, mesmo que bem guardados, devem ter tampa de segurança e as cartelas, um lacre de segurança (Quadro 2.2).

| Quadro 2.2. Cuidados para armazenamento e administração de medicamentos |
|---|
| Guarde os medicamentos fora do alcance das crianças |
| Cuidados na administração:<br>• Leia as instruções de preparo. Alguns medicamentos precisam de adição de água antes do uso<br>• Utilize seringas e dosadores que acompanham o medicamento, ao invés de colheres<br>• Não dilua o medicamento na mamadeira (a criança pode não ingerir todo o conteúdo)<br>• Oriente todos os cuidadores (avós, escola, babá), sobre o nome do medicamento, a dose adequada e como oferecer |
| Jamais se refira aos medicamentos como se fossem guloseimas |
| Sempre fale para a criança que medicamentos devem ser administrados somente por adultos |

*Fonte: Elaborado pelas autoras.*

## ▪ Sala

A sala é o campo de brincadeira das crianças em grande parte do dia. Entretanto, também é a área social da casa, onde se encontram objetos de decoração, **móveis de grande porte e eletroeletrônicos**, que devem estar **fixados à parede** ou presos o suficiente para não caírem sobre a criança.

Os tapetes, apesar de aconchegantes, podem provocar escorregões e tropeços; utilize adesivo antiderrapante sob eles ou retire-os do ambiente.

Evite deixar objetos ao alcance da criança, especialmente os de vidro e cerâmica. Deve-se ter cuidado também com os fios dos aparelhos eletrônicos, que podem ser tracionados.

É importante checar com frequência se o piso está livre de pequenos objetos, como bolas de gude, moedas, tampas de canetas e miniaturas, que podem ferir os pés ou serem levados à boca e deglutidos.

Mantenha os controles remotos longe do alcance, pois a criança pode retirar as pilhas ou soltar os pequenos botões e colocá-los na boca.

## ▪ Cozinha

Por ser o local de preparo das refeições e armazenamento de alimentos, torna-se muito chamativo para a criança e, ao mesmo tempo, cheio de riscos. Fogão, facas e outros utensílios cortantes, eletroportáteis, enfim, muitos objetos podem despertar a curiosidade e colocar a criança em perigo.

O ideal é não permitir a presença dos menores nesse ambiente sem a supervisão de um adulto. Enquanto estiver cozinhando, não permaneça com a criança no colo. Qualquer distração pode expor a criança a riscos desnecessários. O forno deve ter proteção térmica externa e fechamento seguro na porta para evitar queimaduras. Utilize as bocas de trás do fogão e mantenha os **cabos das panelas para o lado de dentro**. É prudente manter o registro de gás fechado quando não estiver em uso.

Todos os objetos que oferecem perigo, como cerâmicas e vidrarias, precisam ser guardados no alto e na parte de trás das prateleiras.

Os eletrodomésticos com fio também devem ficar fora do alcance. Quando for utilizar batedeiras e liquidificadores, afaste a criança.

Atenção com panelas e leiteiras sobre a mesa e toalhas compridas, pois as crianças podem puxá-las para se apoiar e derrubar objetos e alimentos sobre elas.

As gavetas devem ter trava de segurança, especialmente as dos talheres. Coloque facas, garfos e objetos pontiagudos nas gavetas mais altas.

Materiais, como fósforos, acendedores, sacos plásticos, medicamentos e produtos de limpeza precisam ser armazenados em locais inacessíveis. Os vasilhames para armazenar desinfetantes e outros produtos não podem ser reutilizados, pois a criança pode associá-los a bebidas, como sucos e refrigerantes.

E, já que estamos na cozinha, alguns cuidados são muito importantes (Quadro 2.3) para que a hora da refeição seja um momento tranquilo, prazeroso e seguro.

A introdução de alimentos é iniciada ao redor dos 6 meses, período que a criança já apresenta sinais de prontidão, sendo um dos mais marcantes deles o fato de sentar sem apoio (ou com mínimo apoio). Além disso, o bebê perde o reflexo de protrusão da língua e não empurra mais os sólidos para fora da boca automaticamente, tenta pegar os alimentos ou outros objetos, pinçando-os entre o polegar e o indicador, para colocá-la na boca.

As refeições devem ser oferecidas em cadeiras de alimentação, sempre com o cinto de segurança afivelado. Deve-se ter atenção ao limite de peso recomendado para cada cadeira (Figura 2.4).

**Quadro 2.3. Segurança na alimentação de crianças pequenas**

| | |
|---|---|
| Iniciar a introdução de alimentos aos 6 meses | Observar a temperatura de líquidos e alimentos antes de oferecê-los |
| Comer em cadeiras de alimentação com cinto, e não correndo ou brincando | Usar talheres adequados (pequenos e sem pontas) |
| Utilizar copos com tampa e válvula para evitar engasgos | Cortar os alimentos arredondados (tomatinho, uva) de forma longitudinal |
| Evitar alimentos com maior risco para engasgo: salsicha, pipoca, amendoim e balas duras | Cuidadores devem conhecer as manobras de desengasgo |

*Fonte: Elaborado pelas autoras.*

**Figura 2.4. Cadeira para alimentação.**

*Fonte: Arquivo da autora Ana Laura Bastos da Costa Kawasaka.*

Outros cuidados:

- Não alimente a criança sentada ao colo, correndo ou brincando.
- Utilize talheres adequados para crianças, pequenos e sem ponta.
- Prefira os copos abertos, sob supervisão, ou com válvula, para evitar engasgos. Não utilize copos de vidro.

- Teste a temperatura de líquidos e alimentos para evitar queimaduras na boca e tubo digestivo alto.
- Atenção com os alimentos que apresentam alto risco para engasgo: salsicha, pipoca, amendoim e balas duras; além disso, a maioria deles são pouco saudáveis e potencialmente alergênicos. A idade ideal para serem oferecidos, com cautela, é depois dos 4 anos.
- Alimentos arredondados, como uvas, ovo de codorna e tomatinhos cereja (*sweet grape*) devem ser cortados em pedaços longitudinais. Podem ser oferecidos inteiros, com prudência, depois dos 4 anos.

É importante que pais e educadores aprendam e orientem os cuidadores sobre as **manobras de desengasgo** (ver Capítulo 4).

## ▪ Lavanderia

Apesar de ser um ambiente pouco frequentado pela criança, o risco para traumas, afogamentos e intoxicações é grande.

O **tanque deve estar totalmente preso à parede** para não cair sobre a criança, caso ela se pendure sobre ele. Até algum tempo atrás, a "síndrome do tanque", situação causada por lesões graves em abdome, tórax ou cabeça, era bastante comum.

Os **baldes e as bacias devem ser esvaziados** e guardados virados para baixo após o uso, longe do alcance das crianças, para não servirem de "escada". Mesmo quantidades muito pequenas, como 2,5 cm de água no fundo de um balde, podem causar afogamentos se a criança cair de cabeça dentro do recipiente, lembrando que isso também vale para banheiras e vaso sanitário.

Os produtos de limpeza devem ser guardados em prateleiras altas ou trancados. Sempre os mantenha em seus recipientes originais, como mencionado anteriormente. Cuidado com produtos de limpeza coloridos, já que as crianças podem pensar que é um suco ou refrigerante e beber.

## ▪ Quintal e jardim

Brincadeiras no quintal e jardim devem ser estimuladas, mas alguns cuidados são fundamentais, com o **acompanhamento permanente** de um adulto.

Evite plantas venenosas ou tóxicas para crianças e animais, que também devem ser protegidos. É importante conhecer o seu potencial de envenenamento ou deixá-las longe do alcance das crianças. Caso seja necessário, use adubos e inseticidas orgânicos, sempre seguindo as orientações de utilização e armazenamento da embalagem.

Se houver *playground* ou brinquedos, verifique o estado de conservação e se não há irregularidades, farpas, pontas ou ferrugem que possam ferir a criança. O piso não pode ser escorregadio e deve ser capaz de absorver impacto.

No caso de piscinas, use rede ou lona protetora e, mesmo assim, cerque-a com grade.

Crianças nunca devem ser deixadas sozinhas em piscina, mesmo as maiores e aquelas que sabem nadar. E, como dito anteriormente, utilize portões de segurança e redes de proteção em lajes, sacadas e varandas.

## Ambientes externos

Explorar o mundo fora de casa e da sala de aula faz parte de um desenvolvimento saudável. O contato com a natureza também auxilia no desenvolvimento do sistema imunológico, diminuindo a ocorrência de doenças infecciosas.

Muita atenção quando estiver em ambientes abertos. **A criança deve estar sempre acompanhada**. Em locais com muito movimento, como parques e praias, uma boa medida é colocar uma pulseira de identificação, que contenha o nome da criança e do responsável e um telefone de contato. Mesmo assim, a criança deve ser observada, continuamente, pois a pulseirinha não garante que a criança será "devolvida" se desaparecer. Caso a criança tenha alguma alergia ou doença, é importante anotar esse dado na pulseira.

Atenção redobrada em ambientes, como clubes, praias, rios, lagoas. As crianças e os pré-adolescentes podem correr para a água sem serem notados e correm o risco de se afogar.

Ao atravessar uma via pública, segure a criança menor de 10 anos pelo punho e, ao andar pela calçada, segure-a pela mão, pois até essa idade a noção de distância e velocidade não estão totalmente desenvolvidas, e o risco de atropelamento é grande.

## ▪ Parquinho

As áreas de *playground* estão presentes em vários locais, como parques, condomínios e restaurantes.

Conheça o parquinho onde a criança vai brincar. Verifique se os equipamentos são adequados para a idade delas e o **estado de conservação e manutenção dos brinquedos**, se estão quebrados, enferrujados ou com superfícies perigosas.

Observe as características gerais, como o tipo de piso, se emborrachados, gramados ou arenosos e a instalação dos equipamentos, verificando se há trincas, deformidades, ruídos excessivos em dobradiças, estruturas protuberantes ou pontiagudas (pregos, farpas). O *playground* não deve ser instalado em piso de concreto ou sobre pedras (Figura 2.5).

Atenção com as roupas da criança. Evite capuz, cachecol e outros adornos no pescoço, como cordões de amarrar, correntinhas etc., pois podem enganchar no brinquedo e representar risco de estrangulamento.

A utilização do parque infantil deve ser sempre supervisionada por um adulto.

**Figura 2.5. Parquinho: piso emborrachado e brinquedos em bom estado de conservação.**

*Fonte: Arquivo da autora Ana Laura Bastos da Costa Kawasaka.*

Estimule a convivência harmoniosa entre as crianças, mas atenção à maneira de brincar, correr ou saltar dos brinquedos e, também, aos conflitos naturais entre os menores que podem empurrar, morder e dar encontrões uns nos outros.

## ▪ Bicicleta

Pedalar pode ser uma atividade prazerosa e segura, desde que observados alguns cuidados. É importante que a atividade seja feita em locais seguros, como parques, ciclovias e praças, longe de piscinas e sacadas e fora do fluxo de carros. Também prefira os horários diurnos com boa iluminação; caso contrário, use refletores nas roupas e na bicicleta.

Caso a bicicleta seja usada próximo ao fluxo de carros, as regras de trânsito devem ser respeitadas e o adulto responsável, um exemplo desse comportamento.

A escolha da bicicleta adequada é realizada de acordo com a altura e a idade da criança, verificando se ela alcança o chão com os pés ao se sentar no assento.

A maioria das crianças está apta a pedalar triciclos e quadriciclos após os 18 meses de vida.

As **bicicletas infantis**, com rodinhas auxiliares, **são recomendadas a partir dos 24 meses** (aro 10 ou 12). A bicicleta sem pedais é uma opção segura. A transição para duas rodas deve ser realizada de acordo com o desenvolvimento do equilíbrio e o desejo da criança.

Os equipamentos de segurança, como capacete, luvas, joelheiras e cotoveleiras precisam da certificação do Inmetro. O ideal é comprar a bicicleta junto com a criança para que ela a experimente, garantindo que seja o tamanho adequado, e para que a aceitação do uso seja facilitada.

O tamanho do capacete deve ser compatível com a circunferência da cabeça: tamanho infantil (ou extrapequeno – PP), para perímetros cefálicos de até 50 cm; tamanho pequeno (P), para perímetros entre 51 e 55 cm. Deve ser ajustado de modo a mantê-lo centralizado na cabeça, o suficiente para não se mover para as laterais.

Atentar para o uso de roupas confortáveis e calçados adequados, fechados e sem cadarços soltos.

Fazer a manutenção da bicicleta e dos equipamentos de segurança, garantindo seu bom estado de conservação.

### ▪ Patins e patinetes

Assim como a bicicleta, os patins e patinetes são brinquedos que as crianças adoram, mais que isso, significam liberdade e independência, mas também aumentam o risco de quedas e de outros acidentes. Observar as mesmas recomendações para o uso da bicicleta. **Equipamentos de proteção individual**, apropriados para o tamanho da criança, são obrigatórios, e precisam estar em bom estado de conservação; na dúvida, troque por um equipamento novo.

### ▪ Automóveis

As crianças só podem sentar-se com o cinto de segurança, como os adultos, a partir de 1,45 m de altura. Abaixo disso, devem ser utilizados assentos apropriados, mesmo para percorrer distâncias curtas. A maior parte dos acidentes ocorre próximo à residência do acidentado e em ruas de baixo limite de velocidade.

Todos os dispositivos de transporte, seja bebê conforto, cadeirinha ou assentos de elevação devem ser certificados pelo Inmetro e adequados para o peso e idade da criança, instalados de acordo com o manual ou tutoriais do próprio fabricante. A segurança em automóveis será abordada no Capítulo 9.

## Segurança dos brinquedos

Escolher brinquedos parece uma tarefa simples, mas requer cuidados de segurança para evitar acidentes, como engasgamento e queimaduras. O primeiro cuidado é na aquisição. Não comprar qualquer objeto de procedência duvidosa e sem certificação do Inmetro. Opte, sempre, por aqueles **recomendados para cada faixa etária**, habilidade e nível de interesse da criança. Leia as instruções cuidadosamente antes da comprar ou de oferecê-lo à criança.

As crianças menores de 3 anos tendem a levar tudo à boca, por isso os brinquedos não devem ser pequenos ou conter partes destacáveis, em razão do risco de engasgamento e sufocação.

Todo objeto recreativo deve ser fabricado com materiais resistentes, não tóxicos e não inflamáveis e deve ser inspecionado regularmente, para checar se não há peças soltas ou pontas afiadas. Evite brinquedos com correntes, tiras e cordas com mais de 15 cm, pois apresentam risco de estrangulamento para as crianças pequenas.

Para evitar queimaduras e choques elétricos, não permita que menores de 10 anos acessem brinquedos que necessitem ser conectados a uma tomada. Em vez disso, prefira brinquedos operados por bateria.

Atenção especial deve ser dada a pilhas e baterias que, na grande maioria das vezes, estão acondicionadas em compartimentos com parafusos e trancas resistentes; checar se estão bem vedadas, pois contêm substâncias corrosivas, que causam sérios danos ao tubo digestivo, quando ingeridas, ou sufocação, quando aspiradas.

**Cuidado com balões de látex (bexigas)** vazios ou estourados, pelo risco de aspiração e sufocamento, se colocados na boca.

Os brinquedos devem ser limpos e guardados após o uso. Estimule a criança a cuidar de seus brinquedos e a doá-los quando ela não se interessar mais por eles.

Cuidado com orifícios e dobradiças que possam prender os dedos da criança durante a manipulação. Brinquedos danificados devem ser descartados ou levados para manutenção imediata.

## Comentários finais

Os temas abordados neste capítulo reforçam a ideia de que a melhor forma de evitar acidentes na infância é tornar o ambiente o mais seguro possível e, quando fora de casa, permanecer atento e adotar atitudes seguras. Antecipe-se ao risco. O velho ditado é verdadeiro: melhor prevenir do que remediar!

## Referências


- Criança Segura Brasil – Safe Kids Brasil. Organização não governamental. Relação dos acidentes com as fases do desenvolvimento da criança. [acesso em 20 abr 2018]. Disponível em: http://criancasegura.org.br/page/relacao-dos-acidentes-com-as.
- Criança Segura Brasil. Campanha: de olho na Infância. Escola Segura. [acesso em 10 ago 2018]. Disponível em: http://criancasegura.org.br/deolhonainfancia/.

- Criança Segura Brasil. Campanha: De olho na Infância. Casa Segura. [acesso em 10 ago 2018]. Disponível em: http://criancasegura.org.br/deolhonainfancia/.
- Instituto Nacional de Metrologia, Qualidade e Tecnologia – Inmetro. Portaria n. 53, de 1 de fevereiro de 2016. Regulamento Técnico da Qualidade para Berços Infantis. [acesso em 20 abr 2018]. Disponível em: http://www.inmetro.gov.br/legislacao/rtac/pdf/RTAC002376.pdf.
- KellyMom Parenting and Breastfeeding. Is baby ready for solid foods? Developmental signs of readiness. 2016. [acesso em 10 mai 2018]. Disponível em: https://kellymom.com/nutrition/starting-solids/solids-when/. Tradução: Aline Padovani. Disponível em: https://tanahoradopapa.com/2017/03/23/o-bebe-esta-pronto-para-alimentos-solidos-sinais-de-prontidao/.
- Schimtt BT. Your Child's Health. 2nd revision. New York: Random House; 2005.

## Testes

**1. Qual alternativa apresenta medidas de segurança para a escolha de roupas?**

A. Evitar peças com golas pequenas e restritas.
B. Evitar gorro ou capuz com cordões.
C. Verificar se botões, adesivos e apliques estão bem fixados.
D. Evitar peças com zíper.
E. Todas as alternativas.

**2. Qual das alternativas é uma recomendação segura para uso do berço?**

A. Colocar o bebê para dormir de lado, para evitar o vômito.
B. Utilizar protetores laterais ("*kit*-berço").
C. Espaço entre as barras da grade maior que 6 cm.
D. Não deixar a babá eletrônica dentro do berço.
E. Nenhuma das alternativas.

**3. Qual das alternativas não é uma recomendação de segurança na alimentação?**

A. Iniciar a alimentação complementar aos 4 meses de vida.
B. Utilizar talheres infantis, pequenos e sem ponta.
C. Cortar uvas e tomatinhos em pedaços longitudinais.
D. Utilizar cadeiras de alimentação com cinto afivelado.
E. Supervisionar a criança enquanto ela se alimenta sozinha.

**4. Um *playground* seguro é aquele que apresenta as seguintes características:**

A. Equipamentos em bom estado de conservação e manutenção.
B. Piso liso.
C. Brinquedos para qualquer idade.
D. Escada para os brinquedos mais altos.
E. Todas as alternativas.

| Respostas | |
|---|---|
| 1 | E |
| 2 | D |
| 3 | A |
| 4 | A |

# 3 Quedas, entorses e fraturas

Ana Paula Dias França Guareschi
Letícia Spina Tapia

## Introdução

Apesar das evidências epidemiológicas, dos programas governamentais de prevenção e da legislação que regulamenta os espaços escolares e de saúde, ainda encontramos dados alarmantes sobre o número de acidentes na infância.

A importância da prevenção é consenso entre os especialistas, uma vez que visa minimizar os eventos adversos nas crianças. A implementação das medidas preventivas é de responsabilidade da família, equipe educacional e de saúde, dependendo do cenário em que a criança está inserida. Um dos caminhos para prevenção dos acidentes na infância é identificar os perigos ambientais e atuar no intuito de reduzir seus riscos ou eliminá-los.

Os **acidentes mais frequentes na infância** são, também, **passíveis de prevenção**, a partir da orientação dos cuidadores, alteração nos espaços de convívio e permanência, da elaboração de novas leis que regulamentem ações protetivas e da fiscalização pelos órgãos competentes para o seu cumprimento. Essas medidas são fundamentais para reduzir a prevalência tanto dos acidentes domésticos quanto dos acidentes de trânsito.

O *Estatuto da Criança e do Adolescente* (ECA) é uma das ferramentas que resguardam o direito fundamental da criança à proteção e à vida.

Vale ressaltar que, para implementar qualquer medida de segurança, é necessário que cuidadores e profissionais compreendam aspectos relevantes do desenvolvimento infantil, como a aquisição de habilidades motoras e cognitivas que, por sua vez, influenciarão nos fatores de risco para a ocorrência de acidentes, pois **a criança modifica sua relação com o meio de acordo com a faixa etária** (Quadro 3.1), o que exige constante adaptação do ambiente, pelo adulto, para que o torne seguro. Ou seja, o estágio de desenvolvimento da criança determina, parcialmente, os tipos de acidentes mais prováveis em cada faixa etária.

Dentre os aspectos comportamentais das crianças, que influenciam no risco de ocorrência de acidentes, podemos citar:

- São influenciáveis por seu ambiente psicossocial.
- Imitam o comportamento adulto.
- São curiosas.
- Ainda são incapazes de avaliar riscos.
- As que possuem temperamentos agitados e impulsivos são as mais propensas a riscos.
- Possuem motivação para imitar comportamentos, principalmente aqueles vinculados pela televisão, o que favorece a construção de "pensamentos mágicos", no qual ela acredita, por exemplo, ser um super-herói.

A partir dos 5 anos de idade, a criança passa por uma fase de intenso amadurecimento intelectual e emocional, sendo capaz de compreender a diferença entre certo e errado, e pode assumir algumas responsabilidades sobre o autocuidado e a proteção com supervisão de um adulto.

Dos acidentes prevalentes na infância, as quedas, as entorses e as fraturas ganham destaque por sua frequência e risco de complicações.

As **quedas** se configuram como a **quinta causa de morte na infância** entre os acidentes por causas externas. Segundo dados do Ministério da Saúde, em 2016, ocorreram 183 óbitos de crianças até 14 anos em razão de quedas, sendo 66 deles na faixa entre 2 e 4 anos. Em 2017, 51.928 crianças até 14 anos foram hospitalizadas pelo mesmo motivo.

| Quadro 3.1. Características do desenvolvimento infantil e os tipos de acidentes prevalentes, por faixa etária | |
|---|---|
| ***2 a 3 anos de idade*** | ***Acidentes prevalentes*** |
| • Manifesta vontade própria<br>• Imita de maneira mais elaborada<br>• Interesse em socializar-se<br>• Participa ativamente de atividades, como higiene e alimentação<br>• Interage com brinquedos pedagógicos<br>• Anda, pula, corre, dança e salta<br>• Sobe e desce um degrau por vez<br>• Chuta ou joga bola com as mãos<br>• Utiliza copo, talher e escova de dentes<br>• Brinca com água<br>• É capaz de aprender a pedalar<br>• Consegue utilizar tesouras<br>• Brinca sozinha de maneira exploratória<br>• Consegue brincar com outra criança<br>• Movimento de preensão mais coordenado | • Quedas e outros traumas<br>• Fraturas, entorses, outras contusões<br>• Aspiração de corpo estranho<br>• Intoxicações<br>• Afogamento (piscinas, baldes)<br>• Queimaduras<br>• Choque elétrico<br>• Atropelamento<br>• Picadas e mordidas |
| ***3 a 5 anos de idade*** | ***Acidentes prevalentes*** |
| • Convive mais socialmente<br>• Maior autonomia para atividades de cuidado pessoal<br>• É capaz de pedalar um triciclo<br>• Usa o vaso sanitário<br>• Procura experimentar e inventar<br>• Brinca com animais<br>• Brinca com objetos mecânicos | • Quedas (de triciclos, patins, bicicletas e de grandes alturas, como lajes e telhados) e outros traumas<br>• Asfixia e sufocação<br>• Intoxicações<br>• Queimaduras<br>• Afogamento<br>• Choque elétrico<br>• Atropelamento |

*Fonte: Ministério da Saúde, 2012; Rede Nacional pela Primeira Infância – RPNI, 2014; Sociedade Brasileira de Pediatria – SBP, 2014.*

## Quedas

Queda é o **deslocamento não intencional para um nível inferior à posição inicial**, em razão de circunstâncias multifatoriais que comprometem a estabilidade, resultando ou não em lesões que podem ocasionar limitações e incapacidades, temporárias ou permanentes.

Em crianças, o evento está relacionado com a fase de seu desenvolvimento motor, incapacidade para avaliar o risco, curiosidade, interesse por aventura, imitação, nível de independência, comportamentos desafiadores, uso incorreto de brinquedos e equipamentos, sendo **mais frequente em meninos**, nas residências e escolas e **na presença dos cuidadores**.

Há diferentes tipos de quedas que envolvem mecanismos diversos, dependendo do local e da circunstância. Assim, a queda de uma certa altura, acima de 2,5 m, por exemplo, pode ter consequências diferentes da queda do degrau de uma escada. Os tipos de quedas são agrupados em:

- **Quedas no mesmo nível ou da própria altura:** causadas por tropeço, empurrão, pisada em falso, fratura, colisão contra outra criança, impacto contra a parede.
- **Quedas de um nível ao outro:** da escada, do berço, do muro.

O local onde as quedas ocorrem varia de acordo com a faixa etária. Antes do primeiro ano de vida, por exemplo, é mais frequente observar quedas do berço ou da cama; entre 1 e 4 anos, quedas de um nível ao outro, como de escadas e para fora de estruturas ou edificações; dos 5 aos 9 anos, quedas no mesmo nível ou de um nível ao outro (por exemplo, de árvores e de equipamentos de recreação).

## Entorses

A entorse é uma **lesão da cápsula articular e/ou dos ligamentos de uma articulação** após um movimento brusco, além de seu limite elástico. A lesão pode causar um estiramento ou até a ruptura das fibras ligamentares.

Popularmente, é conhecida como "mau jeito ou torcedura", e ocorre mais comumente em punhos, tornozelos, joelho e dedos. A região do tornozelo é a mais afetada durante a prática recreativa, de atividades físicas ou do dia a dia. É mais comum na faixa entre 3 e 14 anos.

Além da entorse, as articulações podem sofrer **outros traumatismos**, como: **contusão**, **luxação**, **subluxação** e **fratura articular**.

A torção do tornozelo pode ocorrer por inversão ou eversão do pé (Figura 3.1). O mecanismo de inversão é o mais frequente, com flexão plantar do tornozelo, que utiliza força além do habitual durante a marcha em um terreno irregular, na transição entre degraus, pisada em falso e em posicionamentos anormais.

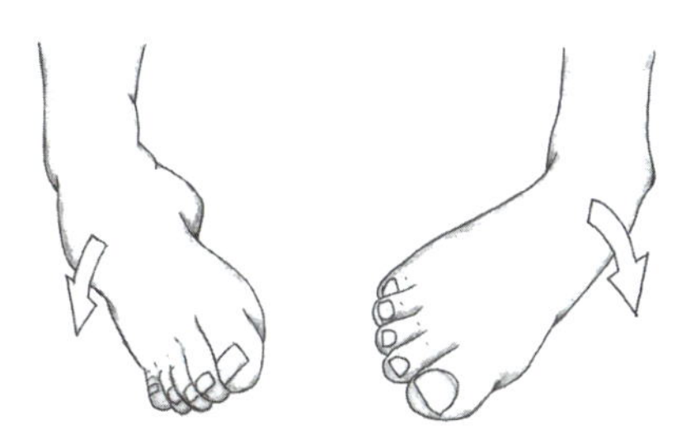

Figura 3.1. Entorse de tornozelo. Inversão ou eversão do pé.

*Ilustração: Melina Gesteira Souza.*

A entorse é classificada em:

- **Grau 1:** estiramento ligamentar.
- **Grau 2:** lesão ligamentar parcial.
- **Grau 3:** lesão ligamentar total.

A maioria dessas lesões de tornozelo é do tipo grau 1 ou leve, e dependendo da intensidade da lesão, a criança apresenta:

- Dor.
- Equimose.
- Edema.
- **Limitação na mobilidade.**

Além da entorse, as crianças pequenas podem apresentar um tipo, não muito raro, de lesão: a **pronação dolorosa**.

Trata-se de uma subluxação (deslocamento) transitória da cabeça do rádio, através do ligamento anular no cotovelo, mais comum em pré-escolares, e ocorre quando a criança é puxada pelo braço (Figura 3.2) com o cotovelo estendido e com o antebraço em pronação ("virado"). Essa lesão provoca dor e a criança evita usar o membro.

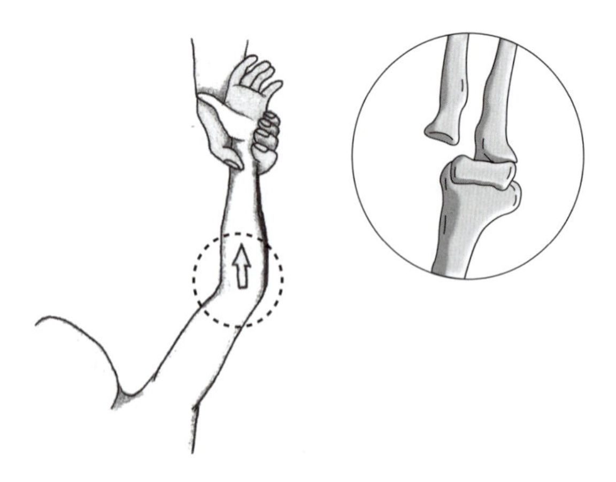

**Figura 3.2. Pronação dolorosa do cotovelo.**

*Ilustração: Melina Gesteira Souza.*

## Fraturas

A fratura pode ser definida como uma **ruptura parcial ou total de um osso**. Segundo a Sociedade Brasileira de Ortopedia Pediátrica (SBOP), nem sempre é necessário um grande trauma para provocar uma fratura. Muitas vezes, um tropeção com queda da própria altura é suficiente para causar a lesão.

As fraturas são **mais frequentes em meninos**. O mecanismo envolvido na maioria delas está relacionado com quedas no ambiente doméstico e afeta, principalmente, os membros superiores: clavícula, punho, antebraço (rádio) e cotovelo (região supracondiliana do úmero) e mão.

O osso infantil apresenta características diferentes do osso adulto, entre elas: presença da cartilagem de crescimento (epífise), periósteo espesso, maior plasticidade, maior poder de remodelação. Assim, dependendo da fratura, esses aspectos podem favorecer ou prejudicar a cicatrização.

São sinais clássicos de fratura:

- **Dor.**
- Edema.
- Hematoma (acúmulo de sangue sob a pele) ou equimose.
- Deformidade.
- **Perda da funcionalidade.**

Há diversos tipos de fraturas e, para cada situação, um tipo de tratamento e programa de reabilitação é proposto. As fraturas são classificadas segundo alguns critérios:

- **Etiologia: traumática**; **espontânea**; **patológica** (doenças congênitas, infecções e lesões benignas ou malignas); **por estresse ou esforço** contínuo, mais comum em crianças/jovens que praticam esportes.
- **Exposição: fechada**; **aberta ou exposta** (ferida que se comunica com a fratura).
- **Extensão ou configuração: completa**; **incompleta ou em "galho verde"**, em que o osso é "lascado" ou "trincado", com uma parte permanecendo íntegra; subperióstea, tipo que afeta a camada abaixo do periósteo (membrana resistente que envolve o osso); descolamento epifisário, atinge a placa de crescimento ósseo e é o tipo mais frequente de fratura.
- **Presença de desvios:** sem desvios, desviada (deslocamento de fragmentos ósseos), impactada.
- **Localização (ossos longos):** epifisária (extremidade do osso), metafisária (parte mais dilatada da diáfise) e diafisária (corpo do osso).

## Prevenção de acidentes na escola

A redução da morbimortalidade por acidentes é uma preocupação do "Programa Saúde na Escola" do Ministério da Saúde e do Ministério da Educação, instituído em 2007. Entre as recomendações, o Programa preconiza a adequação dos recursos físicos e humanos para o atendimento à criança nas diferentes faixas etárias, e atribui aos gestores, educadores, profissionais da saúde e familiares, a responsabilidade da aplicação da **"cultura de prevenção"**. Para isso, é preciso que todos os envolvidos compreendam o **acidente** como um **evento previsível**, que possui um processo epidemiológico semelhante ao estudo das doenças, e portanto, **não é apenas uma fatalidade**.

Segundo estudos da Safe Kids Worldwide, cerca de 90% dos acidentes podem ser prevenidos, o que corrobora a necessidade, cada vez mais urgente, da implantação de campanhas educativas e outras ações, que somente podem ser viabilizadas ao se identificarem os fatores de risco para a sua ocorrência e as possibilidades de intervenção com foco na prevenção primária, e nas prevenções secundária e terciária. Para isso, é preciso conhecer o contexto biopsicossocial no qual a criança está inserida, como estrutura familiar, condições de moradia, crenças e valores da família e da comunidade, e fase de desenvolvimento.

O objetivo da **prevenção primária** é **eliminar o risco** (ver Capítulo 2), o que pode ser conseguido ao se identificarem os fatores ambientais e comportamentais de perigo, as falhas na utilização de equipamentos de segurança e o grau de desconhecimento dos cuidadores sobre as medidas de prevenção. Com isso, é possível traçar estratégias eficazes e sensibilizar os responsáveis pelo cuidado à criança, tomando-se o cuidado para não "prescrever" atitudes e comportamentos, mas compreender, de maneira ampla, a realidade da família e suas necessidades, bem como suas limitações. Exemplos de prevenção estão descritos no Quadros 3.2 e 3.3.

Com relação à queda da criança, é importante reconhecer que isso faz parte do processo de desenvolvimento e crescimento, podendo ocorrer durante o andar, o brincar, o correr e na utilização de novos brinquedos, então, é imprescindível a supervisão de um responsável para minimizar maiores riscos.

Na **prevenção secundária**, o objetivo será **minimizar as consequências** do acidente, uma vez que houve falha na prevenção primária.

A **prevenção terciária** tem o propósito de **reduzir a morbimortalidade** com atendimento eficiente à vítima. Para isso, é importante o treinamento adequado da equipe de saúde, contemplando as características anatômicas, fisiológicas e cognitivas das crianças.

| **Quadro 3.2. Prevenção primária de acidentes relacionados com entorses** |
|---|
| ***Entorses*** |
| • Alongar antes e depois da prática recreativa ou esportiva para melhorar a flexibilidade e reduzir os riscos de lesões<br>• Realizar aquecimento muscular e articular antes de atividades físicas (por exemplo: correr por 10 minutos, movimentar as articulações)<br>• Manter calçado compatível com a atividade, bem ajustado ao pé da criança<br>• Proteger as articulações com faixas (tornozeleiras, joelheiras), quando a criança praticar esportes de risco<br>• Evitar brincadeiras em terrenos acidentados |

*Fonte: Elaborado pelas autoras.*

**Quadro 3.3. Prevenção primária de acidentes relacionados com quedas e fraturas**

| *Quedas e fraturas* |
|---|
| • Vigiar a criança constantemente por um adulto<br>• Prender as crianças com cintos de segurança nos cadeirões e carrinhos de bebê<br>• Tomar cuidado ao segurar crianças no colo<br>• Orientar a criança a respeito da segurança no trânsito<br>• Evitar a desorganização dos espaços de convívio e objetos espalhados pelo chão<br>• Utilizar portões de segurança em escadas para impedir o acesso das crianças<br>• Retirar tapetes dos ambientes em que a criança costuma ficar<br>• Abaixar o nível do colchão à medida que o lactente cresce<br>• Manter as grades do berço travadas<br>• Usar cama baixa, com grade de proteção lateral até os 6 anos<br>• Nunca deixar crianças com menos de 6 anos sozinhas<br>• Proteger janelas com redes de proteção<br>• Orientar a criança a levantar da cama devagar<br>• Evitar pisos escorregadios ou usar tapete antiderrapante ou chinelo no chuveiro<br>• Não permitir que crianças e adolescentes pulem na mobília<br>• Não posicionar mobílias próximo às janelas<br>• Supervisionar o uso de equipamentos de proteção, de acordo com a modalidade recreativa ou esportiva: capacete, luvas e protetores de joelhos, cotovelos e tornozelos<br>• Realizar a manutenção adequada de bicicleta, patins, *skate* (correntes, freios, calibragem dos pneus, rodas e rolamentos, ajustes dos parafusos etc.<br>• Verificar se o capacete cumpre com as normas estabelecidas pelo Instituto Nacional de Metrologia, Qualidade e Tecnologia (Inmetro) e Associação Brasileira de Normas Técnicas (ABNT – Norma 16175-2013)<br>• Deixar a criança escolher o modelo do capacete que mais lhe agrada, pois isso estimulará o seu uso<br>• Verificar se o capacete está corretamente ajustado à cabeça e ao pescoço da criança de maneira confortável<br>• Adequar o tamanho da bicicleta à criança (ela deve conseguir apoiar os pés no chão)<br>• Orientar a utilização de calçados fechados, que protejam os pés<br>• Colocar roupas adequadas à atividade que a criança realizará<br>• Instalar cercados ou portões em locais de riscos, como escadas, e telas em janelas e locais altos<br>• Realizar manutenção de travas em portas de armários<br>• Permitir somente os brinquedos compatíveis com a faixa etária<br>• Proteger quinas em mobiliários<br>• Não permitir que a criança suba em mobiliários ou pendure-se neles<br>• Instalar revestimento adequado do piso em locais com brincadeiras de impacto<br>• Manter os equipamentos de proteção em bom estado de conservação e manutenção |

*Fonte: Elaborado pelas autoras.*

Os profissionais de saúde devem **classificar o risco de queda** das crianças hospitalizadas de acordo com os critérios estabelecidos pelo Ministério da Saúde (2013):

- História pregressa de quedas.
- Crianças menores de 5 anos.
- Alteração do equilíbrio corporal, da marcha, fraqueza muscular de membros inferiores, uso de próteses, andadores, muletas, bengalas, curativos e/ou bandagens nos pés, uso de cadeira de rodas, tontura, amputação etc.
- Osteoartrites.
- Doenças musculares degenerativas.
- Distúrbios neurológicos.
- Uso de drogas que atuam sobre o sistema nervoso central.
- Uso de anti-hipertensivos, betabloqueadores, antiarrítmicos.
- Diabético, uso de hipoglicemiantes.
- Uso de diuréticos (urgência urinária), incontinência urinária.
- Uso de laxantes (urgência intestinal), incontinência fecal, diarreia.
- Caquexia ou obesidade severa.
- Comprometimento sensorial (visão, audição, tato).
- Anemia, plaquetopenia.
- Dor intensa.
- Dieta zero.
- Hipotensão.

## Tratamento

Para atender a criança vítima de um trauma musculoesquelético, é fundamental conhecer:

- A altura que a criança caiu, pois a queda de altura que corresponda a três vezes ou mais a estatura da vítima é potencialmente mais grave.
- Sobre qual superfície a criança caiu (cimento, grama).
- Sinais do impacto (som da batida contra o solo).

- Qual parte do corpo a criança sofreu a primeira colisão/impacto (cabeça, pé, cotovelo, coluna).
- Qual foi o movimento causador da lesão (corrida, colisão, queda).
- Lesões aparentes (sangramento, cortes na pele, inchaços).

**O socorro básico consiste em: proteção, repouso, gelo, compressão, elevação – PRICE** (*protetion, rest, ice, compression, elevation*) e deve ser prestado por pessoa minimamente treinada e, sempre que possível, sob a orientação profissional de um serviço de saúde ou de emergência a distância.

O **socorrista sem treinamento** especializado **não pode manipular lesões que se localizem do cotovelo para cima ou do joelho para cima**, pois são locais que concentram grandes artérias, cuja manipulação incorreta pode gerar sérias complicações. Assim, o leigo ou o profissional sem treinamento especializado em trauma só poderá manipular ou imobilizar lesões localizadas abaixo dos cotovelos (antebraços e mãos), e abaixo dos joelhos (tornozelos e pés).

A imobilização é o tratamento conservador, para a maioria das fraturas, já que a capacidade de remodelação óssea favorece a consolidação. Dependendo da idade e do tipo de osso, alguns desvios são aceitáveis (as pontas fraturadas não precisam estar em contato total); por isso, a imobilização é uma alternativa e pode ser conseguida com o uso de uma tala de gesso, gesso circular, gesso sintético ou aparelhos.

O uso do gesso objetiva proteger e manter o membro lesado em posição adequada e aliviar a dor.

O gesso sintético (bandagem de resina) tem a vantagem de ser leve e resistente, mas não pode ser molhado, pois, apesar de impermeável, retém água em contato com a pele, não permite a remodelagem óssea e tem alto custo em relação aos outros métodos. As talas são importantes depois de uma correção cirúrgica, mas são pouco resistentes.

Observe a coloração da extremidade, a capacidade de movimentar os dedos e a queixa de dor, em todos os casos em que for necessário imobilizar um segmento corporal.

Cuidados adicionais são necessários se a criança receber a **imobilização por gesso**, deve-se orientar:

- Manter a extremidade elevada para facilitar a drenagem venosa.
- Tomar cuidado para não quebrar o gesso.
- Não molhar o gesso fixo ou a tala; proteger com um saco plástico na hora do banho e não jogar água sobre ele.
- Desestimular o uso de objetos pontiagudos para coçar a pele por dentro do gesso.

Procurar atendimento médico ao menor sinal de alteração, como:

- Dor intensa.
- Inchaço (edema) nos dedos.
- Palidez dos dedos e extremidades arroxeadas.
- Dedos frios.
- Formigamento ou alteração na sensibilidade.
- Dedos muito dobrados.
- Dificuldade para movimentar os dedos.

## ▪ Tratamento e reabilitação da criança com entorse

O atendimento inicial nos casos de entorse **visa ao controle da dor e de possíveis complicações**, até que o atendimento médico seja providenciado. De modo geral, o socorrista deve seguir as seguintes etapas:

- Posicionar a criança sentada ou deitada, imediatamente, para evitar descarga de peso no local da entorse.
- Expor a área.
- Remover, delicadamente, o calçado de ambos os pés, se a entorse for no tornozelo ou nos dedos do pé.
- Avaliar os sinais de circulação e a temperatura, em ambos os pés, comparando-os: se o membro machucado apresentar diminuição da circulação – coloração arroxeada ou pálida, ausência de pulso e pele fria, não manipule a região e acione o serviço móvel de emergência, pois pode se tratar de uma complicação. Se os

sinais de circulação e temperatura estiverem iguais, em ambos os membros, aplique uma bolsa de gelo ou compressas frias, por 15 a 20 minutos (proteger a pele com um tecido fino). Repetir após 2 horas.

- Imobilizar o membro, caso tenha treinamento e segurança para isso, para diminuir a dor e possíveis complicações. Os profissionais de saúde capacitados podem instalar uma tipoia, se a entorse for no braço ou no ombro; improvisar com um lenço grande ou uma blusa com mangas longas, amarrando-as; dessa maneira o membro ficará apoiado, o que diminuirá a dor, inchaço e possíveis complicações, até que o serviço de saúde avalie a criança.
- **Evitar o uso de talas improvisadas**; as novas recomendações indicam a utilização de tala apropriada para essa finalidade, que pode ser fixada com faixas e fita adesiva.
- Manter os dedos das mãos ou dos pés visíveis e atenção para não garrotear o membro (compressão que reduz a circulação).
- As talas para imobilização devem ter comprimento suficiente para acomodar a articulação comprometida de maneira segura (pelo menos um palmo acima e um palmo abaixo da região).
- Encaminhar a criança para atendimento médico.
- O tratamento de subluxação de ombro é realizado no pronto-socorro, com redução incruenta ("pôr no lugar"). O procedimento melhora a dor e a limitação quase imediatamente. A criança utilizará uma tipoia, por 10 a 15 dias, para cicatrizar o ligamento afetado.

Não colocar bolsa de gelo sobre feridas e não comprimir a região com sinais de palidez.

Na avaliação médica será determinado o grau da lesão; para isso, podem ser necessários alguns exames complementares, como a radiografia, para descartar uma fratura, ou a ressonância magnética, para investigar a presença de lesões associadas ou a cronicidade do quadro. O ortopedista pode indicar a imobilização da articulação, com uma órtese ou gesso, por 2 a 4 semanas, e a prescrição de anti-inflamatórios, para diminuir a dor e o edema.

Em lesões mais graves, pode ser necessária uma imobilização por 6 a 10 semanas. O tratamento cirúrgico é considerado em casos muito específicos, em que haja grande instabilidade articular. Preferencialmente, o tratamento conservador é escolhido nas lesões agudas.

**A reabilitação da entorse depende do grau da lesão do ligamento**, e é importante para garantir a completa cura e a prevenção de novas lesões.

Após a liberação do ortopedista para "descarga de peso" sobre o membro lesado, a fisioterapia é iniciada com o objetivo de recuperar a amplitude do movimento, restaurar a força, a flexibilidade e a propriocepção, favorecendo o retorno da criança às atividades da vida diária.

Em longo prazo, os exercícios prescritos pelo fisioterapeuta e ortopedista têm caráter preventivo para novas lesões; nesse caso, os objetivos incluem o ganho de força de grupos musculares específicos e melhora da flexibilidade, especialmente para crianças que realizam alguma prática esportiva.

## ▪ Tratamento e reabilitação da criança com fratura

O atendimento à criança vítima de fratura óssea deve considerar o controle da dor, do edema e a prevenção de complicações. Na suspeita de fratura, deve-se:

- Posicionar a criança sentada ou deitada.
- Tentar acalmá-la, solicitar ajuda e acionar o serviço móvel de emergência. Seguir as orientações fornecidas pelo atendente.
- Remover, delicadamente, quaisquer adornos (pulseiras, relógios, anéis), ou o calçado.
- Não manipular a área lesionada.
- Manter a região do osso com suspeita ou confirmação de fratura na posição em que se apresenta.
- Imobilizar o membro, sem movimentá-lo, com a ajuda de outro socorrista leigo ou familiar, utilizando os materiais próprios para esse fim, como talas. Isso contribuirá para redução do edema e da dor, e para prevenir complicações. Na ausência de materiais adequados,

**não utilizar recursos improvisados**, como revistas, jornais, pedaços de papelão ou tecido, já que eles não conferem firmeza suficiente para uma imobilização segura.

- Caso o local da fratura seja de difícil manipulação, como a clavícula e o fêmur, deverá ser manipulado pelo médico.
- Observar a perfusão (circulação) e a temperatura do lado afetado e comparar com o lado oposto.
- Se houver um ferimento aberto, com pouco sangramento, irrigar com água limpa ou solução fisiológica estéril e proceder a cobertura com compressa ou pano limpo.
- Em caso de sangramento intenso, comprimir o local com gaze, pano limpo ou compressa (ver Capítulo 8). Caso fiquem encharcados de sangue, não interromper a compressão: colocar uma nova compressa por cima, sem remover a anterior, pois isso evitará o aumento do sangramento por remoção de possível coágulo formado sob o tecido.
- Encaminhar a criança para o atendimento médico mais próximo, se possível com ortopedista.

O tratamento da fratura dependerá de diversos fatores, como: idade da criança, gravidade, tipo e localização do trauma, sinais de complicação etc.

Já a **redução mecânica** ("pôr no lugar"), será indicada nas fraturas com desvios não toleráveis para o tipo ósseo. A manobra é realizada pelo ortopedista, sob anestesia ou não, considerando a idade da criança, o tempo de jejum, o tipo e a localização da fratura, e com a concordância dos pais.

A **intervenção cirúrgica** ocorrerá nas situações em que for necessário reposicionar os fragmentos ósseos, através de hastes, placas e fixadores, utilizando técnicas mais ou menos invasivas.

O **acompanhamento radiográfico** será importante para o controle do processo de consolidação que, por sua vez, dependerá de fatores, como tipo de fratura, osso afetado e cuidados após o atendimento inicial.

Dependendo do tempo de imobilização e da presença de atrofia muscular, será necessário um acompanhamento fisioterapêutico.

**O que não deve ser realizado em uma criança com fratura:**

- Não mover a coluna.
- Não tentar levantar a vítima, não fazê-la andar.
- Não realizar massagem ou aplicar produtos.
- Não tentar colocar articulação ou a coluna no lugar.
- Não oferecer alimentos ou bebidas; aguardar as orientações do serviço de emergência.
- Não retirar a imobilização sem orientação médica.

## Retorno da criança à escola após fratura ou entorse

O retorno da criança às atividades escolares deverá ocorrer após liberação do médico ortopedista, que fornecerá aos pais um atestado contendo a data final do afastamento, atividades permitidas (práticas esportivas, determinadas atividades de lazer, como dança etc.), atividades não permitidas (pular, jogar bola), e a necessidade do uso de dispositivos de auxílio, como muletas, órteses de posicionamento, entre outros.

Especialmente para a prática esportiva, que requer uma maior descarga de peso e uso de força, **os pais devem informar o educador físico sobre limitações**, caso existam, e descrever em detalhes como foi o processo de reabilitação. Dessa maneira, ele pode direcionar, adequadamente, as atividades para esse aluno, promovendo uma prática esportiva segura.

Caso a criança necessite utilizar dispositivos de auxílio para marcha ou órteses de posicionamento, comunicar a escola, previamente, para que a equipe se organize e possa auxiliá-la.

No caso de uso de **medicamentos em longo prazo**, os pais devem **ajustar os horários para evitar que a administração seja realizada na unidade escolar**, pois, muitas vezes, ela não dispõe de profissional habilitado e os educadores não se sentem seguros para assumirem essa função ou, ainda, as demandas educacionais não permitem um controle adequado das doses e dos horários estabelecidos, com ocorrência de falhas. Além disso, a administração de medicamentos no ambiente escolar não é uma regra, possui poucas recomendações publicadas, e apenas alguns municípios regulamentam essa prática por meio de legislações.

Por isso, medicamentos com intervalo de 12 horas devem ser administrados em casa, às 7 e às 19 horas, por exemplo, e aqueles com intervalo de 8 horas, às 6, 14 e 22 horas. Porém, nos casos de crianças que ficam no período integral, pode ser necessário a administração de medicamentos pelo profissional de educação ou de saúde da escola.

Quando a criança precisar receber os medicamentos na escola:

- Enviar a respectiva receita médica (legível, dentro do prazo de validade e com carimbo/assinatura do médico).
- Identificar o frasco do medicamento: com nome completo do aluno, data de abertura e nome do professor responsável.
- Entregar o medicamento a um adulto; nunca envie o medicamento dentro da mochila da criança, pois há risco de acidente por ingestão acidental.
- Autorizar a administração do medicamento por escrito, contendo dose, horário e qualquer outro cuidado necessário.

## Comentários finais

Entre tantos aspectos importantes relacionados com as quedas, entorses e fraturas, um outro a ser considerado diz respeito à repercussão, incalculável, do custo emocional, social e econômico da morte de uma criança ou das possíveis sequelas de um acidente, que recairão sobre a família, a comunidade e a sociedade, reforçando ainda mais a importância da prevenção como única forma de reduzir as desastrosas taxas de acidentes na infância.

## Referências


- Brasil. Ministério da Saúde. Programa Nacional de Segurança do Paciente (PNSP): Portaria n. 529, de 1° de abril de 2013. Brasília: Ministério da Saúde; 2013. [acesso em 27 mai 2018]. Disponível em: http://bvsms.saude.gov.br/bvs/saudelegis/gm/2013/prt0529_01_04_2013.htm.
- Brasil. Ministério da Saúde. Saúde da criança: crescimento e desenvolvimento. Cadernos de Atenção Básica n. 33. Departamento de Atenção Básica. Brasília: Ministério da Saúde; 2012.
- Brasil. Ministérios da Educação e da Saúde. Programa Saúde na Escola: Decreto n. 6.286, de 5 de dezembro de 2007. Brasília: Ministério da Educação; 2007. [acesso em 15 fev 2018]. Disponível em: http://www.planalto.gov.br/ccivil_03/_Ato20072010/2007/Decreto/D6286.htm.

- Creche Segura. Professor pode administrar medicamentos na escola? [acesso em 25 fev 2018]. Disponível em: http://www.crechesegura.com.br/professor-pode-administrar-medicamento-na-escola/.
- Criança Segura Brasil. Cartilha Prevenção de Lesões nos Esportes. [acesso em 25 fev 2018]. Disponível em: http://criancasegura.org.br/wp-content/uploads/2016/08/17-3.pdf.
- Criança Segura Brasil. Os acidentes em números. [acesso em 10 ago 2018]. Disponível em: http://criancasegura.org.br/dados-de-acidentes/.
- Criança Segura Brasil. Quedas. [acesso em 27 mai 2018]. Disponível em: http://criancasegura.org.br/noticia/quedas-por-que-acontecem-e-quais-os-riscos-as criancas/?gclid=Cj0KCQjw9LPYBRDSARIsAHL7J5kxgDT0zD2yG0n_7f6TQEn1GJWOKahoiiLDvSx170Uu69C0NwpmHXEaAonuEALw_wcB.
- Hoopenfeld S, Murthy VL. Tratamento e Reabilitação de Fraturas. Barueri: Manole; 2001.
- Hospital Universitário Walter Cantídio. Universidade Federal do Ceará. Protocolo de prevenção de quedas em crianças; 2016. [acesso 27 mai 2018]. Disponível em: http://www.ebserh.gov.br/documents/214604/617877/ PROTOCOLO+PREVEN%C3%87%C3%83O+DE+QUEDAS+EM+CRIAN%C3%87AS.pdf/7899ddd6-20df-4239-b6cd-fedd37847b04.
- Malta DC, Mascarenhas MDM, Silva MMA, Carvalho MGO, Barufaldi LA, Avanci JQ et al. A ocorrência de causas externas na infância em serviços de urgência: aspectos epidemiológicos. Brasil, 2014. Ciênc Saúde Colet. 2016;21(12):3729-44.
- National Association of Emergency Medical Technicians – NAEMT. Prehospital Trauma Life Support - PHTLS. São Paulo: Mosby-Elsevier; 2012.
- Plano Nacional pela Primeira Infância. Mapeamento da Ação Finalística Evitando Acidentes na Primeira Infância, Rede Nacional Primeira Infância- RNPI; 2014. [acesso em 10 fev 2018]. Disponível em: http://primeirainfancia.org.br/wp-content/uploads/2015/01/RELATORIO-DE-MAPEAMENTO-EVITANDO-ACIDENTES-versao-4-solteiras.pdf.
- Rodrigues FL, Waisberg G. Entorse de tornozelo. Sociedade Brasileira de Ortopedia e Traumatologia. Rev Assoc Med Bras. 2009;55(5):497-520.
- São Paulo (Cidade). Secretaria da Saúde Manual de prevenção de acidentes e primeiros socorros nas escolas/ Secretaria da Saúde. Coordenação de Desenvolvimento de Programas e Políticas de Saúde. CODEPPS. São Paulo: SMS; 2007.
- Sociedade Brasileira de Ortopedia Pediátrica – SBOP. Fraturas em crianças. [acesso em 5 abr 2018]. Disponível em: http://www.sbop.org.br/noticia/11/orientacao.
- Sociedade Brasileira de Pediatria – SBP. Crianças e Adolescentes em segurança. Departamento Científico de Segurança da SBP. Barueri: Manole; 2014.
- Sociedade Brasileira de Pediatria – SBP. Uso criterioso de medicamentos na creche e na escola: orientação aos pediatras. Departamento Científico de Saúde do Escolar, Comitê de Saúde Escolar da Sociedade de Pediatria do Estado do Rio de Janeiro. [acesso em 20 mar 2018]. Disponível em: http://www.sbp.com.br/imprensa/detalhe/nid/sociedade-brasileira-de-pediatria-divulga-orientacoes-para-uso-de-medicamentos-em-creches-e-escolas/.

## Testes

**1. São aspectos comportamentais da criança que favorecem a ocorrência de acidentes na infância:**

I. Influência do ambiente psicossocial.
II. Curiosidade.
III. Capacidade para avaliar riscos.
IV. Temperamento agitado e impulsivo.
V. Pensamento mágico.

**Assinale a alternativa correta:**

A. I, II, III estão corretas.
B. I, II, IV e V estão corretas.
C. II, IV e V estão corretas.
D. I, III, IV estão corretas.
E. Todas estão corretas.

**2. Acidente frequente na faixa etária entre 3 e 5 anos, com elevado potencial de gerar fraturas:**

A. Queda.
B. Pronação dolorosa.
C. Intoxicação.
D. Queimadura.
E. Fratura.

**3. Correlacione as lesões com a respectiva prevenção, colocando (1) para entorse e (2) para fratura:**

( ) Aquecimento muscular e articular antes de atividades físicas.
( ) Utilizar portões de segurança em escadas.
( ) Manter calçado compatível com a atividade, bem ajustado ao pé da criança.
( ) Abaixar o nível do colchão à medida que o lactente cresce.
( ) Proteger as articulações com faixas (tornozeleiras, joelheiras), quando a criança andar de *skate* ou patinete.
( ) Manter as grades do berço travadas.
( ) Pisos gramados ou emborrachados em parquinho infantil.

**4. Assinale a alternativa incorreta:**

A. Lesões localizadas em mãos e tornozelos são menos graves, em geral, e podem ser imobilizadas por socorrista leigo.

B. Somente o profissional médico pode manipular a criança com suspeita de fratura na clavícula.

C. Aplicação de gelo e repouso são os cuidados imediatos após a entorse de tornozelo.

D. Quedas acima de 2,5 m de altura são potencialmente graves, quando antes dos 2 anos.

E. Para confirmar se a criança fraturou a perna, coloque-a em pé e observe se ela consegue apoiar o membro.

| Respostas | |
|---|---|
| **1** | **B** |
| **2** | **A** |
| **3** | **Sequência: 1, 2, 1, 2, 1, 2, 2** |
| **4** | **E** |

# 4 Engasgamento e sufocação

Aline Santa Cruz Belela-Anacleto
Denise Miyuki Kusahara

## Introdução

Em todo o mundo, os acidentes constituem importante causa de morte em crianças e estão relacionados com elevados índices de morbidade, apesar de amplas e frequentes campanhas de prevenção. Segundo a Organização Mundial da Saúde (OMS), para cada criança que morre em razão de um acidente, milhares de outras sobrevivem com diferentes tipos de incapacidades. No Brasil, os acidentes estão entre as principais causas de óbito em crianças menores de 5 anos, representando um problema de saúde pública para as famílias e a sociedade.

A sufocação ou aspiração de corpo estranho é um dos tipos de acidente mais comuns na infância, tanto em países desenvolvidos quanto em desenvolvimento. Segundo dados do Ministério da Saúde (MS) brasileiro, em 2016, ocorreram 826 mortes e 470 hospitalizações de crianças por sufocação.

## Conceito, riscos e sinais

Define-se **sufocação** ou **aspiração de corpo estranho** a **presença de objetos ou alimentos nas vias aéreas** da criança, causando obstrução parcial ou total à passagem de ar. A situação de engasgo é a indicação de que o acidente ocorreu.

Embora todas as faixas etárias possam ser acometidas, a maioria dos casos acontece entre crianças **menores de 4 anos**, com pico de incidência entre o primeiro e o segundo ano de vida. Tal fato é atribuído a alguns fatores, como: tendência em colocar objetos na boca, fácil distração da criança, choro ou conversa durante a alimentação, falha no reflexo de fechamento da laringe e ausência dos dentes molares, com consequente redução da capacidade de deglutição e mastigação. Sua ocorrência é **mais frequente em meninos** do que em meninas, provavelmente, por sua natureza mais ativa e curiosa, e estímulo do ambiente.

Materiais orgânicos e sintéticos representam os tipos de corpos estranhos mais frequentemente aspirados e, por sua vez, estão relacionados com hábitos regionais. Os **alimentos predominam** sobre os demais objetos e substâncias, ocorrendo em 60% dos casos. Segundo dados da Sociedade Brasileira de Pediatria (SBP), milho, feijão e amendoim são os grãos mais comumente aspirados. Entre os objetos envolvidos nesse tipo de acidente, destacam-se os balões de borracha (bexiga de festa), estruturas esféricas, como bola de vidro (bola de gude) e **brinquedos com partes desmontáveis**; estes últimos, além de frequentes, estão diretamente associados a **óbito imediato por asfixia**. Portanto, alimentos e objetos com menos de 3 cm de diâmetro são especialmente perigosos para crianças.

As **manifestações clínicas** relacionadas com a presença do corpo estranho em vias aéreas são variadas e dependem da idade da criança e do tamanho e localização do material aspirado (Quadro 4.1). **Imediatamente após a aspiração, ocorre tosse intensa, seguida de engasgo**, que pode ou não ser valorizado pelos pais. Além desses, **a criança pode apresentar sibilância (chiado), vômito, palidez, cianose ou breve apneia**. Em seguida, o quadro se atenua ou desaparece completamente.

**Quadro 4.1. Sinais de aspiração de corpo estranho, segundo a localização**

| ***Região*** | ***Sinais*** |
|---|---|
| Vias aéreas superiores | • Tosse<br>• Estridor<br>• Parada respiratória ou cardiorrespiratória |
| Vias aéreas inferiores | • Tosse<br>• Sibilos<br>• Retrações/uso de musculatura acessória para respiração<br>• Diminuição dos sons respiratórios |

*Fonte: Richards, 2016.*

Especialistas recomendam que a aspiração de corpo estranho também seja investigada no primeiro quadro súbito de sibilância.

O corpo estranho se aloja, mais frequentemente, no brônquio direito, no esquerdo, seguidos da traqueia e da laringe. Quando presente na laringe, pode causar obstrução mecânica completa, asfixia e morte. Em caso de obstrução parcial, a irritação da laringe resulta em laringoespasmo, rouquidão, estridor, afonia, odinofagia (dor ao deglutir), hemoptise (escarro com sangue) e desconforto respiratório variável.

Os alimentos ou objetos aspirados podem permanecer impactados, por longos períodos. **Quando localizados na traqueia, tornam-se potencialmente fatais**, conforme o grau de obstrução provocado. Sibilos difusos são identificados, na maioria dos casos, além de tosse irritativa constante. Corpos estranhos localizados em porções mais distais do trato respiratório, como bronquíolos e alvéolos, causam inflamação local, que pode resultar em erosão de mucosa e hemoptise, caso permaneça por tempo prolongado. A criança evolui com tosse, sibilos unilaterais, diminuição localizada dos ruídos respiratórios, dispneia de intensidade variável e cianose. A obstrução crônica dos brônquios causa bronquiectasia (dilatação irreversível) e pneumonia de repetição.

## Primeiros socorros

Todas as pessoas que lidam com crianças devem estar aptas para reconhecer os sinais de obstrução de vias aéreas por aspiração de corpo estranho, quer seja ela parcial ou total, e realizar as manobras para a desobstrução, de acordo com a situação, lembrando que **a tosse é o melhor mecanismo de limpeza das vias aéreas**.

No caso de **obstrução parcial** de vias aéreas, a troca de ar continua a acontecer, **a criança consegue respirar, tossir ou chorar**.

Na **obstrução total** de vias aéreas, a troca de ar é deficiente ou ausente, a criança apresenta sinais, como: tosse fraca ou ineficaz ou não é capaz de tossir, presença de ruídos agudos durante a inspiração ou absoluta ausência dos sons respiratórios, dificuldade respiratória, possível cianose, **incapacidade de chorar ou falar e sinal universal de asfixia**.

A conduta varia com relação à gravidade da obstrução e à idade da criança, conforme mostra o Quadro 4.2.

| Quadro 4.2. Medidas para a desobstrução de vias aéreas em crianças |
|---|
| ***Obstrução parcial*** |
| 1. Estimule a criança a tossir, espontaneamente, e manter os esforços de respiração.<br>2. Permaneça ao lado da criança e observe suas condições gerais: falta de ar, língua e lábios arroxeados, agitação.<br>3. Encaminhe a criança a um serviço de emergência, se a obstrução persistir. |
| ***Obstrução total*** |
| ***Crianças menores de 1 ano*** |
| 1. Inicie o atendimento e solicite ajuda para acionar o serviço de emergência.<br>2. Coloque a criança no colo, em decúbito ventral (rosto voltado para baixo), com a cabeça levemente mais baixa que o tórax e apoiada em seu antebraço ou na coxa.<br>3. Apoie a cabeça e a mandíbula da criança, firmemente, com uma das mãos e, utilizando os dedos médio e indicador (em "V"), mantenha a boca da criança aberta.<br>4. Aplique 5 golpes nas costas da criança, entre as escápulas, utilizando a região hipotenar da outra mão, com os dedos estendidos (Figura 4.1).<br>5. Após os golpes, gire a criança para a posição dorsal, mantendo a cabeça mais baixa que o tórax; posicione o seu antebraço nas costas da criança e apoie a região posterior da cabeça na palma da sua mão.<br>6. Observe se o objeto foi deslocado, em caso negativo prosseguir com as manobras.<br>7. Aplique cinco compressões torácicas rápidas de cima para baixo, na altura da linha intermamilar, na frequência de uma compressão por segundo, afim de provocar tosse artificial capaz de deslocar o corpo estranho (Figura 4.2).<br>8. Abra a boca do lactente e procure o corpo estranho, se estiver visível deve ser removido. **Não realize a varredura digital, às cegas, pois pode provocar lesões ou empurrar o corpo estranho para regiões mais baixas.**<br>9. Repita toda a sequência, até que o objeto seja removido. |
| ***Crianças maiores de 1 ano*** |
| 1. Inicie o atendimento e solicite ajuda para acionar o serviço de emergência.<br>2. Realize a Manobra de Heimlich (Figura 4.3), posicionando-se atrás da criança, ajoelhado ou de pé, dependendo da estatura da criança, e circundando a cintura da criança com os dois braços.<br>3. Posicione o punho de uma mão, fechada, com o polegar voltado para o abdômen, na altura da região epigástrica, logo acima do umbigo. Segure o punho com a outra mão.<br>4. Pressione o abdômen da criança, aplicando uma compressão rápida, de baixo para cima. Repetir os movimentos até que o objeto seja expelido.<br>5. Se a criança perder a consciência, deitá-la em uma superfície rígida, e posicione-se ao lado ou sobre ela, com um joelho de cada lado próximo a região pélvica da vítima.<br>6. Coloque a região hipotenar de uma das mãos na região epigástrica, abaixo do esterno, e a outra mão sobreposta a esta.<br>7. Comprima o local para tentar deslocar o objeto que causa a obstrução.<br>8. Ao visualizar o corpo estranho, remova-o, mas não realize remoção às cegas. |

*Fonte: Elaborado pelas autoras.*

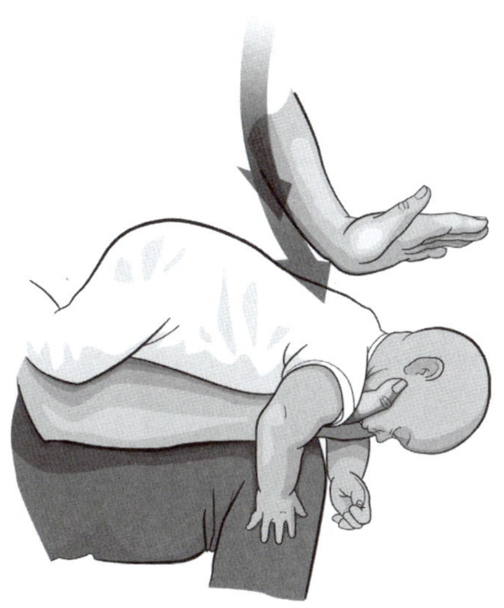

**Figura 4.1. Desobstrução de vias aéreas em lactentes: cinco golpes entre as escápulas.**

*Fonte: Adaptada de Sociedade Brasileira de Pediatria. https://www.sbp.com.br/imprensa/detalhe/nid/aspiracao-de-corpo-estranho/.*

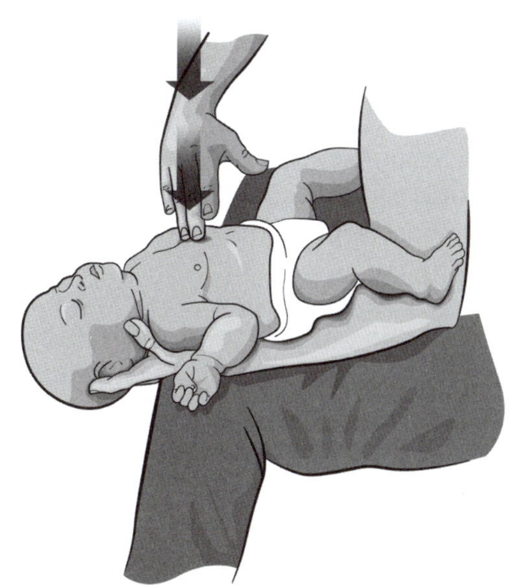

**Figura 4.2. Desobstrução de vias aéreas em lactentes: compressões.**

*Fonte: Adaptada de Sociedade Brasileira de Pediatria. https://www.sbp.com.br/imprensa/detalhe/nid/aspiracao-de-corpo-estranho/.*

**Figura 4.3. Manobra de Heimlich em crianças maiores de 1 ano.**

*Fonte: Adaptada de Sociedade Brasileira de Pediatria. https://www.sbp.com.br/imprensa/detalhe/nid/aspiracao-de-corpo-estranho/.*

Na vigência de **evolução para parada cardiorrespiratória**, deve-se iniciar as **manobras de reanimação cardiopulmonar** (RCP), com compressões torácicas (ver Capítulo 9). Nesse caso, iniciar RCP por compressões torácicas e não checar pulso. Após 30 compressões, abrir vias aéreas. Caso visualize o corpo estranho, remova-o. Se as ventilações não forem efetivas, reposicione a cabeça e tente novamente. Aplicar, então, duas ventilações e continuar RCP, até expelir o objeto ou até a chegada do serviço de emergência.

## Tratamento especializado

Na impossibilidade da expulsão do corpo estranho das vias aéreas por meio das manobras indicadas, a criança precisa ser encaminhada para atendimento especializado de urgência e para a **retirada do corpo estranho por outros métodos**.

É importante ressaltar que, **após um evento agudo inicial de uma obstrução parcial**, há um **intervalo assintomático** ou com poucos sintomas, que varia de horas a dias ou mesmo semanas, até que ocorra o reaparecimento dos sintomas, caso o corpo estranho não tenha sido eliminado. Assim, também nesses casos, há necessidade da implementação do tratamento especializado.

Como mencionado, os corpos estranhos aspirados podem alojar-se na laringe, traqueia e brônquios. Quando na laringe, o tratamento de escolha é a **laringoscopia direta** com um endoscópio rígido, de tubo aberto. Caso o corpo estranho esteja na traqueia ou na árvore brônquica, pode ser removido através de **broncoscopia**, com broncoscópio de tubo aberto rígido, também sob visualização direta.

Características da criança, tipo e localização do objeto devem ser considerados para a seleção do equipamento apropriado. Os broncoscópios rígidos, com telescópios, possibilitam o acesso direto às vias aéreas, excelente visualização, administração contínua de oxigênio e agente anestésico, e a passagem de pinças para a extração dos corpos estranhos.

A broncoscopia é considerada um procedimento seguro para crianças de todas as faixas etárias, quando realizada por profissionais capacitados, incluindo uma equipe multidisciplinar composta pelo endoscopista, anestesiologista e enfermeiro. Depois do procedimento, a criança deve permanecer hospitalizada por 24 horas, no mínimo, para observação de sua evolução clínica e para o estudo radiológico de controle.

A abordagem endoscópica do corpo estranho, nas vias aéreas, pode não representar a melhor escolha terapêutica devendo ser substituída pelo procedimento cirúrgico aberto.

Dentre as principais indicações para a **retirada cirúrgica** de corpos estranhos, encontram-se: **objetos grandes e ásperos** localizados na região subglótica ou na traqueia, que possam provocar lesões na subglote e nas cordas vocais, durante a tentativa de remoção; **fragmentos de grama**, que provocam danos irreversíveis aos pulmões, levando a ressecções futuras; corpos estranhos alojados em **regiões inacessíveis**; objetos em que o risco de retirada endoscópica exceda ao risco da cirurgia aberta.

## Prevenção e dicas de segurança

A prevenção de acidentes na infância envolve a adequação dos ambientes nos quais a criança está inserida e a educação dos cuidadores para reconhecimento de perigos (ver Capítulo 2).

O domicílio representa o local mais frequente de ocorrência da aspiração de corpo estranho, de modo que a implementação de medidas de prevenção nesse ambiente torna-se essencial. Deve-se considerar que a criança não é capaz de reconhecer riscos nem de se proteger, o que requer supervisão constante.

Dentre as recomendações para **prevenção** de aspiração de corpo estranho, destacamos:

- Ensine as crianças que elas não devem colocar objetos na boca.
- Reduza a oferta de alimentos, como: sementes, amendoim, castanha, nozes, milho, feijão, pedaços de carne e queijo, uvas inteiras, salsicha, balas duras, pipoca e chicletes.
- Crianças menores de 4 anos devem receber os **alimentos amassados, triturados, desfiados ou cortados em pedaços bem pequenos**.
- Diminua o tamanho de cada porção, evitando que a criança permaneça com a boca cheia.
- **Supervisione a alimentação** de crianças menores de 5 anos e ensine-as a mastigar bem os alimentos.
- Não deixe pedaços de alimentos no prato, principalmente aqueles com forma arredondada.
- As crianças devem comer sentadas à mesa. Evite alimentá-las enquanto correm, andam, brincam ou quando estiverem rindo ou chorando, e não deixe que elas deitem com alimentos na boca.
- Evite que a criança tenha acesso a objetos pequenos e redondos, como: moedas, bolas de gude e outras bolas pequenas, botões, baterias esféricas de aparelhos eletrônicos, canetas com tampa removível, joias etc.
- Brinquedos com peças pequenas, que possam se destacar, devem ser mantidos fora do alcance das crianças.
- Impeça que a criança brinque com balões de borracha e sacos plásticos.
- Trave portas de armários e geladeira, para evitar que crianças fiquem presas e sufoquem.

- Certifique-se de que todas as crianças deixaram o veículo ao chegar no destino e nunca as deixe sozinhas dentro de carros e porta-malas.
- Verifique se o cinto de segurança está adequado para a altura da criança.
- Evite que as crianças usem adornos (joias, medalhas, broches, correntes, pulseiras e prendedores de chupeta), que possam ser ingeridos.
- Permita somente o acesso a brinquedos adequados à faixa etária da criança, com o selo de certificação do Instituto Nacional de Metrologia, Qualidade e Tecnologia (Inmetro).
- Em residências e ambientes compartilhados por crianças com diferentes faixas etárias, os adultos devem estar atentos às crianças mais velhas, uma vez que muitos acidentes ocorrem quando elas oferecem objetos ou alimentos para os mais novos.
- Evite brinquedos e roupas com correntes, tiras e cordas com mais de 15 cm e cortinas com pendentes, para reduzir o risco de estrangulamento.

## Comentários finais

Entre os acidentes que afetam lactentes e crianças, o engasgamento por pequenos objetos, líquidos e alimentos é um dos mais frequentes, tanto no ambiente doméstico quanto nas creches e escolas. Embora comum, esse tipo de acidente pode ser fatal; por isso, é importante que familiares, professores e cuidadores estejam atentos aos riscos potenciais e aptos para identificar os sinais de obstrução de vias aéreas e prestar os primeiros socorros à vítima.

## Referências


- Atkins DL, Berger S, Duff JP, Gonzales JC, Hunt EA, Joyner BL et al. Part 11: Pediatric Basic Life Support and Cardiopulmonary Resuscitation Quality: 2015 American Heart Association Guidelines Update for Cardiopulmonary Resuscitation and Emergency Cardiovascular Care. Circulation. 2015;132(18 Suppl 2):S519-25.
- Baracat ECE. Aspiração de corpo estranho. Sociedade Brasileira de Pediatria. [acesso em 24 mai 2019]. Disponível em: http://www.sbp.com.br/imprensa/detalhe/nid/aspiracao-de-corpo-estranho/.
- Bittencourt PFS, Camargos PAM. Aspiração de corpos estranhos. J Pediatr (Rio J). 2002;78(1):9-18.

- Brasil. Ministério da Saúde. Departamento de Informática do SUS. Informações de saúde. Estatísticas vitais. [acesso em 26 mai 2019]. Disponível em: http://www2.datasus.gov.br/DATASUS/index.php?area=0205.
- Criança Segura Brasil – Safe Kids. Como prevenir sufocação e engasgamento. [acesso 24 mai 2019]. Disponível em: http://criancasegura.org.br/categoria-dica/area-risco/sufocacao/.
- Fraga AMA, Reis MC, Zambo MP, Toro IC, Ribeiro JD, Baracat EC. Aspiração de corpo estranho em crianças: aspectos clínicos, radiológicos e tratamento broncoscópico. J Bras Pneumol. 2008;34(2):74-82.
- Fraga JC, Nogueira A. Palombini BC. Corpo estranho em via aérea de criança. Jornal de Pneumologia. 1994;20(3):107-11.
- França EB, Lansky S, Rego MAS, Malta DC, França JS, Teixeira R et al. Principais causas da mortalidade na infância no Brasil, em 1990 e 2015: estimativas do estudo de Carga Global de Doença. Rev Bras Epidemiol. 2017;20(Suppl 1):46-60. [acesso em 24 mai 2019]. Disponível em: http://www.scielo.br/pdf/rbepid/v20s1/1980-5497-rbepid-20-s1-00046.pdf.
- Gikas RMC. Aspiração/ingestão de corpos estranhos. Atualização de Condutas em Pediatria n. 76;2016. [acesso em 24 mai 2019]. Disponível em: http://www.spsp.org.br/site/asp/recomendacoes/Rec76_Seguranca.pdf.
- Lowe DA, Vasquez R, Maniaci V. Foreign Body Aspiration in Children. Clin Pediatr Emerg Med. 2015;16(3):140-8.
- Melo GVSB, Fonteles AS, Esmeraldo CUP, Martins MEP, Cruz JMN. Aspiração de corpo estranho em crianças: aspectos clínicos e radiológicos. Residência Pediátrica. 2015;5(1):24-6.
- Mohammad M, Saleem M, Mahseeri M, Alabdallat I, Alomari A, Za'atreh A et al. Foreign body aspiration in children: a study of children who lived or died following aspiration. Int J Pediatr Otorhinolaryngol. 2017;98:29-31.
- Rede Nacional Primeira Infância. Plano Nacional da Primeira Infância – Projeto Observatório Nacional da Primeira Infância. Mapeamento da Ação Finalística Evitando Acidentes na Primeira Infância. 2014. [acesso em 24 mai 2019]. Disponível em: http://primeirainfancia.org.br/wp-content/uploads/2015/01/RELATORIO-DE-MAPEAMENTO-EVITANDO-ACIDENTES-versao-4-solteiras.pdf.
- Richards AM. Pediatric Respiratory Emergencies. Emerg Med Clin N Am. 2016;34:77-96.
- World Health Organization. World report on child injury prevention/ edited by Margie Peden et al. Geneva: WHO Press; 2008. [acesso em 24 mai 2019]. Disponível em: http://apps.who.int/iris/bitstream/10665/43851/1/9789241563574_eng.pdf.

## Testes

**1. Característica que favorece a aspiração de corpo estranho em crianças:**

A. Presença de dentes.
B. Reconhece situação de perigo.
C. Tendência em colocar objetos na boca.
D. Atração por objetos coloridos.
E. Preferência por alimentos doces.

**2. Sinal de obstrução parcial de vias aéreas:**

A. A criança não consegue inspirar.
B. Incapacidade de falar ou chorar.
C. Ausência de murmúrio vesicular durante a inspiração.
D. Cianose.
E. A criança engasgou, mas consegue falar ou chorar.

**3. No atendimento a uma criança menor de 1 ano com sinais de obstrução total de vias aéreas por aspiração de corpo estranho, recomenda-se:**

A. Acionar o SAMU, permanecer ao lado da criança e monitorar sua condição.
B. Encorajar a criança a tossir.
C. Circundar a cintura da criança com os dois braços e comprimir.
D. Aplicar 5 golpes entre as escápulas, com a região hipotenar da mão e dedos estendidos.
E. Abrir a boca da criança e tentar a remoção do corpo estranho às cegas.

**4. É uma das indicações para a retirada cirúrgica de corpos estranhos:**

A. Objetos pequenos, localizados na porção superior da laringe.
B. Fragmentos de grama.
C. Objetos ou alimentos alojados na traqueia.
D. Objetos pequenos e lisos sem risco de lesões associadas à retirada endoscópica.
E. Objetos grandes localizados na porção mediana da laringe.

| Respostas | |
|---|---|
| 1 | C |
| 2 | E |
| 3 | D |
| 4 | B |

# 5 Queimaduras

Cássia Galli Hamamoto
Fernanda Paula Cerântola Siqueira
Thais Érika Giaxa Medeiros

## Introdução

As queimaduras são conceituadas como feridas traumáticas que atingem os tecidos de revestimento do corpo humano, determinando destruição parcial ou total da pele e seus anexos, podendo atingir camadas mais profundas, como músculos, ossos e tendões. São causadas por agentes dos tipos:

- Térmicos: fogo, chama, explosão, líquido quente ou escaldadura (água, óleo), sólido quente (alimento, ferro de passar, panela) e gelo.
- Químicos: ácidos, produtos saneantes, veneno de sapo.
- Elétricos: de baixa e alta voltagem.
- Radioativos: raio ultravioleta, radioterapia.
- Atrito ou abrasão.

Embora a incidência geral de mortalidade por queimaduras tenha diminuído, em decorrência da adoção de medidas de prevenção, ainda hoje se mostram como **uma das principais causas externas de morte** no país, atrás, apenas, de outras causas violentas, como os acidentes de trânsito e os homicídios.

**Dia Nacional de Prevenção às Queimaduras – 6 de junho**

Na infância, apresentam-se como uma importante causa de morte por trauma, ocupando a **quarta posição**, depois dos acidentes de trânsito, dos afogamentos e das quedas, tendo nas crianças com até 5 anos de idade, a população com maior risco para esse tipo de acidente.

As características epidemiológicas brasileiras a respeito desse acidente se assemelham às de outras regiões do mundo, como Turquia, Sudeste da Ásia e Inglaterra.

A maioria das vítimas são do **sexo masculino**, fato que pode ser atribuído a uma maior disposição desse grupo para brincadeiras de risco, muito provavelmente relacionadas com fatores culturais, em que os meninos são mais estimulados e, ao mesmo tempo, menos supervisionados por seus cuidadores em relação às meninas.

Os agentes **térmicos** são os mais envolvidos nas queimaduras, sendo o **líquido aquecido**, a forma mais frequente de acidente. Nesses casos, as lesões costumam ser superficiais; porém, mais extensas, e **prevalecem nas crianças entre 6 meses e 2 anos de idade**. Já as queimaduras por agente térmico com **fogo** (chama), são mais frequentemente observadas a partir da **idade pré-escolar**.

Uma queimadura acomete, particularmente, a pele, seus anexos e os fâneros (cabelos, unhas), mas podem ocorrer outros tipos de lesões e complicações como a insuficiência respiratória e a sepse.

A inalação de fumaça, por exemplo, quase sempre é mais perigosa para a vítima do que a própria queimadura, pois até mesmo uma pequena quantidade é capaz de provocar lesão pulmonar grave, que pode não se manifestar nos primeiros dias.

Portanto, ao contrário do que se pensa, a **principal causa de morte** e de hospitalização de pessoas expostas a incêndios não ocorre em razão das queimaduras, mas pelas injúrias causadas pela **inalação de fumaça** que levam a: lesão do trato respiratório pelo calor do ar inspirado; asfixia; processo inflamatório do tecido pulmonar pelas substâncias químicas inaladas.

É importante lembrar que esse tipo de lesão pulmonar é pouco frequente nas crianças pequenas que, em geral, são vítimas de escaldamento; porém, quando presente, é potencialmente mais grave em razão do pequeno diâmetro das vias aéreas que, em termos absolutos, são menores e mais inclinadas, o que determina obstrução com pequenos edemas; a parede torácica é flexível e estruturalmente imatura; há uma menor reserva respiratória, que evolui para insuficiência respiratória, em decorrência da fadiga que se instala, resultando em grande demanda metabólica, incluindo o consumo de oxigênio.

**Queimaduras extensas** acarretam em **danos** abrangentes e **multissistêmicos**, envolvendo coração, pulmões, rins, trato gastrintestinal e imunidade, capazes de causar risco de morte.

A queimadura é um dos incidentes mais devastadores que podem atingir uma pessoa. Sua importância decorre não apenas da grande frequência desse evento, mas, principalmente, por sua capacidade de provocar **sequelas funcionais**, que limitam qualquer função de um segmento; **estéticas** ou não funcionais, que não comprometem a funcionalidade, mas que podem interferir nos aspectos sociais, além das sequelas **psicológicas**. As cicatrizes expressam-se não apenas na pele, mas, também, na personalidade e na rotina das vítimas, promovendo dificuldades crescentes para o retorno às atividades habituais. Desse modo, o uso de um elemento lúdico pode ser uma ferramenta de apoio emocional e auxílio no processo de reabilitação infantil.

Uma das mais importantes consequências do acidente relaciona-se ao **impacto social** que ele provoca visto que, uma criança com queimadura grave, deixa de frequentar a escola por 4 a 6 meses, em média, e muitas delas não poderão voltar às mesmas atividades. Cerca de 25% perde pelo menos um ano letivo e têm dificuldades de aprendizagem por problemas adaptativos.

Muitas das famílias nunca conseguirão retomar sua dinâmica habitual, tendo que se adaptar a uma nova situação, que pode incluir queda de padrão socioeconômico e sofrimentos que requerem estrutura emocional de difícil manejo.

A depender da idade e da extensão da lesão, a criança com queimadura passará por etapas a serem superadas: medo de morrer, dor, ameaça de desfiguração, desconforto físico, separação de familiares e amigos, receio do estigma e rejeição social, efeitos da lesão sobre seus projetos futuros e conflitos pela dependência na realização de atividades cotidianas.

## Pele

A pele é o **órgão de revestimento**, que limita e protege o meio interno e sua integridade é fundamental para a **manutenção da homeostase**.

É composta por três camadas: a epiderme, a derme e o tecido subcutâneo ou hipoderme. De igual forma, existem, ainda, vários anexos, como as glândulas sebáceas e os folículos pilosos (Figura 5.1).

A epiderme tem cerca de 0,05 mm de espessura em áreas como as pálpebras, e pode atingir 1,0 mm na sola do pé. A derme, mais profunda, é, em média, 10 vezes mais espessa que a epiderme. A camada subcutânea ou hipoderme é composta pelos tecidos adiposo (gordura) e conjuntivo, que dão sustentação às camadas mais externas e estruturas subjacentes. Essa camada também contém alguns grandes vasos sanguíneos e nervos.

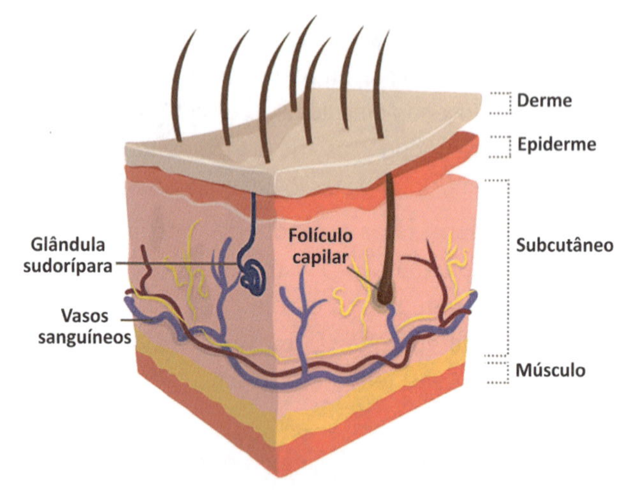


**Figura 5.1. Camadas da pele: epiderme, derme e tecido subcutâneo ou hipoderme.**

*Ilustração: Pedro Félix.*

Regiões como as superfícies anteriores dos antebraços, medial das coxas, períneo e ouvidos, são mais frequentemente acometidas por queimaduras profundas, em razão da fina espessura das camadas córneas. Crianças menores de 5 anos de idade e adultos com mais de 55 anos são mais suscetíveis por esse mesmo motivo.

Considerado o **maior órgão do corpo humano**, a pele desempenha importantes funções, como: controlar a perda de água corporal; proteger as estruturas internas contra atritos; formar uma barreira imunológica e contra a atuação de agentes físicos e químicos; manter a temperatura através dos mecanismos reguladores hipotalâmicos que agem sobre as glândulas sudoríparas e capilares sanguíneos nela encontrados; participa do sistema sensorial, em razão da presença de receptores para tato, temperatura e dor em toda a sua superfície.

## Classificação das queimaduras

As queimaduras podem ser classificadas de acordo com critérios referentes à extensão, profundidade e gravidade da lesão.

Quanto à **complexidade** das queimaduras, as lesões podem ser classificadas em:

- **Pequeno queimado ou queimado de pequena gravidade:**
  - queimaduras de 1º grau em qualquer extensão em qualquer idade; e/ou
  - queimaduras de 2º grau com área corporal < 5% em crianças menores de 12 anos; ou
  - queimaduras de 2º grau com área corporal < 10% em maiores de 12 anos.
- **Médio queimado ou queimado de média gravidade:**
  - queimaduras de 2º grau com área corporal atingida entre 5 e 15% em menores de 12 anos; ou
  - queimaduras de 2º grau com área corporal atingida entre 10 e 20% em maiores de 12 anos; ou
  - qualquer queimadura de 2º grau envolvendo mão ou pé ou face ou pescoço ou axila ou grande articulação (axila ou cotovelo ou punho ou coxofemoral ou joelho ou tornozelo) em qualquer idade;
  - queimaduras que não envolvam face ou mão ou períneo ou pé, de 3º grau com até 5% da área corporal atingida em crianças até 12 anos; ou

– queimaduras que não envolvam face ou mão ou períneo ou pé, de 3º grau com até 10% da área corporal atingida em maiores de 12 anos.

- **Grande queimado ou queimado de grande gravidade:**
  – queimaduras de 2º grau com área corporal atingida > 15% em menores de 12 anos; ou
  – queimaduras de 2º grau com área corporal atingida > 20% em maiores de 12 anos; ou
  – queimaduras de 3º grau com área corporal atingida > 5% em menores de 12 anos; ou
  – queimaduras de 3º grau com área corporal atingida > 10% em maiores de 12 anos; ou
  – queimaduras de 2º e 3º graus, atingindo o períneo, em qualquer idade; ou
  – queimaduras de 3º grau atingindo mão ou pé ou face ou pescoço ou axila, em qualquer idade; ou
  – queimaduras por corrente elétrica.

## ▪ Classificação segundo a extensão da queimadura

A identificação da área acometida é importante para a avaliação do risco provocado pela lesão, pois ela pode estar associada a significativas alterações anatômicas, fisiológicas, endócrinas e imunológicas, que demandam maior cuidado e atenção profissional para prevenir ou minimizar a extensão dos danos.

A determinação da extensão de superfície corporal queimada (SCQ), é realizada em porcentagem (%) pela Regra dos Nove, Tabela de Lund-Browder, Regra da palma da mão.

É importante destacar que as queimaduras superficiais não são computadas na estimativa da área percentual afetada.

A **Regra dos Nove** (idealizada por Pulaski e Tennison, em 1947, e publicada por Alexander B. Wallace, em 1951) é prática e útil para determinar a extensão da queimadura, especialmente em adolescentes e adultos: a área de superfície corporal (ASC) é dividida em **regiões anatômicas**

**que representam 9% ou seus múltiplos**. A ASC da criança é consideravelmente diferente da do adulto. A área da cabeça, por exemplo, corresponde a duas vezes a de um adulto de tamanho médio.

Para cada região, essa regra contabiliza:

- Queimaduras em coxa direita; coxa esquerda; perna e pé direitos; perna e pé esquerdos: 9% no adulto, e 3,5% na criança.
- Queimadura na cabeça e no pescoço: 9% no adulto, e 18% na criança.
- Queimaduras no tronco anterior e no tronco posterior: 18% no adulto e na criança.
- Queimadura no membro superior direito e membro superior esquerdo: 9% em ambos.
- Queimadura em genitais/períneo: 1% em ambos (Figura 5.2).

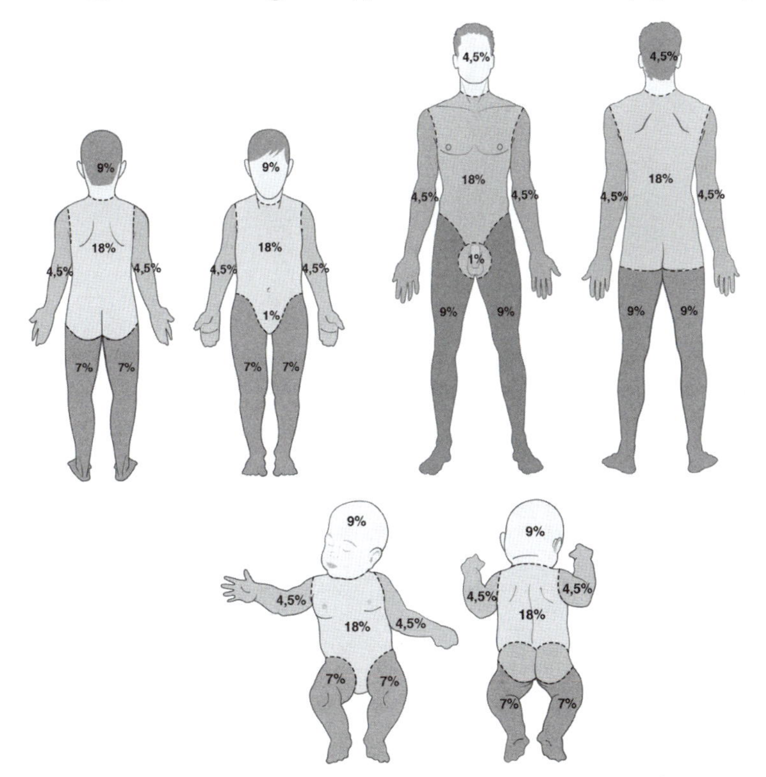


**Figura 5.2. Extensão da superfície corporal queimada – Regra dos Nove.**

*Fonte: Adaptada de https://diretrizes.amb.org.br/_BibliotecaAntiga/queimaduras-diagnostico-e-tratamento-inicial.pdf; Bergeron, 1999.*

O diagrama e **Tabela de Lund-Browder**, proposta em 1944 pelo cirurgião pediátrico Charles C. Lund e pelo pediatra Newton C. Browder, fornece um meio para estimar a área total da superfície do corpo afetada por uma queimadura com um **cálculo mais específico**, considerando a variação da idade (Figura 5.3).

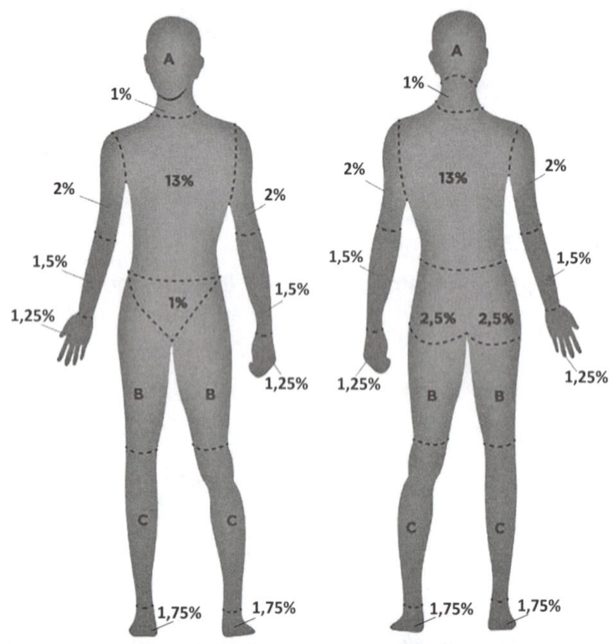


| Tabela de Lund-Browder | | | |
|---|---|---|---|
| *Percentual da área de superfície corporal afetada, de acordo com a idade* | | | |
| ***Idade*** | ***A (½ da cabeça)*** | ***B (½ da coxa)*** | ***C (½ da perna)*** |
| 0 | 9,50% | 2,75% | 2,50% |
| 1 | 8,50% | 3,25% | 2,50% |
| 5 | 6,50% | 4,00% | 2,75% |
| 10 | 5,50% | 4,25% | 3,00% |
| 15 | 4,50% | 4,50% | 3,25% |
| Adulto | 3,50% | 4,75% | 3,50% |

**Figura 5.3. Diagrama e Tabela de Lund-Browder.**

*Fonte: Adaptada de Lund e Browder, 1944; PHTLS, 2017; Paccanaro et al., 2017.*

Para estimar a área queimada em superfícies corporais de pequena extensão ou que atinja apenas parte de um segmento corporal, utiliza-se o tamanho da palma da mão do acidentado (incluindo os dedos) – **Regra da palma da mão**, uma vez que essa região **equivale a 1% da superfície corpórea**.

## ▪ Classificação segundo a profundidade da queimadura

A profundidade da queimadura é importante para avaliar sua gravidade, para planejar o tratamento da ferida e para prever os resultados funcionais e cosméticos finais. Sua classificação é feita de acordo com as estruturas dérmicas atingidas, da menos profunda para a mais profunda, e é dada em graus.

A classificação adotada pelo Ministério da Saúde (MS) e pela Sociedade Brasileira de Queimaduras (SBQ) diverge da classificação proposta, em 2017, pelo PHTLS (*Prehospital Trauma Life Support* – Suporte Pré-Hospitalar de Vida no Trauma).

O MS classifica a profundidade da queimadura em: 1º grau, 2º grau – superficial e profunda, e 3º grau.

O PHTLS classifica a profundidade da queimadura em: superficial, espessura parcial, espessura total e 4° grau.

O PHTLS reforça que a **queimadura pode evoluir por 48 horas**, quando a lesão se estabiliza, e pode ser classificada.

A profundidade da lesão depende da temperatura do agente causal e da duração do contato, mas é importante ressaltar que a pele das crianças com menos de 4 anos é mais fina e sensível; assim, queimaduras superficiais podem transformar-se em queimaduras profundas rapidamente, comprometendo e agravando o seu o estado clínico.

Em geral, as **queimaduras não são uniformes em profundidade** e muitas apresentam uma mistura de componentes superficial e profundo, e apresentam três zonas (Figura 5.4): de coagulação, mais central, e melhor definida nas queimaduras de 2º e 3º graus; de estase, ao redor da zona de coagulação, que pode não evoluir para uma queimadura de plano total; de hiperemia, mais externa e provavelmente evoluirá para cura espontânea.

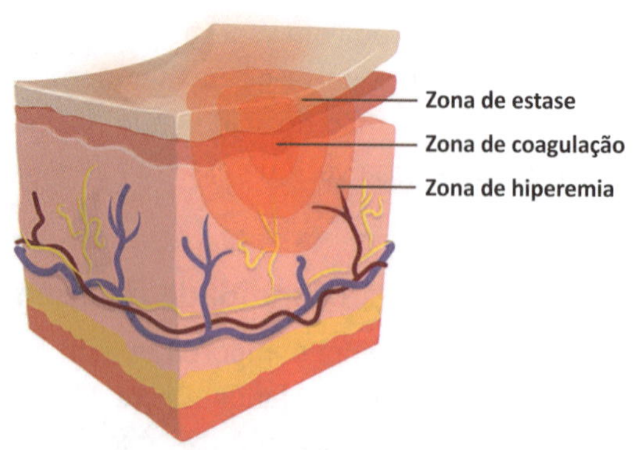


**Figura 5.4. Zonas de lesão causadas pela queimadura.**
*lustração: Pedro Félix.*

- Queimadura de espessura superficial – 1º grau

A queimadura epidérmica, denominada espessura superficial ou de 1º grau (Figura 5.5), caracteriza-se pela presença de **eritema da pele**, **dor**, e **ausência de bolhas**, sendo frequentemente causada por uma queimadura solar ou pelo simples contato, não prolongado, com substâncias quentes. Tal como o seu nome indica, envolve apenas a epiderme, conferindo à pele lesada um **aspecto vermelho e brilhante**.

A epitelização ocorre, na maioria das vezes, sem sequelas e dá-se ao fim de 5 a 10 dias com **tratamento conservador**. Raramente há repercussões sistêmicas ou risco de morte, e não necessitam reposição intravenosa de fluidos, já que a epiderme permanece intacta. Em geral, não é calculada a extensão da área queimada.

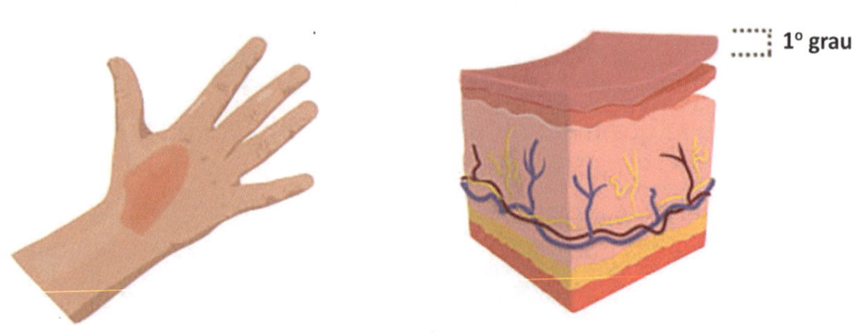


**Figura 5.5. Queimadura de espessura superficial – 1º grau.**
*Ilustração: Pedro Félix.*

- Queimadura de espessura parcial – 2º grau

Esse tipo de queimadura lesiona a epiderme e a derme papilar. São caracterizadas pela **aparência vermelha**, **mosqueada ou rosa pálido** e a **presença de edema e flictenas** (bolhas). É subdividida em queimadura de espessura parcial superficial (base da bolha é rosada, úmida e dolorosa), e profunda (base da bolha é branca, seca e menos dolorosa).

A superfície pode ter uma aparência "lacrimejante" ou úmida e é **hipersensível à dor**, até mesmo às correntes de ar. São descritas como as mais dolorosas, o que representa um agravante para possíveis sequelas psicológicas em crianças e adolescentes. Frequentemente, são provocadas por líquidos superaquecidos, como água fervente e óleo de fritura.

Tal como a queimadura epidérmica, a cura se dá, na maioria das vezes, sem sequelas físicas ou apenas com alguma alteração da pigmentação. A epitelização ocorre em cerca de 14 a 21 dias com **tratamento conservador**. Uma queimadura de 2º grau pode tornar-se lesão de 3º grau em consequência de infecções, ressecamento ou diminuição da circulação na lesão (Figura 5.6), e pode necessitar de enxerto.

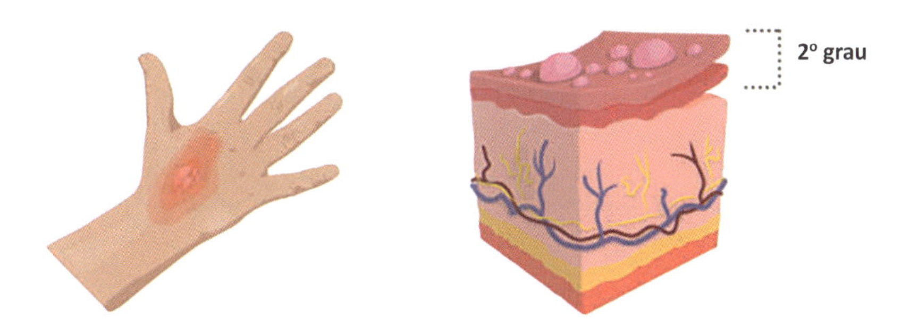


**Figura 5.6. Queimadura de espessura parcial – 2º grau.**

*Ilustração: Pedro Félix.*

- Queimadura de espessura total – 3º grau

Também denominada queimadura de espessura total ou de 3º grau, afeta da epiderme até a derme reticular e estruturas profundas (Figura 5.7). A pele assume um **aspecto seco**, **manchado**, **coloração vermelho cereja**, **amarelada**, **esbranquiçada ou escura**, com aparência de couro; pode, também, apresentar-se translúcida ou com aspecto de cera. Esse não é o tipo mais comum das injúrias térmicas, mas **é a mais grave**, capaz de provocar lesões deformantes, incapacitantes, e pode levar a amputações. São comumente associadas a lesões por descarga elétrica ou chamas.

A superfície é **indolor**, porque as terminações nervosas foram destruídas, e a pele não mudar de cor à compressão e há pouco edema no local da queimadura. No entanto, a área ao redor pode apresentar características de queimaduras de primeiro e segundo graus como: edema, flictenas e a sensação dolorosa ser extremamente variável, podendo estar presente ou ausente. Pontos de necrose também estão presentes.

A epitelização pode ocorrer apenas com **tratamento conservador**, mas, em geral, isso não ocorre e a pele se beneficiará de **tratamento cirúrgico**, com procedimentos do tipo enxertia e epitelização em 2 meses ou mais.

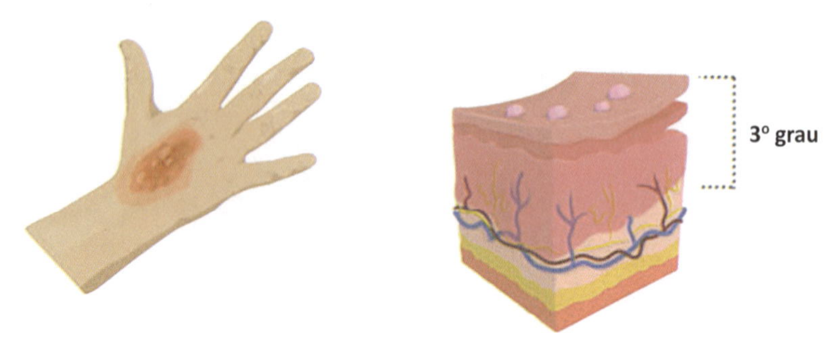


**Figura 5.7. Queimadura de espessura total – 3º grau.**
*Ilustração: Pedro Félix.*

- Queimadura profunda completa – 4º grau

Toda a espessura da pele é acometida, além do tecido adiposo subjacente, músculos, ossos e órgãos. São consideradas queimaduras de espessura total com lesão de tecido profundo (PHTLS, 2017). Apresentam um **aspecto seco**, de **coloração branca ou preta** (fuligem), com **tecido carbonizado**, habitualmente **sem flictenas ou sensação dolorosa**. Em quase 100% dos casos são **lesões deformantes**. Em geral, necessitam de **tratamento cirúrgico** para que se dê a epitelização, via de regra, em 2 meses ou mais depois da lesão (Figura 5.8).

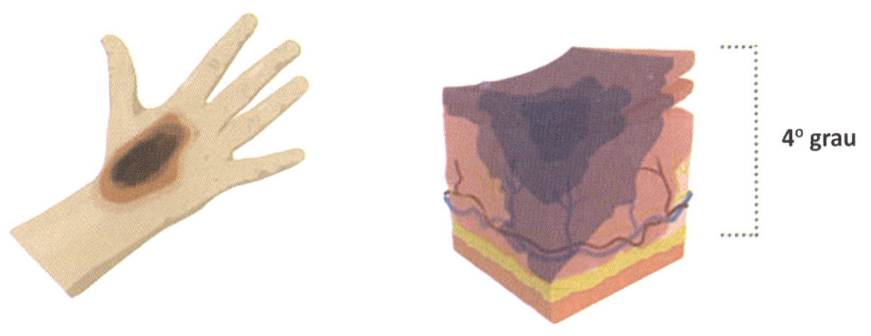


**Figura 5.8. Queimadura profunda completa – 4º grau.**

*Ilustração: Pedro Félix.*

As características das queimaduras, segundo a profundidade, estão resumidas no Quadro 5.1.

**Quadro 5.1. Características das queimaduras, segundo a profundidade**

| *Tipo* | *Pele* | *Flictena* | *TEC* | *Sensibilidade* | *Epitelização* |
|---|---|---|---|---|---|
| 1º grau Espessura superficial | Eritematosa, brilhante | Ausente | < 2 s | Dolorosa | < 10 dias |
| 2º grau Espessura parcial superficial | Eritematosa, brilhante | Presente | < 2 s | Dolorosa | < 3 semanas |
| 2º grau Espessura parcial profunda | Vermelha, manchada, seca | Presente | > 2 s | Diminuída | > 3 semanas |
| 3º grau Espessura total | Espessa, seca, amarelada, esbranquiçada, enegrecida (carbonizada) | Pode estar presente | Ausente ou > 2 s | Indolor ou desconforto à compressão | 2 a 12 meses |
| 4º grau (PHTLS) Profunda completa | Espessa, seca, esbranquiçada ou enegrecida (carbonizada, fuligem) | Ausente | Ausente | Indolor | 2 a 12 meses |

*TEC: tempo de enchimento capilar.*

*Fonte: Brasil – Ministério da Saúde, 2012; PHTLS, 2017.*

### ▪ Classificação segundo a gravidade ou severidade

A American Burn Association (2003) classifica as lesões por queimaduras de acordo com a gravidade, ou seja:

- **Mínima:** < 15% da espessura parcial da SCQ e < 2% da espessura total da superfície corporal, não envolvendo os olhos, orelhas, face ou períneo (áreas delicadas).
- **Moderada:** todas com 15 a 25% da SCQ em adultos, 2 a 10% da espessura total da superfície corporal, não envolvendo os olhos, orelhas, face ou períneo; queimaduras de 2º grau com extensão de 10 a 25% da superfície corporal, nos adultos, ou de 5 a 15% nas crianças, ou queimaduras de 3º grau com uma extensão de 2 a 10% da superfície, não envolvendo zonas delicadas.
- **Maior:** > 25% de espessura da superfície corporal queimada do adulto, ou > 20% da SCQ em crianças menores de 10 anos e em adultos com mais de 40 anos; > 15% da superfície corporal em crianças pequenas; > 10% da SCQ com lesões de 3º grau e queimaduras envolvendo orelha, olhos, face, mãos, pés e região perineal; todas as queimaduras elétricas, por inalação, com fratura ou trauma tecidual importante, crianças pequenas e presença de doenças crônicas.

## Agentes etiológicos e prevenção

Estimativas apontam que cerca de 70% das mortes causadas por queimaduras em crianças poderiam ser evitadas. Revelam também ser o domicílio o local onde a maioria dos acidentes ocorre, o que torna esse ambiente uma verdadeira armadilha para essa população.

Quanto ao agente etiológico, observa-se que sua incidência varia de acordo com as faixas etárias. A exposição ao sol (agente radioativo), por exemplo, é uma das fontes mais importantes para as queimaduras de 1º e 2º graus, especialmente em crianças maiores. Nas crianças pequenas, a queimadura por líquido superaquecido – escaldadura, apresenta maior incidência, predominando nos pacientes com idade menor que 1 ano, seguida das queimaduras por sólidos aquecidos, na faixa etária de 1 a 4 anos, e as provocadas por combustão, explosão e eletricidade aumentam entre 5 e 13 anos.

**Esses acidentes, em geral, ocorrem dentro de casa e na presença de um adulto**, o que contribui, sobremaneira, para o desenvolvimento de alterações psicológicas, tanto na criança quanto em seu cuidador.

Em razão de sua importância, as estratégias para a redução dos acidentes deveriam atender a dois pontos principais: a **eliminação dos fatores de risco** no próprio ambiente de convívio da criança, envolvendo a modificação de produtos, a legislação que normatiza a construção de edifícios, o controle de áreas para fumantes, a instalação de detectores de fumaça, entre outros; e a **implementação de programas educativos**, veiculados, principalmente, em meios de comunicação, como o rádio e a televisão.

A escaldadura e os líquidos inflamáveis, têm sido os agentes mais comumente relacionados com as queimaduras cutâneas. Já os acidentes com líquidos aquecidos sugerem que a cozinha doméstica seja o local de maior risco.

O **álcool** é o líquido inflamável mais associado às queimaduras, provavelmente em razão de seu armazenamento e uso inadequados. No Brasil, ainda existe a cultura de se utilizar álcool como produto de limpeza e combustível para churrasqueiras, por isso, é facilmente adquirido no comércio, o que não acontece em outros países.

Os produtos saneantes também são agentes importantes na ocorrência de lesões nas crianças. Compreende-se como saneantes os produtos de limpeza em geral e afins, como: desinfetantes, esterilizantes, sanitizantes, desodorizantes, desinfetantes de água, de hortifrutícolas e produtos para piscina. Dentre esses produtos, destaca-se a **soda cáustica**, que causa lesões graves no trato digestório, quando ingerido ou colocado na boca, sendo apontada como a principal causa de estenose esofágica grave em crianças.

A maioria dos casos de queimaduras pelos agentes saneantes ocorrem de maneira acidental, sendo apontado como possível fator de risco seu armazenamento em local inadequado, bem como sua forma de utilização, assim como no caso das queimaduras com álcool.

As medidas preventivas contra as queimaduras, provocadas por diferentes agentes, são apresentadas no Quadro 5.2.

**Quadro 5.2. Medidas de prevenção para queimaduras, segundo o agente etiológico**

| *Agente causador* | *Prevenção* |
|---|---|
| **Sol** | • Evitar a exposição solar direta antes dos 6 meses de vida.<br>• Na exposição ao sol, cobrir o corpo, principalmente cabeça e face, com roupas e chapéu com abas.<br>• Utilizar filtros solares com fator de proteção (FPS) maior que 15.<br>• Aplicar o filtro solar pelo menos 20 minutos antes da exposição, em crianças com mais de 6 meses; atenção ao dorso das mãos e orelhas.<br>• Não permitir exposição ao sol entre as 10 e 15 horas. |
| **Calor/térmico (fogo)** | • Testar a temperatura da água do banho com o dorso da mão, antes de colocar a criança na banheira ou no chuveiro.<br>• Testar a temperatura da mamadeira, de alimentos e de outras bebidas.<br>• Não fumar com a criança no colo.<br>• Não cozinhar com a criança no colo.<br>• Manter alimentos e líquidos quentes, ferro elétrico, bule, chaleira, garrafa térmica etc. fora do alcance das crianças.<br>• Não deixar a tábua de passar roupa montada com o ferro ligado sem a presença de um adulto.<br>• Manter os cabos das panelas voltadas para o centro do fogão.<br>• Guardar fósforos, acendedores e álcool fora do alcance da criança.<br>• Proibir a permanência da criança na cozinha.<br>• Verificar o superaquecimento do chão exposto à luz solar, por onde a criança circula.<br>• Manter aquecedores elétricos distantes de roupas, toalhas, tecidos ou plásticos e em superfícies altas, fora do alcance da criança. |
| **Substâncias químicas (saneantes)** | • Armazenar os saneantes nas embalagens originais, em locais de difícil acesso à criança, ou em prateleiras altas, acima de 1,60 m.<br>• Não reutilizar as embalagens dos saneantes. |
| **Corrente elétrica** | • Manter tomadas elétricas protegidas e fios elétricos inacessíveis.<br>• Isolar fios elétricos em canaletas e conduítes, longe do alcance das crianças.<br>• Evitar deixar a criança próxima a eletrônicos em recarga.<br>• Não soltar pipas próximo à rede elétrica. |
| **Fitotóxico (cítricos)** | • Lavar as mãos com água e sabão antes de manipular as crianças, quando estiver manuseando principalmente os cítricos; orientar as crianças maiores e os adolescentes. |

*Fonte: Elaborado pelas autoras.*

Outro ponto a ser considerado, diz respeito às circunstâncias em que a queimadura ocorreu, pois **20% entre todas as vítimas são crianças, e entre esse percentual, 20% das lesões se dão de modo intencional ou por abuso infantil**.

Em todas as formas de violência física infringida à criança, a lesão por queimadura intencional só perde para o espancamento. Nessas circunstâncias, as queimaduras se caracterizam por lesões de limites definidos em regiões como mãos e pés, em consequência de escaldadura por imersão, em que as extremidades são colocadas em líquido fervente, ou em outras regiões como nádegas, genitais, boca, coxas, como consequência de queimaduras por calor radiante, com ferro de passar, colher etc. Exige-se atenção, também, para queimaduras por cigarro, e para os casos em que as lesões são incompatíveis com o relato da "história do acidente". **Todos os casos suspeitos devem ser notificados**.

## Tipos de queimaduras, seus agentes e cuidados iniciais

A gravidade da queimadura dependerá de algumas características, como a idade da criança, o estado clínico, a área queimada, as lesões associadas etc. O diagnóstico preciso e o tratamento imediato são fundamentais para o aumento da sobrevida das vítimas e redução de sequelas.

Queimaduras em crianças são sempre mais graves, quando comparadas aos adultos com uma mesma lesão, em razão da maior superfície corporal em relação ao seu peso.

O socorrista deve levantar o maior número de informações a respeito do acidente, como:

- Há quanto tempo ocorreu a queimadura.
- Qual foi o agente.
- Se houve explosão, inalação de fumaça.
- Se a criança perdeu a consciência.
- Realizar breve entrevista com a criança e cuidador – SAMPLE: sintomas (dor, náuseas); alergias; medicamentos em uso; doenças pregressas; última refeição; evento que levou à lesão.
- Vacinação para tétano.

A observação dos princípios de reanimação inicial no trauma e a aplicação, em tempo apropriado, de medidas emergenciais simples minimizam a morbidade e a mortalidade dessas lesões.

Queimaduras podem causar grande **edema**, por isso, quando localizadas na face e na boca, podem ocasionar um inchaço localizado, representando um maior risco de comprometimento da via aérea, notadamente menor.

Os sinais de obstrução podem ser sutis, inicialmente; portanto, a avaliação precoce da necessidade de intubação endotraqueal é essencial.

Os fatores que aumentam o risco de **obstrução da via aérea** são: profundidade e extensão de queimaduras; inalação de fumaça e vapores tóxicos; queimaduras na cabeça, na face e no interior da boca.

A chegada de uma criança queimada a um Serviço de Saúde é sempre cercada de grande expectativa quanto à melhor conduta a ser adotada.

De acordo com sua localização, extensão e profundidade, as queimaduras **podem ser tratadas em ambulatório** ou **necessitar de internação hospitalar**.

A internação está indicada se as queimaduras apresentarem as seguintes características:

- Lesões de 3° grau, atingindo mais de 5% de superfície corporal.
- Lesões de 2° grau, atingindo área maior que 10% na criança.
- Lesões de 2° ou 3° grau em face, couro cabeludo, mãos e pés.
- Lesões que atingirem a região perineal ou genitália.
- Lesão circunferencial de extremidades (em razão da constrição causada pelo edema, interferindo na circulação).
- Lesões causadas por descarga elétrica (levam a profundas alterações do equilíbrio acidobásico e insuficiência renal).
- Lesões causadas por produtos químicos.
- Lesões com sinais de infecção.
- Lesões que atingiram as vias aéreas (inalatória).
- Caso a criança apresente outras comorbidades (diabetes, cardiopatia, nefropatia, doença falciforme, asma etc.).

Além dessas indicações, considerar **outros critérios de internação**, como as condições socioeconômicas; famílias que não podem manter um acompanhamento ambulatorial efetivo da criança; distúrbios emocionais, como estresse, depressão e ansiedade; ambiente hostil, como em casos de crianças vítimas ou com suspeita de maus-tratos.

Com relação à localização, deve-se dar uma **atenção especial** àquelas que envolvem **face** e **pescoço**, regiões em que o edema se torna significativo, podendo acarretar alterações importantes de estruturas anatômicas, com dificuldade respiratória e/ou na ingesta de alimentos. As **mãos** e/ou **pés** são áreas de **importância funcional** e, como extremidades, propensas a maior comprometimento circulatório, visto o pequeno calibre dos vasos; **períneo** e **genitália** são regiões que apresentam maior **risco de contaminação**.

Queimaduras circulares, ainda que ocorram em pequenas áreas, exigem avaliações constantes das condições circulatórias dos segmentos afetados, pois são lesões que, em geral, necessitam de procedimentos cirúrgicos de urgência (escarotomia, fasciotomia), com a finalidade de evitar maior dano vascular.

As queimaduras mais frequentes em pediatria são causadas pelo sol, água e óleo quente, inalação de gases, choque elétrico, produtos de limpeza, cianoacrilato, frutas cítricas, contato com água-viva, caravela e taturanas, e seus aspectos gerais são discutidos a seguir.

## ▪ Queimadura solar

A queimadura solar é uma lesão de pele muito frequente, causada pela **exposição excessiva às ondas de luz ultravioletas** (UV), tipos A e B.

As UVA queimam, minimamente, mas são responsáveis pelas reações fotossensíveis e alérgicas, além do envelhecimento precoce da pele. Já as ondas UVB são responsáveis pelo bronzeamento, queimadura e câncer de pele.

Usualmente, a queimadura solar é epidérmica, embora possa, nos casos mais graves, ser uma queimadura de espessura parcial, com formação de flictenas (bolhas).

## ▪ Agentes térmicos

A conduta inicial em qualquer atendimento pré-hospitalar consiste em: interromper o processo de queimadura; remover roupas, adornos (joias, anéis, brincos, tiaras, grampos etc.), *piercings* e próteses, que possam garrotear o local diante do edema ou aprofundar a lesão; realizar cobertura para proteção.

A roupa aderente à pele não deve ser arrancada, como as de tecidos sintéticos que, ao incendiar, queimam rapidamente em altas temperaturas e derretem, formando resíduos aquecidos que continuam queimando o paciente e, nesse caso, deve-se resfriar a região com água corrente em temperatura ambiente.

As queimaduras de espessura parcial (2° grau), são dolorosas, mesmo quando a superfície queimada entra em contato com o ar, o que pode ser aliviado ao se cobrir a lesão com um curativo ou pano limpo aplicado, delicadamente, sobre a pele. À princípio, não se deve romper bolhas em ambiente não hospitalar ou aplicar agentes antissépticos ou qualquer outra substância, como pomadas, cremes e pós em geral.

Não há consenso na discussão em torno de romper ou não bolhas no primeiro atendimento ao queimado. Tal intervenção deveria ser restrita ao cuidado hospitalar, visto que a bolha ocorre quando a epiderme se separa da derme, e o fluido que vaza dos vasos próximos preenchem esse espaço.

A presença de proteínas osmoticamente ativas (peso molecular maior) no líquido das bolhas "atrai" mais líquido para esse espaço, que tende a aumentar e comprimir as estruturas do tecido lesionado, aumentando a dor. Além disso, a bolha íntegra dificulta a aplicação de antibióticos tópicos, diretamente na lesão. Por essa razão, a maioria dos serviços especializados em queimaduras rompem e desbridam os flictenas, na chegada ao hospital. No pré-hospitalar, as bolhas já rompidas devem ser cobertas com curativo ou pano limpo e seco.

Qualquer substância aplicada previamente no atendimento por socorrista leigo, deve ser removida antes que possam ser usados agentes antibacterianos tópicos apropriados.

## ▪ Inalação de gases

Quando as queimaduras ocorrem em ambiente fechado, deve-se atentar para a inalação de gases, vapor superaquecido e fumaça, que podem comprometer gravemente as vias aéreas, acarretando em alterações clínicas. A **taxa de mortalidade em crianças** com queimaduras pode chegar a **40%**, se houver lesão inalatória associada. A intoxicação por **monóxido de carbono** é a causa mais frequente de morte por inalação de fumaça. São **sinais indicativos da inalação**: queimaduras em face e pescoço, cílios e sobrancelhas chamuscados, vibrissas nasais chamuscadas ou destruídas, presença de fuligem em escarro ou na orofaringe, rouquidão, tosse e chiado.

## ▪ Corrente elétrica

Queimaduras por descarga elétrica, assim como a química, necessitam de reavaliação frequente, pois evoluem, tipicamente, com o aprofundamento das lesões, e podem levar à exposição de tendões e ossos, além de apresentarem significativas repercussões clínicas, conforme a intensidade, duração e as características do agente ao qual a criança foi exposta.

Queimadura elétrica resulta da passagem de corrente elétrica. A queimadura pode ser causada por baixa voltagem (corrente alternada) ou alta voltagem (corrente direta).

**As queimaduras elétricas são mais graves do que visivelmente aparentam**. Quando a corrente atravessa o corpo, destrói músculos, nervos e vasos sanguíneos. Em razão da condução difusa da eletricidade e do calor gerado, e as diferentes velocidades de perda de calor entre os tecidos superficiais e profundos, a pele aparentemente está normal, mas as camadas musculares profundas apresentam necrose, que pode resultar em rabdomiólise, alterações no balanço acidobásico, produção de mioglobinúria e consequente insuficiência renal aguda.

## ▪ Substâncias químicas

As queimaduras químicas resultam da **exposição a ácidos**, **bases** ou **derivados do petróleo**. A gravidade e o tipo de queimadura são influenciados pela duração do contato, concentração e quantidade do químico.

Nas queimaduras por ácidos, o agente mais comum é o ácido clorídrico (conhecido por ácido muriático), muito usado para a limpeza de pisos. O grau de lesão depende da concentração do ácido e do tempo de exposição.

De um modo geral, as **queimaduras por ácidos são mais superficiais do que as queimaduras por bases**, pois estas últimas continuam queimando por um tempo mais prolongado e têm um poder maior de penetração nos tecidos.

Se a causa da queimadura for uma base, a irrigação da lesão deve ser mais prolongada. É importante salientar que muitos produtos de uso doméstico contêm uma base, na forma de soda cáustica. Dentre as lesões comumente encontradas em unidades de emergência pediátrica, destacam-se as lesões oculares, por respingar soda cáustica durante a manipulação da substância, e lesões do esôfago, por ingestão acidental o que, em geral, não acarreta em óbito, mas, em estenose (estreitamento) do órgão.

## ▪ Cianoacrilato (cola de alta aderência)

Na sua formulação doméstica, o cianoacrilato é o principal constituinte da **cola cosmética** para unhas e outros **adesivos de alta potência**.

Essa substância é um monômero com capacidade de polimerizar em cadeias longas através de pontes, tendo um grande poder adesivo. Essa reação é facilitada pela presença de substâncias básicas (ou seja, íons hidróxido), como a água (reação exotérmica). A celulose, presente no algodão é, também, um catalisador dessa reação.

Na maioria dos casos, o contato com a pele é descrito como uma irritação superficial. A queimadura química é rara e se relaciona com a polimerização e respectiva reação térmica, favorecida pela presença de tecido (algodão) e água fria, no local do contato.

A maioria das queimaduras e irritações ocorre em idade pediátrica, sobretudo entre 1 e 3 anos de idade, predominantemente nos membros inferiores. O conhecimento desses aspectos pelos profissionais de saúde, pais e cuidadores é fundamental, já que **a abordagem é diferente das outras queimaduras**.

A tentativa de retirar o tecido aderente à lesão provoca dor desnecessária à criança e pode agravar a profundidade da lesão, e a utilização de **água fria pode agravar a queimadura** ao favorecer a reação exotérmica, já descrita.

## ▪ Xantotoxina

A xantotoxina é encontrada em vários produtos de uso comum e são capazes de causar fitodermatite, que consiste em uma erupção cutânea inflamatória fototóxica. No Brasil, é comum ocorrerem lesões com esse agente encontrado em plantas, como aquelas que pertencem à família das Rutáceas, que incluem todas as **plantas produtoras de frutas cítricas**, como a laranja (*Citrus sinensis*), o limão-galego (*Citrus limonia*), o limão Taiti (*Citrus medica*), a tangerina ou mexerica (*Citrus reticulata ou Citrus nobilis*) e outras, como a arruda (*Ruta graveolens*).

A xantotoxina é a substância fotossensibilizadora mais presente nos limões, sendo dez vezes mais abundante na casca do que na polpa. Muito comum no verão, a lesão é causada pela manipulação de limões seguida da exposição à luz solar. Por isso, a localização mais frequente é o dorso das mãos, e podem evoluir para queimaduras mais graves, com bolhas. É possível, também, que a lesão ocorra de maneira indireta, quando, por exemplo, um adulto toca em uma criança após manipular um desses agentes.

Fitofotodermatite designa reações fototóxicas, que consistem em **eritema** (com ou sem formação de bolhas), e **hiperpigmentação tardia**.

A **fototoxicidade** indica uma reação inflamatória causada pela combinação de aplicação de uma substância fotossensibilizadora tópica ou oral, seguida pela exposição ao comprimento de onda apropriado da radiação UV. Como essa não é uma reação imunológica e, portanto, não necessita de uma sensibilização anterior, qualquer pessoa pode ser afetada, a qualquer tempo.

Fatores, como grau de exposição, concentração do produto e tempo de contato influenciam na apresentação do quadro, que **se assemelha a uma queimadura solar**, variando de eritema e edema até formação de bolhas, prurido e dor que surgem de 24 a 48 horas após a pele ter sido exposta à luz. Casos mais graves exigem suporte hospitalar.

Em até uma semana, o processo agudo eritematobolhoso diminui lentamente, podendo surgir áreas hiperpigmentadas ou hipopigmentadas, que duram meses, e cicatrizes. É frequente o relato a respeito do aumento da sensibilidade e a presença de eritema, quando a pele que foi acometida é reexposta à luz ultravioleta, luz fluorescente, calor ou exercício, o que, às vezes, pode persistir por anos.

Infelizmente, o tratamento das fotodermatites limita-se a evitar novo contato com o alérgeno suspeito e, no quadro agudo, a abordagem sintomática. Uma vez que a dermatite aguda é aparente, a terapia inclui cremes de corticosteroides tópicos, anti-histamínicos e banhos relaxantes. Reações graves requerem o uso de corticosteroides sistêmicos. Para hiperpigmentação residual, os filtros solares podem ser usados de maneira profilática. Ou seja, a prevenção é o melhor tratamento para as fitofotodermatites.

## ▪ Agentes biológicos: água-viva, caravela e taturana

### • Água-viva

A queimadura por água-viva, também conhecida como medusa, estão sendo cada vez mais comuns em nosso meio. Essa criatura possui células chamadas cnidócitos, dotadas de filamentos que **injetam toxinas** na pele de suas vítimas, produzindo a **sensação de queimadura**. As toxinas usadas para defesa e para captura de suas presas variam de uma espécie para outra, mas, geralmente, há uma combinação de substâncias paralisantes, necrosantes e destruidoras de glóbulos vermelhos.

O grau da queimadura depende da espécie e da região da pele onde ocorre o contato. Regiões como o dorso da mão, coxas, abdômen e o rosto são os mais sensíveis. No Brasil, não há registro de morte causada por medusas, mas, as queimaduras provocadas pela espécie *Chironex fleckeri*, conhecida como vespa-do-mar, comum nas praias da Austrália, podem ser fatais.

Os sintomas clínicos e a gravidade do acidente causado por cnidários estão diretamente relacionados com:

- Capacidade do nematocisto em penetrar a pele humana.
- Espessura da pele e quantidade de pelos que a protegem.

- Extensão da área comprometida e da sensibilidade.
- Condição de saúde e tamanho da vítima, pois quanto menor o peso corporal, maior a concentração de veneno no organismo.
- Espécie causadora e potência de sua peçonha.
- Quantidade, tamanho e largura dos tentáculos do animal e tempo em que a pele foi exposta ao contato.
- Quantidade de células peçonhentas disparadas.

Os sinais na pele variam de uma discreta irritação ou ardência, a placas extensas com intensa dor pulsátil ou latejante em queimação, que **pode durar de 30 minutos a 24 horas**. A dor pode irradiar-se. A área que entra em contato com os tentáculos torna-se **eritematosa** (avermelhada) e **edematosa** (inchada), podendo ocorrer **placas lineares ou não**, **bolhas** e **necrose**.

Nos acidentes leves, as lesões regridem em até 24 horas, provocando manchas eritematosas ou escuras, que podem persistir por meses.

Nos acidentes graves, com manifestações sistêmicas, a criança pode apresentar:

- Cefaleia e mal-estar.
- Náusea, vômito, sialorreia.
- Câimbra, rigidez abdominal, espasmos musculares, paralisia.
- Diminuição da sensação de temperatura e toque.
- Dor lombar severa.
- Perda da fala, sensação de constrição na garganta, dificuldade respiratória.
- Arritmias cardíacas.
- Delírio e convulsão.

Essas complicações são decorrentes da ação da peçonha nos músculos da vítima.

Alguns autores recomendaram o uso de água do mar quente para o tratamento, com bons resultados, uma vez que promove um efeito anestésico, pelos extremos de temperatura quente/frio. No Brasil, as compressas de água do mar gelada são o tratamento de escolha. **O uso de água doce é contraindicado**, pois dispara nematocistos por osmose e aumenta o envenenamento.

- Caravela

Outro agente biológico responsável pelo maior número e gravidade de acidentes na costa litorânea brasileira, principalmente no verão, é a caravela-portuguesa (*Physalia physalis*); animal aquático cujos tentáculos possuem nematocistos capazes de injetar **veneno** por um filamento urticante quando a célula é tocada.

O ataque pode ocasionar **danos tóxicos sobre a pele** (eritema, edema, necrose), **e outros órgãos**, com ação direta no miocárdio, sistema nervoso, fígado e rins, além de causar **efeitos alérgicos** (precoces e tardios), incluindo anafilaxia, urticária e formação de granulomas.

Diante do acidente é importante identificar como ocorreu, tempo transcorrido, descrição da caravela, sintomas locais e sistêmicos.

A gravidade da queimadura depende do número de nematocistos descarregados; estado de saúde; idade e peso da criança; superfície corporal afetada; se houve comprometimento das extremidades, o que torna a lesão 50% mais severa; local e espessura da pele acometida, como perto da cabeça e no dorso, onde a absorção do veneno é mais rápida.

- Lagartas/taturanas

Muitos acidentes são causados por insetos da ordem *Lepdoptera*, principalmente das famílias: *Megalopygidae*, que possuem cerdas ou pelos e vivem isoladas; popularmente conhecidas por lagarta-de-fogo, taturana-gatinho, chapéu-armado; e *Saturniidae*, que possuem ramificações espinhosas, pontiagudas e vivem em grupos; popularmente conhecidas por mandrová, mandarová, taturana, lagarta-de-fogo. As lagartas são larvas das mariposas.

As queimaduras causadas por esse agente têm apresentado um sensível aumento, possivelmente relacionado com a expansão dessas lagartas nos centros urbanos, atribuída, por especialistas, aos fenômenos climáticos, ao desflorestamento, destruição das matas, uso de agrotóxicos e desaparecimento de seus predadores naturais.

As manifestações mais frequentes são: **dor intensa**, em queimação; **edema**; **eritema**; **prurido local** e **aumento dos linfonodos**, e dependem da intensidade e da extensão do contato. A lesão pode evoluir com vesículas nas primeiras 24 horas. Raramente ocorrem mal-estar, náuseas, vômitos ou diarreia. O quadro regride em três dias, no máximo.

A queimadura pela lagarta do gênero *Lonomia* sp., pode desencadear síndrome hemorrágica. Assim, todos os casos, em que houver dúvidas quanto ao tipo de lagarta, devem ser monitorados e a criança deve permanecer em observação por dois dias, ou retornar ao serviço de saúde se apresentar sangramento gengival, epistaxe, hematomas e equimoses, urina alaranjada etc. para receber o **soro antilonômico**.

## Cuidados imediatos

O Quadro 5.3 resume os tipos de queimaduras e os primeiros cuidados a serem seguidos, de acordo com o agente causador.

**Quadro 5.3. Cuidados imediatos à queimadura, de acordo com o agente causador**

| ***Tipo/agente*** | ***O que fazer?*** |
|---|---|
| **Solar** | • Resfriar a pele com compressas frias ou banho com água morna, em jato suave, durante 20 minutos ou mais.<br>• Aplicar hidratantes neutros para o alívio do desconforto nas queimaduras epidérmicas (1° grau). |
| **Térmica** | • Remover roupas, adornos, *piercings* e próteses que possam garrotear a pele devido ao edema. A roupa aderente à pele não deve ser arrancada.<br>• Interromper o processo com irrigação abundante de água corrente em temperatura ambiente.<br>• Não romper as bolhas.<br>• Não aplicar nenhuma substância sobre a área queimada.<br>• Não utilizar água gelada ou gelo para o resfriamento da queimadura.<br>• Proteger a queimadura com lençol ou pano limpo/estéril e seco, para aliviar a dor e evitar o contato com o ar. |

(*Continua*)

| Quadro 5.3. Cuidados imediatos à queimadura, de acordo com o agente causador (*Continuação*) | |
|---|---|
| ***Tipo/agente*** | ***O que fazer?*** |
| **Substância química (ácidos, pó e saneantes)** | • Acionar o serviço de emergência e o corpo de bombeiros.<br>• Remover a roupa, quando possível, e com cuidado.<br>• Remover, delicadamente, vestígios de pó seco com o auxílio de uma escova macia, evitando o contato direto com a substância.<br>• Lavar a superfície com água limpa e corrente (torneira, mangueira, copo, garrafa) abundante, por 20 a 30 minutos ou mais.<br>• Atentar para áreas de difícil acesso, como axilas, entre os dedos, unhas e genitália, pois costumam acumular substâncias.<br>• Proteger com lençol limpo, seco e aquecido, se possível, para evitar hipotermia.<br>• Se houver contato com os olhos, fazer irrigação abundante com água limpa e corrente, no sentido do nariz para o canto externo dos olhos, para evitar contaminação de ambos. |
| **Corrente elétrica** | • Acionar o serviço de emergência e o corpo de bombeiros.<br>• Identificar a fonte: alta tensão, corrente alternada ou contínua.<br>• Desligar a fonte, sempre que possível.<br>• Identificar o ponto de entrada e saída da corrente elétrica.<br>• Não tocar na vítima enquanto estiver em contato com o agente.<br>• Avaliar traumas associados, quedas, perda de consciência e parada cardiorrespiratória. |
| **Cianoacrilato (cola cosmética, cola de alta aderência)** | • Não remover o tecido aderido à pele.<br>• Lavar com água morna e sabão e, colocar acetona, para enfraquecer a reação química.<br>• Não usar água fria.<br>• Não utilizar objetos ou tecidos de algodão sobre a lesão. |
| **Xantotoxina (cítricos)** | • Evitar o contato com a substância, usar espremedores de frutas, esmagadores ou cortadores.<br>• Lavar as mãos, abundantemente, com água e sabão após o contato.<br>• Aplicar protetor solar e evitar a exposição ao sol para prevenir a reação. |
| **Água-viva** | • Manter a calma e retirar a criança da água.<br>• Remover os tentáculos aderidos à pele, com cuidado, sem esfregar a região atingida.<br>• Aplicar compressas de água do mar geladas (efeito anestésico) e banhos de vinagre (ácido acético) para interromper o envenenamento.<br>• Aplicar bolsas de gelo artificial (*cold-pack*) envoltas em tecido, na impossibilidade de contar com água do mar gelada.<br>• Não usar álcool, urina, refrigerante e outras substâncias. |

(*Continua*)

| Quadro 5.3. Cuidados imediatos à queimadura, de acordo com o agente causador (*Continuação*) | |
|---|---|
| ***Tipo/agente*** | ***O que fazer?*** |
| **Caravela** | • Lavar com soro fisiológico e/ou imergir a lesão em ácido acético a 5% ou álcool isopropílico a 70%, por 15 a 30 minutos.<br>• Controlar a dor, medicando a criança com analgésico de uso habitual indicado pelo pediatra.<br>• Encaminhar a criança para atendimento médico, pois pode ser necessário utilizar antídoto. |
| **Lagarta, taturana** | • Lavar a região de contato com água fria e sabão ou antissépticos, aplicar compressas frias.<br>• Controlar a dor, medicando com analgésico de uso habitual.<br>• Manter o membro acometido elevado.<br>• Procurar atendimento médico e levar a taturana, se possível, para identificação da espécie.<br>• Aplicar corticosteroides e cremes anestésicos, conforme indicado pelo pediatra. |

*Fonte: Elaborado pelas autoras.*

## Comentários finais

Como discutido neste capítulo, as crianças apresentam algumas peculiaridades anatômicas e fisiológicas que podem representar desvantagens significativas quando sofrem uma queimadura. Dentre elas, destacam-se a fina espessura da pele, que favorece a formação de lesões mais profundas, e a maior superfície corporal em relação ao seu peso, o que promove uma maior perda de água corporal e necessidade de reposição hídrica, o que nem sempre é fácil, em razão das condições cardiovasculares, renais e neurológicas da criança.

Dependendo da gravidade da lesão, e mesmo naquelas de menor importância clínica, as crianças vítimas de queimadura podem apresentar diferentes alterações físicas e psíquicas, com sinais de retrocesso no desenvolvimento, distúrbios do sono, fobias, terror, desnutrição, dificuldade de crescimento ósseo, reabilitação demorada e déficits funcionais, além de prejudicar sua autoimagem e autoestima.

Todos esses aspectos reforçam a ideia que a prevenção das queimaduras na infância é a única e a mais prudente intervenção a ser adotada por familiares e cuidadores.

## Referências


- American Burn Association. Hospital and prehospital resources for optimal care of patients with burn injury. Guidelines for development and operation of burn centers. Journal of Burn. 2003.
- Bastos DMRF, Haddad Júnior V, Nunes JLS. Human envenomations caused by Portuguese man-of-war (Physalia physalis) in urban beaches of São Luis City, Maranhão State, Northeast Coast of Brazil. Rev Soc Bras Med Trop. [Internet]. 2017;50(1):130-34. [acesso em 29 mai 2019]. Disponível em: http://www.scielo.br/scielo.php?script=sci_arttext&pid=S0037-86822017000100130.
- Bolognia JL, Jorizzo JL, Schaffer JV. Dermatologia. 3. ed. Rio de Janeiro: Elsevier; 2015.
- Brasil. Ministério da Saúde. Secretaria de Atenção à Saúde. Departamento de Atenção Especializada. Cartilha para tratamento de emergência das queimaduras. Brasília: Ministério da Saúde; 2012. 20 p.: il. - (Série F. Comunicação e Educação em Saúde). [acesso em 29 mai 2019]. Disponível em: http://bvsms.saude.gov.br/bvs/publicacoes/cartilha_tratamento_emergencia_queimaduras.pdf.
- Brasil. Portal do Governo Federal. Um milhão de brasileiros sofrem queimaduras por ano. 23/12/2017. [acesso em 29 mai 2019]. Disponível em: http://www.brasil.gov.br/editoria/saude/2017/06/um-milhao-de-brasileiros-sofrem-queimaduras-por-ano.
- Emergency Medicine. UW Health. University of Washington School of Medicine and Public Health. [acesso em 30 out 2019]. Disponível em: https://www.uwhealth.org/emergency-room/assessing-burns-and-planning-resuscitation-the-rule-of-nines/12698.
- Guimarães FMF, Abramovici S. Queimaduras. In: Burns DAR, Campos Jr D, Silva LR, Borges WG (orgs.). Tratado de Pediatria – Sociedade Brasileira de Pediatria. 4. ed. Barueri: Manole; 2017.
- Haddad Junior V, Szpilman D, Szpilman M. Lesões por águas-vivas – Recomendação Sobrasa. [acesso 29 mai 2019]. Disponível em: http://www.sobrasa.org/new_sobrasa/arquivos/recomendacoes/LESOES%20POR%20AGUAS-VIVAS_Recomendacao_SOBRASA.pdf.
- Hockenberry MJ, Wong WD. Fundamentos de Enfermagem Pediátrica. 9. ed. Rio de Janeiro: Elsevier; 2014.
- Lund CC, Browder NC. Skin estimation of areas of burns. Surg Gynecol Obstet. 1944;79:352-8.
- Marinho LP, Andrade MC, Goes Junior AMO. Perfil epidemiológico de vítimas de queimadura internadas em hospital de trauma na região Norte do Brasil. Rev Bras Queimaduras. 2018;17(1):28-33.
- Mendonça ML. Queimaduras. 2014. [acesso em 20 out 2019]. Disponível em: https://www.sbp.com.br/imprensa/detalhe/nid/queimaduras/.
- Millan LS, Gemperli R, Tovo FM, Mendaçolli TJ, Gomez DS, Castro Ferreira MC. Estudo epidemiológico de queimaduras em crianças atendidas em hospital terciário na cidade de São Paulo. Rev Bras Cir Plást. 2012;27(4):611-5. [acesso 29 mai 2019]. Disponível em: http://www.scielo.br/pdf/rbcp/v27n4/24.pdf.
- Moraes MGL, Santos EL, Costa AB, Silva MR, Oliveira KCPN, Maciel MPGS. Causas de queimaduras em crianças atendidas em um hospital público de Alagoas. Rev Bras Queimaduras. 2018;17(1):43-9.
- Paccanaro RC, Zornoff DCM, Caramori CA, Palhares A. Desenvolvimento de Aplicativo para Cálculo de Área Queimada; 2017. [acesso 17 jun 2018]. Disponível em: http://telemedicina.unifesp.br/pub/SBIS/CBIS2004/trabalhos/arquivos/266.pdf.
- PHTLS. Comitê do National Association of Emergency Medical Technicians (NEAEMT) em colaboração com o Colégio Americano de Cirurgiões. PHTLS – Atendimento Pré-hospitalar ao Traumatizado. 8. ed. Rio de Janeiro: Artmed; 2017.
- Prata PHL, Flávio Jr WF, Lemos ATO. Reparação volêmica na criança queimada. Rev Med Minas Gerais. 2015;25(3):400-5.
- Queiroz MCAP, Caldas JNAR. Dermatologia comparativa: lesão de ataque por caravela portuguesa (Physalia physalis). An Bras Dermatol. 2011;86(3):611-2.
- Schlags M. Determining Depth & Percentage of Burn Injuries (2008). [acesso 30 mai 2019]. Disponível em: https://my.firefighternation.com/forum/topics/889755:Topic:2902596.
- Silva AAR, Passos RS, Simeoni LA, Neves FAR, Carvalho E. Uso de produtos saneantes: práticas de segurança e situações de risco. J Pediatr (Rio J). 2014;90(2):149-54.

- Silva PKE da, Picanço PG, Costa LA, Boulhosa FJS, Macêdo RC de, Costa LRN da et al. Caracterização das crianças vítimas de queimaduras em hospital de referência na região Amazônica. Revista Brasileira de Queimaduras. Sociedade Brasileira de Queimaduras – SBQ. 2015;14(3):218-23. [acesso 30 mai 2019]. Disponível em: http://rbqueimaduras.org.br/content/imagebank/pdf/v14n3.pdf.
- Soares D, Santos H, Amaral M, Ribeiro A, Cordeiro M. Queimaduras Químicas: Novos Materiais e Diferentes Estratégias de Abordagem. Acta Pediatr Port. 2017;48:173-6.
- Sociedade Brasileira de Queimaduras – SBQ. Classificação das queimaduras. [acesso em 30 mai 2019]. Disponível em: http://sbqueimaduras.org.br/queimaduras-conceito-e-causas/classificacoes-de-queimaduras/.
- Souza CO. Caracterização do perfil epidemiológico dos queimados do Brasil: revisão sistemática da literatura. Orientador: Marcelo Sacramento Cunha. Monografia (Graduação em Medicina). Salvador: Universidade Federal da Bahia, Faculdade de Medicina da Bahia; 2016.
- Takino MA, Valenciano PJ, Itakussu EY, Kakitsuka EE, Hoshimo AA, Trelha CS et al. Perfil epidemiológico de crianças e adolescentes vítimas de queimaduras admitidos em centro de tratamento de queimados. Rev Bras Queimaduras. 2016;15(2):74-9.
- Vieira BS. Queimaduras em idade pediátrica: vantagens e optimização do tratamento em regime ambulatório. Coimbra: Universidade de Coimbra; 2016. [acesso 30 mai 2019]. Disponível em: https://estudogeral.sib.uc.pt/handle/10316/33290.

## Testes

**1. Assinale a alternativa correta. São cuidados imediatos após uma queimadura por agente térmico:**

A. Remover roupas e adornos; não retirar as roupas aderidas à pele.

B. Interromper o processo de queimadura/térmico com irrigação abundante de água corrente, em temperatura ambiente.

C. Não romper as bolhas e não aplicar pomadas ou cremes sobre a área queimada.

D. Proteger a queimadura com panos limpos/estéreis e secos.

E. Todas as alternativas anteriores estão corretas.

**2. Na situação em que a criança entra em contato com água-viva, é incorreto:**

A. Retirar a criança da água.

B. Remover os tentáculos aderidos à pele, delicadamente sem esfregar a região atingida.

C. Passar álcool, urina ou refrigerante na região acometida.

D. Aplicar compressas de água do mar gelada e banhos de vinagre (ácido acético).

E. Aplicar bolsas de gelo artificial (*cold-pack*), envoltas em um tecido.

**3. Relacione as colunas de acordo com a classificação das queimaduras, e assinale a alternativa que representa a ordem numérica correta:**

(1) Presença de bolhas, pele vermelha e dolorosa.

(2) Pele esbranquiçada ou enegrecida e indolor.

(3) Pele avermelhada e brilhante, muito dolorosa.

(4) Acomete de 5 a 15% da superfície corporal da criança.

( ) Queimadura de 4º grau.
( ) Queimadura de 1º grau.
( ) Queimadura de 2º grau.
( ) Queimadura moderada.

Alternativas:
A. 1, 2, 3, 4.
B. 2, 4, 1, 3.
C. 2, 3, 1, 4.
D. 4, 3, 2, 1.
E. 4, 2, 1, 3.

**4. Primeira conduta em uma queimadura química:**

A. Induzir ao vômito se a substância química for ingerida.
B. Remover, delicadamente, os vestígios de pó seco, se for o caso, com o auxílio de uma escova macia, evitando o contato direto com a substância.
C. Banho em água corrente, se houve contato com a pele, para diminuir a absorção.
D. Oferecer leite, por via oral.
E. Todas as alternativas estão corretas.

**5. Palavras cruzadas: tipos de queimaduras**

(1) Causada por fogo, explosão, líquido quente ou escaldadura, sólido quente.
(2) Resulta da passagem de corrente elétrica pelo corpo da criança.
(3) Causada pela exposição a ácidos, bases ou derivados do petróleo.
(4) Quando entram em contato, injetam toxinas na pele de suas vítimas.
(5) Causada pela exposição excessiva às ondas de luz ultravioletas A e B.

6. **Caça-palavras:** elétrica, térmica, pele, cianoacrilato, xantotoxina, taturana, química, caravela, água-viva, solar.

| Respostas | |
|---|---|
| 1 | E |
| 2 | C |
| 3 | C |
| 4 | B |

**5. Palavras cruzadas:**

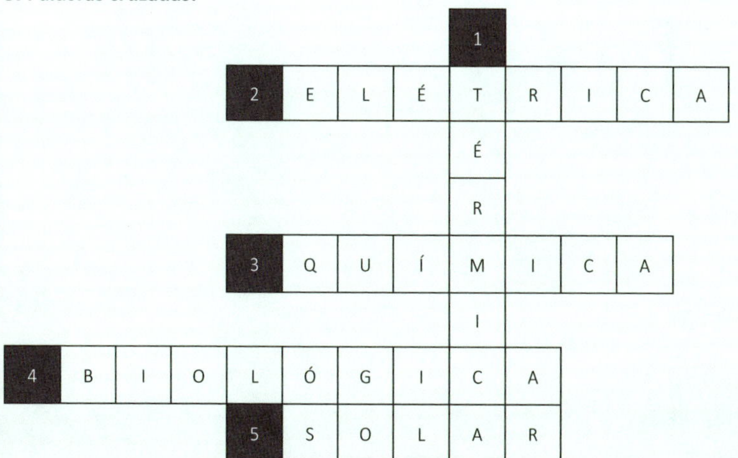


**6. Caça-palavras:**

# 6 Afogamentos

Erika Sana Moraes
Camila Cazissi da Silva
Ana Márcia Chiaradia Mendes-Castillo

## Introdução

Afogamento é definido como resultado de **asfixia por imersão ou submersão** em qualquer meio líquido externo, provocado por sua entrada em vias aéreas, dificultando parcial ou completamente a ventilação ou a troca de oxigênio com o ar atmosférico. Imersão se refere ao contato do líquido com a face e, submersão, quando a face se encontra abaixo da superfície de contato.

A tosse é uma reação que está presente nos casos afogamento. Se a vítima for resgatada, o evento é denominado "afogamento não fatal" e, se o resultado for o óbito, "afogamento fatal". Qualquer incidente de imersão ou submersão, sem evidência de aspiração, deve ser considerado um resgate na água e não um afogamento. Considera-se cadáver de afogamento, uma vítima com tempo de submersão acima de 1 hora ou com sinais físicos óbvios de morte (*rigor mortis*, livores, decomposição corporal). Nesse caso, a ressuscitação não é realizada e o corpo será encaminhado para o Instituto Médico Legal (IML).

Os pulmões são os órgãos mais comprometidos pela aspiração de substância líquida, o que pode acarretar em quadros de insuficiência respiratória e, consequentemente, em alterações na troca gasosa alveolocapilar e distúrbios no equilíbrio ácido-base.

Não havendo alternativa para manter as vias aéreas fora da água, a **apneia** é a primeira resposta fisiológica, quando ainda não há hipóxia e a consciência está preservada.

Em um primeiro momento, a água contida na boca será ativamente cuspida ou engolida. Já a sua aspiração involuntária provocará tosse ou laringoespasmo, que pode levar à **hipóxia**. Uma vez instalada, a hipóxia provocará o relaxamento do espasmo, em alguns segundos ou minutos. Assim, mais água será rapidamente aspirada para os pulmões, impedindo a hematose e levando a criança ao torpor ou à perda de consciência, evoluindo para a apneia e, posteriormente, para **assistolia**.

A magnitude do distúrbio respiratório é mais influenciada pela quantidade de água aspirada do que por sua composição, pois, tanto a água doce quanto a salgada ou a salobra produzem **destruição do surfactante pulmonar**, **alveolite** e **edema pulmonar** não cardiogênico, piorando a hipóxia. Evidências mostram que, em 70% dos óbitos, os pulmões continham, além de água, partículas de natureza diversa, como areia, algas, lama etc. e, em 24% dos casos, havia também a presença de vômito.

A hipóxia cerebral é a principal condição a ser manejada quando o afogamento não é fatal. Estima-se que entre 5 e 10% de todos os episódios resultem em algum grau de **comprometimento neurológico**, sendo os piores prognósticos relacionados ao maior tempo de submersão.

## Dados epidemiológicos

Os afogamentos podem ser intencionais (suicídios e homicídios) e não intencionais (acidentais), sendo este o mais frequente, perfazendo 86% dos casos.

De acordo com dados da Organização Mundial de Saúde (OMS), 127.577 crianças e jovens com idade inferior a 20 anos morreram por afogamento no mundo, em 2015, perfazendo 39,4% entre todas as idades.

Os eventos **acometem mais os meninos** do que as meninas, em uma proporção de 3:1. Crianças de 1 a 9 anos se afogam mais por queda em piscinas e espelhos de água (tanque, balde, poças), em casa e em seu entorno. De modo geral, o **maior risco de morte** por afogamento ocorre na faixa entre **15 e 19 anos** (relação de 4,3 óbitos/100.000

habitantes), e o menor em crianças menores de 1 ano (relação de 1,5 óbito/100.000 habitantes).

Em âmbito nacional, dados do Ministério da Saúde (MS), disponíveis no portal do Departamento de Informática do Sistema Único de Saúde (DATASUS), revelam que, em 2017, o número de óbitos por afogamento na faixa etária entre 0 e 14 anos foi de 954 crianças (0,95%/1.000 nascidos vivos), sendo 3% em menores de 1 ano, 46% na faixa de 2 a 4 anos, 20% entre 5 e 9 anos e 31% entre 10 e 14 anos (Figura 6.1).

As causas de afogamento diferem segundo o país, estando relacionadas, principalmente, ao desenvolvimento, condições socioeconômicas e cultura.

Quanto ao local, a maioria dos óbitos por afogamentos na população em geral ocorre em águas naturais, como rios, lagos e mar, já na faixa etária de 1 a 9 anos, em piscinas. Nos Estados Unidos, a maioria dos casos ocorre em piscinas, seguido por águas naturais e banheiras. Já no Japão, predominam os acidentes em banheiras.

A incidência de afogamento não fatal pode ser subestimada, pois não existe um mecanismo sistemático de notificação para o afogamento não fatal, como existe para o afogamento fatal.

Os padrões desse acidente variam de acordo com a idade, o gênero, o contexto cultural e a localização geográfica. As crianças e os adolescentes são mais vulneráveis, em função das capacidades motoras estarem em desenvolvimento, não saberem nadar, curiosidade e, principalmente, pela falta de supervisão por um adulto.

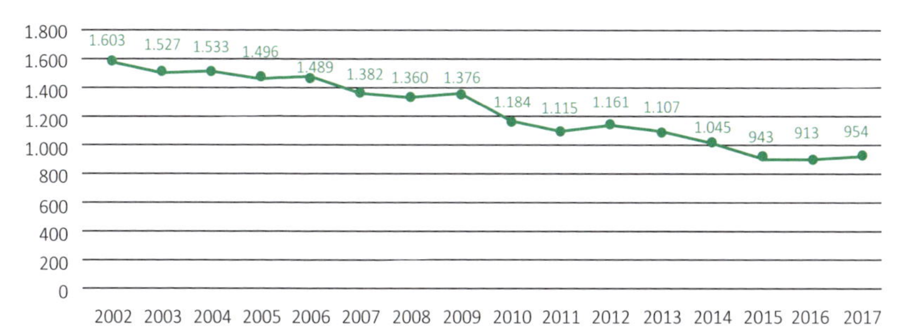


**Figura 6.1. Mortalidade por afogamento em crianças entre 0 e 14 anos, Brasil 2002-2017.**

*Fonte: DATASUS, 2017.*

Os **bebês** são mais propensos a se afogar em **banheiras**, e as **crianças pequenas**, que já ficam em pé e caminham com apoio, têm maior probabilidade de cair em **baldes** cheios, **piscinas** ou outros locais com água em torno da casa.

O uso de álcool é uma das causas associadas a incidentes por submersão, especialmente na adolescência, em decorrência do abuso da substância e redução da capacidade de julgamento e perigo.

## Prevenção e dicas de segurança

Apesar da ênfase dada pelo sistema de saúde no tratamento adequado, a prevenção ainda é a mais poderosa intervenção terapêutica contra esse tipo de acidente, podendo evitar quase 85% dos casos (ver Capítulo 2). Dentre essas medidas destacam-se:

- Crianças devem estar sempre sob a supervisão de um adulto: 89% dos afogamentos ocorrem por falta de supervisão.
- Especialmente no mar, a criança não deve ficar a uma distância maior que "um braço" de seu cuidador.
- Observe a presença de guarda-vidas, obrigatória em locais públicos.
- Leve sempre a criança consigo, caso necessite afastar-se da piscina, mesmo que por um curto período.
- Limite o acesso à piscina: tenha grades protetoras com altura de 1,50 m e 12 cm nas verticais. Elas reduzem o afogamento em 50 a 70%.
- Cuidado com o uso da boia de braço e outros modelos. Elas podem auxiliar, contudo, não garantem a segurança, pois a criança pode submergir a cabeça.
- Use colete salva vidas, no mar, em piscinas, lagos e em passeios de barco.
- Evite brinquedos dentro e próximos à piscina, pois é um atrativo para as crianças.
- Desligue o filtro da piscina, quando em uso, para evitar que a criança seja sugada; instale ralos antissucção.
- Prenda os cabelos longos.

- Informe-se sobre a profundidade da piscina.
- Não permita o mergulho em profundidades menores que 1,30 m.
- O proprietário de piscina residencial deve saber realizar os primeiros socorros.
- Oriente as crianças a nadarem sempre perto de um posto de guarda-vidas, em praias e piscinas públicas.
- Oriente as crianças e adolescentes a não empurrarem outras crianças para dentro da água.
- Não superestime a capacidade da criança saber nadar: 46,6% dos afogados achavam que sabiam nadar.
- Evite ingerir bebidas alcoólicas, especialmente se estiver supervisionando crianças em praias e piscinas.
- Não tente salvar alguém se não tiver condições para fazê-lo, principalmente no mar, pois muitas pessoas são vítimas de afogamento dessa maneira.

Intervenções de educação e informação devem ser difundidas para a população em geral, pelos meios de comunicação de massa, educação integral para segurança doméstica, pelos pais, e educação curricular de **natação** e **estratégias de segurança na água**.

Essas intervenções devem ser inseridas no currículo infantil, durante as atividades escolares, abrangendo crianças dos 4 aos 10 anos.

As iniciativas de educação para prevenção de afogamentos e segurança na água, especialmente a natação, estão associadas a um risco globalmente menor de afogamento e a melhores resultados em crianças entre 2 e 4 anos.

Entre essas ações, vale destacar as campanhas: "Piscina + Segura", e "Não Mergulhe de Cabeça", implementadas pela Sociedade Brasileira de Salvamento Aquático – SOBRASA. Para mais informações, visite *www.sobrasa.org*.

Nesse sentido, a capacitação de leigos, como pais, professores e mesmo as crianças para ações de Suporte Básico de Vida (SBV), discutidas adiante, está associada a resultados positivos em incidentes por submersão.

Um atendimento adequado à vítima de submersão inclui o treinamento para proporcionar **ventilação** e **compressões torácicas** eficazes, ainda na cena do evento, sempre que possível, além da implementação da cadeia de sobrevivência do afogamento (Figura 6.2), pois as taxas de sobrevivência aumentam em 30%.

**Figura 6.2. Cadeia de sobrevivência do afogamento.**

*Fonte: Szpilman D, Webber J, Quan L, Bierens J, Morizot-Leite L, Langendorfer SJ, Beerman S, Lofgren B. Creating a Drowning Chain of Survival. Resuscitation. 2014 Sep; 85(9):1149-52. (Com permissão).*

## Atendimento pré-hospitalar

O atendimento rápido e eficaz, no local onde o evento ocorreu, faz toda a diferença no desfecho de um afogamento. Por isso, é primordial reconhecer se uma criança está se afogando:

- Observe se ela está batendo os braços.
- Aparente "natação" sem deslocamento.
- Expressão assustada.
- Água cobrindo o rosto.
- A vítima não consegue gritar por socorro, pois, instintivamente, o esforço é reservado para manter a respiração.
- Na maioria das vezes, ela pode submergir e emergir a cabeça diversas vezes, até a submersão definitiva. Essa "luta" pode durar de 10 a 20 segundos, no máximo.

O Brasil conta com um Serviço de Atendimento Móvel de Urgência – SAMU (central telefônica 192), que tem como objetivo chegar precocemente à vítima, após ter ocorrido alguma situação de urgência ou emergência que possa levar a sofrimento, a sequelas ou mesmo à morte.

O Corpo de Bombeiros (central telefônica 193) também atua provendo proteção e resposta imediata a emergências de incêndio, salvamento e resgate.

É importante evitar a submersão, por isso, deve-se retirar a vítima da água, o mais precocemente possível e em segurança.

Para crianças maiores, é possível iniciar o salvamento oferecendo qualquer método de flutuação (isopor, madeira, garrafa plástica vazia etc.), que pode poupar preciosos segundos, pois o dano cerebral é irreversível após 4 a 6 minutos e a maioria dos óbitos ocorre após 10 minutos.

É fundamental que todos os adultos que convivam com crianças consigam identificar os **sinais de dificuldade respiratória** por afogamento, entre eles:

- Tosse e espuma em cavidade nasal e oral.
- Dispneia (desconforto respiratório), retração entre as costelas do tórax.
- Taquipneia ou bradipneia.
- Hipóxia ou cianose (língua e lábios arroxeados).
- Respiração superficial.
- Inconsciência ou alteração do nível de consciência.

Outros sinais, mais graves e potencialmente fatais, indicam a parada cardiorrespiratória (PCR), decorrente da submersão em líquido. São eles:

- Inconsciência: a criança não responde quando chamada e tocada.
- Palidez ou cianose.
- Ausência de respiração (apneia).
- Ausência de circulação: não é possível perceber os batimentos cardíacos e a presença de pulsos arteriais.

Todas as pessoas treinadas podem realizar o SBV até a chegada do socorro especializado, e a remoção da vítima para um hospital.

O SBV procura reestabelecer a oxigenação adequada aos órgãos e tecidos, utilizando sucessivas compressões do tórax e ventilação pulmonar.

A vítima de um resgate, que estiver acordada e respirando é posicionada deitada, com a cabeça e o tórax ligeiramente elevados (30°). Se ela estiver respirando, mas, inconsciente, é mantida em decúbito lateral direito, para evitar aspiração, caso ela vomite.

No caso de parada respiratória, ainda dentro da água, recomenda-se iniciar a respiração boca a boca, se a assistência for prestada por dois socorristas.

No caso de uma PCR não presenciada por ninguém, as manobras são aplicadas durante 2 minutos para, então, solicitar ajuda e providenciar o desfibrilador externo automático (DEA), uma vez que não é possível determinar há quanto tempo a intercorrência aconteceu.

De modo geral, as ações implementadas pelo socorrista começam com o **acionamento do serviço de emergência** e pedido de apoio de uma outra pessoa, permanecendo ao lado da vítima. Essa deve ser a primeira atitude, **antes das manobras de ressuscitação cardiopulmonar (RCP)**.

Em seguida, a vítima é posicionada em decúbito horizontal, sobre uma superfície rígida, iniciando-se o atendimento com a tradicional **sequência A-B-C**: **abertura das vias aéreas**; **respiração/ventilar os pulmões**; **circulação/compressões**, devido à natureza hipóxica do acidente.

A abertura das vias aéreas é realizada elevando o mento (queixo), com os dedos indicador e médio da mão, colocados na região submentoniana, e a outra mão na testa da criança, efetuando uma leve extensão do pescoço.

A ênfase das manobras é nas compressões torácicas, que devem ser realizadas em uma frequência tal, que alcance de 100 a 120/minuto.

A maneira de realizar a massagem cardíaca varia de acordo com a idade e peso da criança. A RCP nos recém-nascidos e nos bebês com menos de 5 kg, segue um protocolo específico, e as compressões são realizadas com os polegares sobrepostos, envolvendo o tórax, com os outros dedos das mãos.

Em linhas gerais, para a RCP é necessário:

- Posicionar a região hipotenar de uma ou das duas mãos sobrepostas, nesse caso, sobre a região esternal (meio do peito), à altura dos mamilos, mantendo o(s) braço(s) estendido(s), sem dobrar o cotovelo. Os dedos não devem pressionar as costelas, em razão do risco de fratura.
- Realizar a compressão do tórax, ritmicamente, com força o suficiente para rebaixar o esterno a uma profundidade de 5 cm. Em lactentes com menos de 6 meses, as compressões devem rebaixar o tórax em 4 cm. Nas crianças e adolescentes com peso > 45 a 50 kg, o rebaixamento é de 5 a 6 cm, no máximo.
- Permitir o retorno do tórax ao "ponto zero" (*chest recoil*) após cada compressão.
- Realizar as compressões e as ventilações em uma proporção de 30:2 (compressões:ventilações), se houver apenas um socorrista, e na proporção 15:2, se dois socorristas e em crianças cardiopatas.

O DEA será instalado assim que estiver disponível, segundo as instruções do equipamento interrompendo-se, para isso, as compressões torácicas.

Importante destacar que **toda a criança vítima de afogamento, mesmo assintomática, deve ser encaminhada para atendimento hospitalar**, em virtude da possibilidade de aparecimento tardio de sintomas respiratórios.

O suporte avançado de vida (SAV), é realizado por profissionais capacitados, que instituem medidas que vão além da relação compressão/ventilação, dispondo de recursos técnicos que ampliam o atendimento e a resolutividade, com o uso de acesso venoso para infusão de fluidos, intubação orotraqueal e medicamentos, como a epinefrina, primordial no atendimento de uma PCR.

A classificação do afogamento é realizada segundo alguns critérios clínicos, conforme apresentado no Quadro 6.1.

| Quadro 6.1. Avaliação de afogamento, segundo a gravidade | | | | | |
|---|---|---|---|---|---|
| ***Grau*** | ***Nível de consciência*** | ***Ausculta pulmonar*** | ***Respiração*** | ***Pressão arterial*** | ***Pulso*** |
| 1 | Consciente | Normal + tosse | Espontânea | Normal | Presente |
| 2 | Consciente | Estertores em alguns campos pulmonares + hipóxia | Espontânea | Normal | Presente |
| 3 | Consciente | Estertores em todos os campos pulmonares (edema pulmonar) + hipóxia | Espontânea | Normal | Presente |
| 4 | Consciente | Edema agudo + hipóxia | Tosse reflexa, espirros, choro | Instável | Presente |
| 5 | Inconsciente | Edema agudo + hipóxia | Espontânea ou apneia | Instável | Presente |
| 6 | Inconsciente | Edema agudo | Apneia | Hipotensão | Ausente |

*Fonte: Ministério da Saúde, 2016; Szpilman et al., 2002.*

As condutas da equipe variam de acordo com o grau do afogamento:

- **Grau 1:** transportar para o hospital, mesmo que assintomático.
- **Grau 2:** oxigenoterapia em baixo fluxo e transportar para o hospital.
- **Grau 3:** oxigenoterapia em alto fluxo (máscara fácil ou via aérea avançada), transportar para um hospital para internação.
- **Grau 4:** oxigenoterapia em alto fluxo (máscara fácil ou via aérea avançada), reposição volêmica com cristaloides, considerar infusão de diurético e droga vasoativa, se possível transportar para um hospital com UTI.
- **Grau 5:** atender conforme protocolo de parada respiratória em SAV; em caso de respiração espontânea, seguir conforme orientação do grau 4.
- **Grau 6:** Atender conforme protocolo de RCP em SAV, lembrando que a vítima por submersão a sequência deve ser A-B-C, sendo priorizada a abordagem da via aérea.

O **controle da temperatura corporal** é essencial para evitar a hipotermia. Retirar as roupas molhadas e usar a manta térmica e/ou outros dispositivos para o aquecimento passivo.

As recomendações atuais para o SAV incluem o uso de adrenalina como droga de escolha. A atropina não é mais recomendada como pré-medicação para intubação orotraqueal de urgência.

A hipóxia causada pelo afogamento resulta na disfunção de múltiplos órgãos, com danos diretamente relacionados ao tempo de hipóxia e isquemia.

O foco do atendimento à vítima, internada em unidade de terapia intensiva pediátrica (UTIP) é, principalmente, **minimizar os danos neurológicos**, secundários à hipóxia, isquemia, acidose, convulsão e alterações hidroeletrolíticas. Os cuidados incluem medidas para monitorar e estabilizar os sistemas respiratório, neurológico e cardiovascular, os mais afetados pelo afogamento não fatal. Dentre as intervenções, destacam-se:

- Monitorização multiparamétrica: pressão arterial, eletrocardiograma, saturação periférica de oxigênio ($SpO_2$), e do estado ventilatório.
- Acesso venoso.
- Glicemia capilar.
- Iniciar a suplementação de oxigênio com cateter nasal, máscara, ou tubo intratraqueal, se $SpO_2 < 94\%$.
- Avaliação da pressão intracraniana (PIC); tomografia.
- Avaliação da resposta neurológica; reação pupilar; Escala de Coma de Glasgow (ver Capítulo 9).
- Ventilação mecânica controlada para manter a pressão parcial de gás carbônico ($PaCO_2$) arterial entre 30 e 35 mmHg.
- Controlar a temperatura.
- Tratar convulsões, imediatamente.
- Manutenção de glicemia e eletrolítica.
- Sedação, se necessário.
- Vigilância.

- Cabeceira elevada; cabeça em alinhamento neutro ao corpo.
- Diminuir ruídos, luminosidade e manipulações.
- Considerar a indução da hipotermia neuroprotetora, entre 32 e 34°C, por um período de 12 a 24 horas em crianças que permaneceram em coma depois das manobras de ressuscitação.
- Tratamento das arritmias cardíacas. Se necessário usar o desfibrilador, considerar carga de 2 a 4 J/kg.

## Comentários finais

O desfecho clínico das vítimas de afogamento está diretamente relacionado com o tempo decorrido entre encontrar a criança e iniciar as medidas de ressuscitação no local do acidente.

Os casos que necessitarem de neurorreabilitação serão acompanhados por uma equipe multidisciplinar desde a admissão na unidade de emergência, estendendo-se para a reabilitação residencial, com o objetivo de recuperar ou minimizar as sequelas e oferecer qualidade de vida à criança.

Outro aspecto a ser considerado diz respeito ao acompanhamento ao paciente e à família, uma vez que o afogamento não fatal gera demandas de cunho emocional e social diversas, como sentimento de culpa, e situações clínicas muitas vezes irreversíveis, como o uso de suporte ventilatório, nutricional e locomotivo, que necessitam de apoio profissional e exigem uma reorganização da rotina por parte da família para absorver toda essa nova demanda.

## Referências


- American Heart Association. Atualização das Diretrizes de RCP e ACE. Circulation. 2015;132:S414-S435.
- Austin S, Macintosh I. Management of drowning in children. J Paediatr. Child Health. 2013;23(9):397-401.
- Brasil. Ministério da Saúde. Departamento de Informática do Sistema Único de Saúde – DATASUS. Óbitos por causas externas, 2015. [acesso em 30 mai 2019]. Disponível em: http://datasus.saude.gov.br/informacoes-de-saude/tabnet.
- Brasil. Ministério da Saúde. Secretaria de Atenção à Saúde. Protocolos de Intervenção para o SAMU 192 – Serviço de Atendimento Móvel de Urgência. 2. ed. Brasília: Ministério da Saúde; 2016.
- Felton H, Myers J, Liu G, Davis DW. Unintentional, non-fatal drowning of children: US trends and racial/ethnic disparities. BMJ Open. 2015;5(12):e008444.

- França EB, Lansky S, Rego MAS, Malta DC, França JS, Teixeira R et al. Principais causas da mortalidade na infância no Brasil, em 1990 e 2015: estimativas do estudo de Carga Global de Doença. Rev Bras Epidemiol. 2017;20(1):46-60.
- Gaida FJ, Gaida JE. Infant and toddler drowning in Australia: Patterns, risk factors and prevention recommendations. Journal of Paediatrics and Child Health. 2016;52(10):923-27.
- Groben VJ, Rodgers CC. A criança com disfunção cerebral. In: Hockenberry MJ, Wilson D. Wong fundamentos de enfermagem pediátrica. 9. ed. Rio de Janeiro: Guanabara-Koogan; 2014.
- Leavy JE, Crawford G, Leaversuch F, Nimmo L, McCausland K, Jancey J. A Review of Drowning Prevention Interventions for Children and Young People. In: Mtaweh H, Kochanek PM, Carcillo JA, Bell MJ, Fink EL. Patterns of multiorgan dysfunction after pediatric drowning. Resuscitation. 2015;90(5):91-6.
- PHTLS. Trauma ambiental: Afogamentos, raios, mergulho e altitude. In: PHTLS. Atendimento pré-hospitalar ao traumatizado. 8. ed. Rio de Janeiro: Elsevier; 2016.
- Shenoi RP, Koerner CE, Cruz AT, Frost MH, Jones JL, Camp EA et al. Factors Associated with Poor outcome in Childhood Swimming Pool Submersions. Pediatr Emerg Care. 2016;32(10):669-74.
- Szpilman D, Webber J, Quan L, Bierens J, Morizot-Leite L, Langendorfer SJ et al. Creating a drowning chain of survival. Resuscitation. 2014 Sep;85(9):1149-52.
- Szpilman D, Elmann J, Cruz-Filho FES. Drowning Classification: A revalidation study based on the analysis of 930 cases over 10 years. Netherlands: World Congress on Drowning; 2002. Book of abstracts. p. 66.
- Szpilman D. Afogamento na infância: epidemiologia, tratamento e prevenção. Rev Paul Pediatria. 2005;23(3):142-53.
- Szpilman D. Afogamentos no Brasil. O que acontece e como reduzir? Boletim epidemiológico. SOBRASA. 2017 (ano base de dados 2015). [acesso 30 mai 2019]. Disponível em: http://www.sobrasa.org/new_sobrasa/arquivos/baixar/AFOGAMENTOS_Boletim_Brasil_2017.pdf.
- Szpilman D. Diretriz de Ressuscitação 2017 – Afogamento. [acesso em 30 mai 2019]. Disponível em: http://www.szpilman.com/new_szpilman/szpilman/ARTIGOS/afogamento_szpilman_diretriz_17.pdf.
- Szpilman D, Webber J, Quan L, Bierens J, Morizot-Leite L, Langendorfer SJ et al. Creating a Drowning Chain of Survival. Resuscitation. 2014 Sep;85(9):1149-52.
- Wu Y, Huang Y, Schwebel DC, Hu G. Unintentional Child and Adolescent Drowning Mortality from 2000 to 2013 in 21 Countries: Analysis of the WHO Mortality Database. Int J Environ Res Public Health. 2017;14(8):1-12.

## Testes

**1. Afogamento é a:**

A. Entrada de líquido em qualquer segmento das vias aéreas.
B. Entrada de água na traqueia.
C. Aspiração de água pelo nariz.
D. Sufocação por água ou leite.
E. Parada da respiração, após aspiração de água.
F. Nenhuma das alternativas.

**2. Quais medidas são as mais eficientes para a prevenção de afogamento em piscinas?**

A. Uso de colete salva-vidas e supervisão constante.
B. Permitir o acesso somente a piscinas infantis e em locais com guarda-vidas.
C. Ensinar crianças com menos de 5 anos a nadar.
D. Uso de boia de braços adequada para a idade e supervisão constante.
E. Todas as alternativas.

**3. Em rios, lagos e no mar, esses sinais indicam que a criança está se afogando:**

________________________________________

________________________________________

**4. O principal sinal de afogamento é:**

A. Espirro.
B. Engasgo.
C. Tosse.
D. Lábios arroxeados.
E. Respiração rápida.

**5. Ao se deparar com uma criança vítima de afogamento, quais as ações imediatas que o socorrista leigo deve tomar?**

________________________________________

________________________________________

________________________________________

| Respostas | |
|---|---|
| 1 | A |
| 2 | A |
| 3 | A criança debate os braços; não consegue sair do lugar; expressão assustada; a água cobre o rosto; a cabeça submerge diversas vezes. |
| 4 | C |
| 5 | Acionar o serviço de emergência, em seguida, posicionar a vítima em decúbito horizontal, sobre uma superfície rígida, iniciar o atendimento com a tradicional sequência A-B-C: abertura das vias aéreas; respiração/ventilar os pulmões; circulação/compressões, devido à natureza hipóxica do acidente. Manter as manobras de reanimação até a chegada do atendimento especializado. |

# 7 Acidentes com medicamentos e outros produtos químicos

Luciana Vilaça
Adebal de Andrade Filho
Fernando Madalena Volpe

## Introdução

As intoxicações acidentais são um problema de saúde global, que afetam crianças e adolescentes, com um número estimado de 45.000 mortes anuais e incidência de 1,8/100.000 indivíduos, além do número substancial de internações hospitalares decorrentes desses acidentes. As intoxicações pertencem ao grupo de eventos classificados como **causas externas de agravos à saúde.**

De acordo com a Classificação Estatística Internacional de Doenças e Problemas Relacionados à Saúde (CID – 10ª Revisão), acidentes e violências são denominados causas externas e compreendem as **lesões intencionais**, como os homicídios e suicídios e as **lesões não intencionais**, como os traumatismos por quedas e acidentes de trânsito, afogamentos, queimaduras, obstrução de vias aéreas, intoxicações agudas ou envenenamentos, foco deste capítulo.

A Organização Mundial de Saúde (OMS) destaca o impacto provocado pelas lesões por causas externas sobre a vida das vítimas, em decorrência das sequelas delas resultantes, sobretudo as que afetam indivíduos jovens e saudáveis, usualmente os mais acometidos.

As intoxicações se apresentam como a quarta modalidade de lesões por causas externas que afetam a população infantil em países de baixa renda, atrás de quedas, acidentes de trânsito e afogamentos.

Diante desses dados torna-se evidente a necessidade que profissionais e cuidadores conheçam os conceitos e a importância da toxicologia, o perfil das crianças e adolescentes vítimas de acidentes por intoxicação, assim como medidas para sua prevenção e socorro imediato.

## Dados epidemiológicos

Em 2013, metade das 28.419 intoxicações registradas no Sistema Nacional de Informações Tóxico-Farmacológicas da Fundação Oswaldo Cruz (Sinitox-Fiocruz), excluindo os acidentes com animais, ocorreu em menores de 20 anos de idade, sendo 29% em crianças de 1 a 4 anos, a faixa etária em que foi mais incidente.

Em 2016, segundo informações do Departamento de Informática do Sistema Único de Saúde (DATASUS), do Ministério da Saúde, foram registrados 3.733 óbitos e 113.000 hospitalizações de crianças com até 14 anos, em razão de causas externas. As intoxicações ou envenenamentos foram responsáveis por 74 desses óbitos e por 3.213 hospitalizações.

A intoxicação pode ser **endógena**, quando causada pelo acúmulo de substâncias, que o próprio organismo produz, como, por exemplo, a ureia, ou **exógena**, quando a substância intoxicante está no ambiente, sendo este o **tipo mais frequente** de intoxicação.

As intoxicações exógenas têm sido um importante motivo para atendimento hospitalar e óbitos entre crianças e adolescentes nos centros urbanos do país.

De acordo com o Sistema de Informação de Agravos de Notificação (Sinan, 2017, atualizados em 2019), foram notificados 3.041 casos de intoxicação exógena em menores de 1 ano; 15.626 casos entre 1 e 4 anos; 4.142 casos entre 5 e 9 anos. Para mais informações, acesse *http://tabnet.datasus.gov.br/cgi/tabcgi.exe?sinannet/cnv/Intoxbr.def*.

### ▪ Idade e sexo

Estudos relacionados com acidentes com produtos químicos e medicamentos revelam que as crianças do **sexo masculino**, com idades entre **0 e 4 anos** são as mais suscetíveis, embora outros identifiquem igual significância do sexo feminino. Esses dados apontam para a necessidade de uma estrita vigilância e medidas protetoras direcionadas às crianças mais novas, especialmente entre 1 e 4 anos, pois estão sob maior risco de acidentes, visto sua característica de explorar o ambiente e levar tudo à boca, o que aumenta o perigo de contaminação.

Em geral, as crianças do sexo masculino mostram um maior interesse, ou são estimuladas a fazê-lo, por atividades exploratórias e se envolvem em comportamentos de risco com mais frequência do que as do sexo feminino, além de, frequentemente, contrariarem as ordens de seus cuidadores, mesmo em sua presença.

À medida em que a idade avança, há uma inversão na prevalência dos casos de intoxicação relacionados com o gênero, que passam a **predominar no sexo feminino após os 12 anos**. Os casos de intoxicações intencionais são mais frequentes nas adolescentes, e podem ter sido classificados, indevidamente, como acidentais.

### ▪ Local de ocorrência

Com relação ao local de ocorrência das intoxicações acidentais há um predomínio do **ambiente doméstico**, onde os produtos potencialmente tóxicos ficam acessíveis às vítimas, mesmo com a presença de um responsável. A sala de estar e a cozinha são os locais onde tais acidentes são mais frequentes, além do banheiro e da área de serviço.

### ▪ Via de exposição

A intoxicação pode ocorrer através da **ingestão**, **inalação**, **absorção** (pele e mucosas) ou **injeção** (na corrente sanguínea) da substância.

A via oral é a mais frequente para a exposição, atingindo mais de 80% dos casos. A intoxicação por via injetável diz respeito às picadas de insetos, *overdose* de drogas ilícitas ou medicamentos. Na maioria das vezes, os envenenamentos são produzidos por um só produto.

## Conceitos e características

Acidente é definido como um acontecimento fortuito, independente da vontade humana, provocado por uma força externa que age rapidamente, manifestando-se por um dano corporal ou mental. Trata-se de evento não esperado e não planejado, que mostra uma disfunção do meio onde ocorre.

Pode ser definido, também, como qualquer acontecimento, desagradável ou infeliz, que envolva dano, perda, lesão, sofrimento ou morte.

Entretanto, essa conceituação pode dar a impressão de que um acidente não pode ser evitado, o que não corresponde à realidade, uma vez que **todo acidente pode ser previsível e prevenível**.

A **negligência** também é considerada como um **tipo de violência** e pode desencadear vários tipos de acidentes, principalmente os domésticos. Independentemente dos termos utilizados para nomear a violência contra crianças e adolescentes, ela se encontra representada em toda ação ou omissão capaz de causar lesões e transtornos a seu amplo desenvolvimento.

A OMS e o Fundo das Nações Unidas para a Infância (Unicef), da Organização das Nações Unidas (ONU), em seu *World Report on Child Injury Prevention*, definem lesão (*injury*) como um dano físico que surge quando o corpo é, repentinamente, submetido a uma quantidade de energia que excede o limiar de tolerância fisiológica ou, ainda, o resultado da falta de um ou mais elementos vitais, como o oxigênio. Tal energia pode ser mecânica, térmica, química ou radioativa.

## ▪ Acidentes por intoxicações

A **intoxicação** pode ser definida como uma lesão que resulta da exposição a uma substância, que **provoca danos ou morte celular**.

A lesão celular é manifestada pelos sinais e sintomas dos efeitos nocivos produzidos no organismo vivo, causados pela interação com a substância, também chamada **veneno**, por produzir uma ação deletéria (destrutora) no corpo.

As intoxicações exógenas podem ser:

- Exógenas acidentais ou intencionais: quando há o intuito de provocar danos a si próprio ou a outros, ou as situações de abuso ou dependência de substâncias.
- Exógenas não intencionais: causadas por acidente, sem o desejo de prejudicar a si mesmo ou a terceiros.

A maioria das intoxicações se dá pela ingestão de **medicamentos**, seguida por **produtos de limpeza** e outros **agentes químicos**.

Diferentes fatores contribuem para a ocorrência de intoxicação na primeira infância, entre os quais:

- Incapacidade da criança para prever situações de perigo.
- Tendência de imitar os adultos.
- Acesso a produtos e plantas tóxicas.
- Recipientes de fácil abertura.
- Fracionamentos de produtos líquidos e troca de embalagens.
- Produtos com embalagens atraentes.
- Produtos coloridos, que confundem a criança, como os comprimidos com balas, amaciante cor de rosa com iogurte de morango etc.
- Produtos parecidos com alimentos: chocolate granulado e "chumbinho"; inseticidas em forma de pastilha e chicletes; garrafa de água e removedor; soda cáustica e sal grosso etc.

As **intoxicações** agudas podem se manifestar com **alterações neuropsiquiátricas**, **gastrintestinais**, **respiratórias**, **cardiovasculares** e **renais**.

Uma intoxicação é aguda, quando os sinais e sintomas surgem após um único contato com a substância, e crônica, quando aparecem após o seu acúmulo no organismo, como no caso de alguns medicamentos (digoxina e amplictil), ou metais (chumbo e mercúrio).

A morte resultante da intoxicação acidental em crianças e adolescentes não é tão frequente quanto nas intoxicações intencionais. Um estudo realizado, em 2012, mostrou que, entre 392 óbitos registrados, apenas 40 foram acidentais, sendo 12 deles na faixa dos 0 aos 19 anos.

O número de substâncias tóxicas envolvidas nos envenenamentos é grande e exige que os profissionais de saúde tenham um amplo conhecimento sobre os seus sinais e sintomas, intervenções apropriadas e antídotos terapêuticos específicos.

A administração de **substâncias tóxicas**, de maneira equivocada por um adulto é, também, uma circunstância comumente associada à intoxicação infantil, principalmente em menores de 1 ano.

Outra forma de intoxicação é a **alimentar**, que ocasiona gastroenterite, em razão da presença de micro-organismos, ou de suas toxinas em alimentos malconservados, causando náuseas, vômitos e diarreia.

É importante lembrar que as plantas também são fontes de envenenamento.

Dificultar o acesso a todos esses produtos tóxicos é a solução mais simples e eficiente de evitar esse tipo de injúria. Portanto, todo e qualquer produto que ofereça risco deve ser armazenado fora do alcance das crianças, em lugares altos ou trancados, pois estudos mostram que a fração de risco atribuída à desatenção dos cuidadores para intoxicação é de 13%, e do armazenamento de produtos perigosos à baixa altura, de 19%.

Outro fato que precisa ser revisto é o cuidado ao receber visitas que utilizam medicamentos, deixando-os expostos e ao alcance de crianças pequenas. Da mesma maneira, quando as crianças vão visitar parentes e amigos, há que se tomar o cuidado para que medicamentos e produtos químicos não sejam mantido ao seu alcance.

**Todos os casos de intoxicação são compulsoriamente notificados ao Sinan.**

A maioria dos óbitos por intoxicação está relacionada a **medicamentos** (Figura 7.1), seguidos por **drogas de abuso**, **toxinas animais**, **gases** e **substâncias cáusticas** e, ainda, ao grupo de **produtos de limpeza** doméstica, bastante comum em acidentes com crianças, por serem encontrados nos próprios lares.

## ▪ Intoxicações por medicamentos

O projeto de Lei n. 4841-A/94, em tramitação no Congresso Nacional brasileiro, visa a adoção da Embalagem Especial de Proteção à Criança (EEPC), em medicamentos e produtos químicos de uso doméstico, que apresentem potencial de risco à saúde, confeccionada de modo a dificultar sua abertura por crianças menores de 5 anos.

Os medicamentos são rapidamente absorvidos no trato gastrointestinal, o que ocorre, em geral, em até 4 horas nos casos de ingestão de dose maciça. A presença concomitante de outros medicamentos ou de alimentos no estômago pode retardar a absorção.

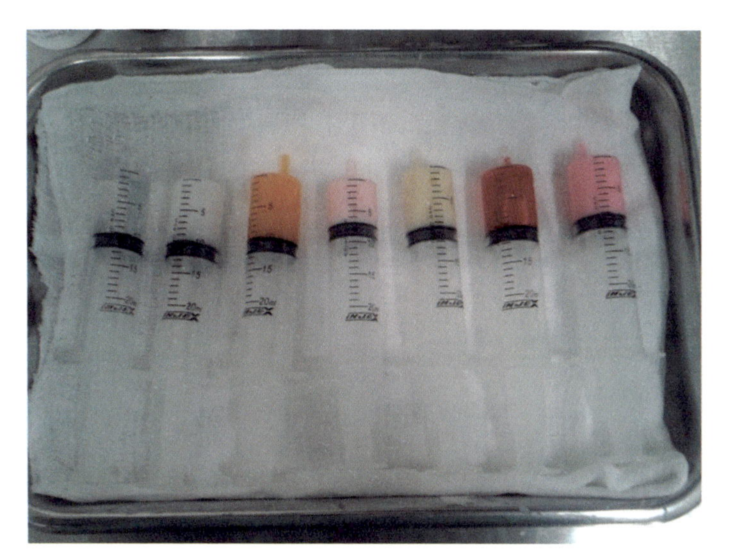

**Figura 7.1. Seringas contendo medicamentos de cores diferentes.**

*Fonte: Foto do arquivo pessoal da autora Luciana Vilaça.*

- Sinais e sintomas

Os sinais e sintomas podem se manifestar de maneiras diferentes:

- Alterações gastrointestinais transitórias: náuseas, vômitos e diarreia.
- Alterações no sistema nervoso: sedação, tremores, confusão mental, irritabilidade, alteração das pupilas (aumento ou diminuição do diâmetro da pupila), ataxia (deficiência de controle e coordenação dos músculos voluntários), parestesias (sensações táteis anormais, tais como ardência e formigamento). No sistema nervoso central (SNC) podem ser observados: euforia, agitação psicomotora e *delirium*, na fase inicial, evoluindo até o coma.
- Alteração no ritmo cardíaco (arritmias), bradicardia (diminuição da frequência cardíaca), taquicardia (aumento da frequência cardíaca), bem como alteração dos níveis da pressão arterial.
- Depressão respiratória, nos casos de superdose.
- Outros: acidose metabólica (aumento no pH do sangue), hipoglicemia, hipocalcemia, febre, dores, distúrbios do sono e hepatotoxicidade (que tem efeito danoso para as células do fígado).

## ▪ Intoxicações por produtos químicos

É digna de destaque a ocorrência das intoxicações causadas por detergentes, sabão em pó, **água sanitária**, desentupidores e que, muitas vezes, são armazenados de modo inadequado, tornando-se disponíveis a crianças, mesmo para aquelas muito pequenas.

### • Sinais e sintomas

O tipo, a intensidade e a exuberância dos sintomas de intoxicação variam de acordo com a substância, a quantidade ingerida, e o estado de saúde da criança.

Quando ingeridos, a maioria daqueles produtos provoca ardor e **queimaduras ao redor da boca** e na cavidade oral.

Há uma grande variedade de aspectos que indicam a intoxicação por produtos químicos, dentre eles:

- Sintomas gastrointestinais: vômitos, diarreia, dor abdominal, retenção ou incontinência fecal.
- Retenção ou incontinência urinária.
- No sistema nervoso: sonolência, alucinações e *delirium*, ataxia (deficiência de controle e coordenação dos músculos voluntários), e parestesias (sensações táteis anormais, tais como ardência e formigamento); alteração das pupilas.
- Outros: alteração no ritmo cardíaco, suor intenso, alterações visuais.

## Riscos de intoxicação

Crianças na fase pré-escolar (antes dos 7 anos) permanecem muito tempo em casa, onde a exposição ao risco se associa ao acesso a substâncias venenosas e medicamentos. A falta de conhecimento sobre a toxicidade dos produtos domésticos e a falta de atenção aos riscos acabam por elevar o número de intoxicações acidentais na infância.

É de responsabilidade das famílias e da escola, o correto armazenamento desses produtos.

Cabe à Agência Nacional de Vigilância Sanitária (Anvisa), fiscalizar a manipulação e a venda de produtos clandestinos, além de intensificar ações informativas para a população quanto aos riscos da utilização de produtos não certificados.

Com essa intenção foi criada a Associação Brasileira de Centros de Informações e Assistência Toxicológica e Toxicologistas Clínicos (ABRACIT, 2001), visando à prevenção, ao controle e ao tratamento adequado dos acidentes, riscos e danos de natureza toxicológica. Em 2005, o Ministério da Saúde implantou a Rede Nacional de Centros de Informações e Assistência Toxicológica (RENACIAT) coordenada pela Anvisa, e, em 2015, os Centros de Informação e Assistência Toxicológica (CIATs). Esses órgãos prestam assistência e informação à população e aos profissionais de saúde.

## Prevenção

Os produtos químicos frequentemente são acondicionados em embalagens reaproveitáveis, de plástico (Figura 7.2), e, muitas vezes, vendidos sem os respectivos rótulos de identificação. Além disso, são estocados em armários baixos, sobre os móveis e até em geladeiras. Todas essas condutas tornam o ambiente inseguro para as crianças menores e favorecem a ocorrência de envenenamentos.

**Figura 7.2. Produtos de limpeza guardados em embalagem de refrigerante.**

*Fonte: Foto do arquivo pessoal da autora Luciana Vilaça.*

Um dos tipos de acidentes se deve à manipulação doméstica de substâncias cáusticas, como a **soda e o cloro**, utilizados como mistura para a preparação de **sabão caseiro**. Essa prática, comum em algumas comunidades, mostra-se ainda mais arriscada em casas com crianças pequenas e que não contam com a supervisão constante de um adulto.

## Dicas de segurança

- Guarde medicamentos, inseticidas, produtos de limpeza, bebidas alcoólicas etc., fora do alcance das crianças menores, em prateleiras fixadas acima de 1,50 m de altura, ou em armários com chave.
- Pesquise sobre o potencial tóxico das plantas, antes de escolher as espécies.
- Não adquira produtos de limpeza clandestinos, sem selo de certificação.
- Nunca troque o produto de sua embalagem original.
- Administre somente os medicamentos prescritos pelo pediatra.
- Leia o rótulo dos produtos de limpeza, inseticidas etc.
- Leia a bula dos medicamentos.
- Evite tomar remédio na frente de crianças.
- Confira a embalagem antes de medicar uma criança.
- Confira o prazo de validade dos medicamentos.
- Mantenha os medicamentos nas embalagens originais com a bula.
- Devolva restos de medicamentos à farmácia de seu bairro, nunca na lixeira.
- Mantenha os quintais limpos, sem acúmulo de lixo ou grama alta, que podem abrigar animais (ver Capítulos 10 e 11).
- Não permita o acúmulo de água parada, que pode servir de criadouro de insetos.

Recomendamos aos cuidadores que acessem o jogo digital "Quem deixou isso aqui?", criado pelo Instituto de Comunicação e Informação Científica e Tecnológica em Saúde – ICIT, e pelo Sistema Nacional de

Informações Tóxico-Farmacológicas (Sinitox), como parte da campanha de prevenção contra acidentes por intoxicação, e que aborda o tema de maneira lúdica (*www.icict.fiocruz.br*).

## Tratamento

O tempo decorrido entre o acidente e o atendimento da criança, assim como a experiência da equipe de saúde são fundamentais para o desfecho do acidente. Longe dos centros de atendimento especializado, os **primeiros socorros** podem não ser ministrados a tempo, aumentando o risco para sequelas e morte. Assim, é preciso que todos os centros de saúde do país mantenham seus atendentes devidamente treinados para esse tipo de atendimento.

A regionalização dos **centros de referência** em saúde e a capacitação das equipes pode diminuir o agravamento do quadro clínico, evitando, ainda, que se percorram longas distâncias para obter um tratamento adequado.

### ▪ Tratamento pré-hospitalar: os primeiros socorros

O primeiro cuidado é prestado, habitualmente, por leigos sem formação ou treinamento específico, o que pode contribuir para o agravamento do caso.

Assim, o atendimento extra-hospitalar só deve ser estimulado se prestado por indivíduo com conhecimento sobre o tema ou sob a **orientação de um socorrista a distância**, via telefone. Mesmo assim, a depender da gravidade da situação, algumas intervenções só poderão ser implementadas por um médico ou enfermeiro.

Ações como **afastar a vítima do local de risco**, em situações em que haja exposição à fumaça e a líquidos corrosivos, estão indicadas, desde que se tome medidas para que o socorrista não se exponha ao mesmo risco. De qualquer maneira, o socorrista leigo deve contatar, de imediato, um centro de informações toxicológicas para solicitar orientações (ver Capítulo 12), como:

- **Disque-Intoxicação (Anvisa): 0800-722-6001**
- **Serviço de Atendimento Móvel de Urgência (SAMU): 192**
- **Corpo de Bombeiros: 193**
- **Centro de Assistência Toxicológica (CEATOX – São Paulo): 0800-0148110**

A descontaminação deve ser realizada o mais precocemente possível, para diminuir a exposição a tóxicos e toxinas, prevenir ou diminuir lesões e reduzir a absorção.

As condutas recomendadas para o atendimento da criança nas exposições mais frequentes são apresentadas a seguir. É importante destacar que todas as crianças devem ser encaminhadas para atendimento médico.

### • Exposição pelo trato digestivo

O tempo para descontaminação da via digestiva continua merecendo atenção especial. Se o agente intoxicante for líquido, as medidas de descontaminação são efetivas se implementadas até 30 minutos; se for um sólido, em até uma hora ou, no máximo, até duas horas, em situações específicas, como a ingesta de substâncias que retardam o esvaziamento gástrico (salicilatos, antidepressivos tricíclicos, fenotiazinas, opioides ou anticolinérgicos).

Em ambiente extra-hospitalar, a descontaminação só é realizada se o socorrista estiver monitorado por profissional treinado e em situações especiais, quando o acesso ao socorro não for possível.

No ambiente doméstico e escolar, os cuidados imediatos são:

- Mantenha a calma.
- Identifique o estado geral da criança e seu nível de consciência.
- Favoreça a respiração: arejar o ambiente, afrouxar as roupas, manter a criança semissentada.
- Concomitantemente, entre em contato com um centro de informações toxicológicas ou de emergência.
- Desobstrua a boca: limpar vômito e a saliva em excesso, manobras para desengasgo.
- Lateralize a cabeça, se a criança vomitar, em razão do risco de aspiração pulmonar).
- Identifique o agente causador: observe o local, frascos abertos, líquidos derramados, comprimidos, tente sentir odores característicos, questione as outras crianças.
- Acesse a bula ou rótulo do produto, se possível.

**A indução de vômitos não deve ser indicada em crianças que ingeriram:** substâncias cáusticas, derivados de petróleo, depressores do sistema nervoso central e as que possam desencadear convulsões e, também, naquelas com alteração do nível de consciência (sonolentas, em crise convulsiva, agitadas).

Existindo a indicação para o **esvaziamento gástrico** e a contraindicação para a indução de vômitos, pode-se recorrer à lavagem gástrica, em ambiente hospitalar (descrito adiante).

### • Exposição cutânea

Vários agentes tóxicos sofrem grande absorção por via cutânea, como: inseticidas, herbicidas, alguns solventes, entre outros. Diminuindo o tempo de exposição, a gravidade da intoxicação será reduzida. Não se deve estimular a tentativa de neutralização de substâncias corrosivas. Na maioria absoluta das vezes, não se consegue fazer a neutralização completa, e pode haver liberação de calor no processo, o que agravará a lesão da pele e que pode, inclusive, aumentar a absorção do tóxico, em virtude da solução de continuidade da pele, aumentando a possível toxicidade sistêmica.

Para a descontaminação cutânea, recomenda-se:

- Proteja as mãos antes de manipular a pele, o cabelo ou as mucosas da criança (luvas, sacola plástica).
- Retire toda a substância que se encontrar sobre a pele.
- Lave, abundantemente, em água corrente, toda a superfície acometida, por 15 minutos.
- Não esfregue a pele.
- O caso de exposição cutânea maciça, que contaminem roupas e adornos (boné, tiara, relógio etc.), despir a criança, rapidamente, e se possível encaminhá-la para banho em água corrente.
- Acondicionar roupas e objetos contaminados em um saco plástico.

### • Exposição ocular

O contato ocular com substâncias químicas pode determinar lesões locais e, caso haja absorção, sintomatologia sistêmica. As estruturas dos olhos, mais vulneráveis, são a conjuntiva e a córnea. A contaminação ocular é acompanhada de alto grau de irritação e dor, com efeito lesivo rápido e, muitas vezes, irreversível.

Imediatamente após a definição da exposição:

- Retire os óculos ou as lentes de contato, se for o caso.
- Inicie a lavagem do olho acometido, no sentido medial-lateral (do canto interno para o externo), com a cabeça lateralizada, para evitar o comprometimento do outro olho.
- Inspecione a conjuntiva para identificar algum resíduo.
- Lave a região com água limpa ou soro fisiológico 0,9% ou água mineral (se disponíveis no local) durante 20 a 30 minutos, sob baixa pressão (mão limpa, em concha; torneira aberta, com jato moderado; seringa limpa, sem agulha; bule ou chaleira etc.).
- Abra e everta (virar para fora) as pálpebras, se necessário.
- Não utilize colírios ou substâncias neutralizantes, em razão do risco de aumentar a gravidade da lesão.
- Todo paciente exposto a esse tipo de acidente deverá sempre ser avaliado por oftalmologista após as medidas de descontaminação.
- Encaminhe a vítima com o frasco e/ou rótulo do produto.

## ▪ Tratamento em ambiente hospitalar

Além dos casos confirmados de intoxicação admitidos em unidades de urgência e emergência, a equipe deve levantar a suspeita de envenenamento em todos os pacientes com história de alteração da consciência e de comportamento, ataxia, convulsões, dificuldade respiratória, choque, arritmias, acidose metabólica ou vômitos sem causa identificada, geralmente de início súbito.

É importante levantar o máximo de informações na anamnese junto ao acompanhante:

- A exposição foi acidental ou intencional (tentativa de suicídio ou homicídio)?
- Alguém presenciou o evento?
- Houve episódios anteriores?

- Qual o local de ocorrência e quem era o cuidador?
- Quais as condutas já tomadas e como a criança reagiu?

Algumas intoxicações originam **síndromes tóxicas** características (Quadro 7.1), que, uma vez diagnosticadas, auxiliam na identificação do agente toxicante.

**Quadro 7.1. Síndromes tóxicas mais frequentes e suas manifestações**

| ***Síndromes tóxicas*** | ***Manifestações clínicas*** |
|---|---|
| Anticolinérgica (cogumelos venenosos, anti-histamínicos, biperideno, opioides, antidepressivos tricíclicos) | Alteração do estado mental, midríase, boca seca, rubor, hipertermia, retenção urinária e íleo |
| Simpaticomimética (anfetamina, cocaína, *crack*, ácido lisérgico – LSD, cafeína, teofilina) | Agitação psicomotora, taquicardia, hipertensão ou hipotensão nos casos graves, hipertermia, midríase, sudorese e convulsões |
| Colinérgica (pesticidas anticolinesterásicos, fisostigmina, neostigmina, piridostigmina, carbacol, colina, metacolina, alguns cogumelos, pilocarpina) | Miose, vômitos, diarreia, bradicardia, sialorreia, broncorreia, sudorese, fraqueza muscular |
| Opioide (morfina, heroína, codeína, propoxifeno) | Miose, depressão respiratória e do sistema nervoso central |
| Benzodiazepínica (benzodiazepínicos) | Depressão do sistema nervoso central com estabilidade clínica |

*Fonte: Elaborado pelos autores.*

A evolução e o prognóstico dos casos de intoxicação dependem das decisões tomadas logo após o contato, relativas a **estabilização das vias aéreas** e da **circulação**, o **monitoramento do sistema neurológico** e, eventualmente, o uso de **antídotos**.

Na suspeita de intoxicação, uma revisão rápida de um *checklist*, previamente preparado, deve ser percorrido, para que não se negligencie nenhum passo. Embora exista uma hierarquização dos procedimentos, alguns serão executados concomitantemente como, por exemplo, proteção de vias aéreas e administração de naloxona, em um paciente intoxicado por opioide.

A **prioridade** no atendimento é a **manutenção da permeabilidade de vias aéreas**. Isso é conseguido por uma série de manobras, muitas delas extremamente simples, que não exigem equipamentos especiais e são bastante eficazes.

Em pacientes comatosos, a principal causa da obstrução das vias aéreas é o deslocamento posterior da língua e de tecidos moles. A anteriorização da mandíbula auxilia na sua desobstrução.

A cavidade oral deve ser inspecionada e os corpos estranhos (restos alimentares ou de comprimidos e secreção gástrica regurgitada), removidos.

A **aspiração do conteúdo gástrico** é uma das **principais complicações** nos pacientes intoxicados, que apresentam rebaixamento do nível de consciência (escala de coma de Glasgow $\leq 8$). Sendo assim, toda criança nessa situação deve ser intubada para proteção de vias aéreas.

Além dessas condutas, a equipe das unidades de emergência implementa outras intervenções:

- Vigilância contínua.
- Avaliação neurológica na admissão e a cada hora: reação pupilar, escala de coma de Glasgow.
- Coleta de sangue para exames.
- Monitoramento contínuo da frequência cardíaca e do ritmo cardíaco.
- Aferição da pressão arterial a cada 15 minutos, até estabilização do quadro.
- Monitoramento da saturação periférica de oxigênio ($SpO_2$).
- Acesso venoso periférico.
- Prescrição médica de soluções para hidratação intravenosa e reposição hidroeletrolítica, se necessário.
- Controle de distúrbios no equilíbrio acidobásico.
- Aferição da glicemia capilar a cada 4 horas, até estabilização.
- Administração de oxigênio úmido por cânula nasal ou máscara.
- Cateterização gástrica, se necessário.

- Lavagem gástrica, se indicado.
- Prescrição médica de carvão ativado, se indicado.

As alterações do ritmo cardíaco são tratadas somente se forem causa de instabilidade hemodinâmica, ou se prenunciarem arritmias que ameacem a vida.

A **hipotensão arterial** é um achado frequente em vítimas de intoxicação. Nesse caso, recomenda-se a punção de dois acessos vasculares e a infusão rápida de solução cristaloide (soro fisiológico), exceto naqueles pacientes claramente hipervolêmicos (taquicardia, estertores, edemas).

A hipertensão arterial provocada por intoxicação, geralmente tem pequena duração e só raramente deve ser abordada farmacologicamente.

A criança que evolui para o **coma** necessita de **cuidados intensivos** especiais em relação à hidratação, mudança de decúbito, higienização e monitoração de todas as funções vitais e da glicemia.

Na presença de **hipoglicemia** em crianças, administra-se glicose em *bolus*, rapidamente, na dose de 0,5 a 1 g/kg de solução a 25%.

Na presença de **convulsões** repetidas, o tratamento é realizado, preferencialmente, com benzodiazepínicos (0,2 mg/kg a uma velocidade de 5 mg/min), por via intravenosa. Em caso de relato de um único episódio de convulsão, que já cessou, não há indicação de administração de benzodiazepínicos.

A agitação psicomotora deve ser considerada, a princípio, como secundária à hipóxia e à hipoglicemia, e tratadas imediatamente.

- Carvão ativado

Mesmo que a criança tenha apresentado vômitos ou sido submetida à lavagem gástrica, pode ser necessário administrar carvão ativado, por sua propriedade de adsorver (aderir) o tóxico, reduzindo, assim, sua absorção pelo trato gastrointestinal.

O carvão ativado é produzido através da exposição da polpa vegetal ao vapor ácido, que aumenta a sua superfície de contato em cerca de 400 vezes. O carvão não adsorve metais, álcoois e solventes (por exemplo: ferro, lítio, cáusticos, derivados de petróleo, etanol, metanol e acetona).

A eficácia máxima do carvão ativado é verificada se for administrado **até uma hora da ingestão** do agente tóxico, aproximadamente, e pode ser realizada isoladamente ou associada à lavagem gástrica. É apresentado sob a forma de pó, suspensão aquosa e suspensão com sorbitol.

Alguns cuidados são necessários na sua administração:

- Diluir na proporção de 1:4 ou 1:8 (cada grama diluída em 4 ou 8 mL, respectivamente), em água, soro fisiológico 0,9% ou soro glicosado 5%).
- Administrar por via oral ou por cateter oro ou nasogástrico.
- Dose: 1 g/kg de peso em crianças entre 6 meses e 12 anos; 50 g, como dose de ataque em adultos e adolescentes com peso > 50 kg; 25 g de 4 em 4 horas, no caso de se optar pelo uso de carvão ativado seriado.
- Observe a presença distensão gástrica e constipação intestinal, como efeitos colaterais.

Não há necessidade de lavagem gástrica nas intoxicações com ingesta de doses pequenas a moderadas (dependendo da toxicidade do agente), se o carvão ativado puder ser administrado prontamente.

- Lavagem gástrica

Na lavagem gástrica deve-se avaliar se existem limitações para o procedimento, como:

- Depressão do sistema nervoso central, com abolição do reflexo da tosse.
- História de cirurgia de esôfago recente.
- Presença de partículas grandes ou plantas.
- Bradicardia importante (risco de parada cardiorrespiratória por estímulo vagal).

- Crianças com suspeita de fratura de base de crânio. Nessa situação a sondagem deve ser oral e não nasal.

Tanto a **indução de vômitos** quanto a **lavagem gástrica** têm eficácia semelhante, e são utilizadas por profissional treinado.

Nas situações em que há risco de aspiração pulmonar, o socorrista deve proceder à intubação traqueal, antes da sondagem gástrica, como citado anteriormente.

O **cateter gástrico**, lubrificado, será introduzido através da boca ou do nariz, pelo médico ou enfermeiro, de acordo com as condições de acesso e da idade da criança. Em menores de 6 meses de vida a cateterização é oral.

O cateter escolhido deve sempre ser o de maior calibre possível e orifícios terminal e lateral, para facilitar a recuperação do agente tóxico. Os cuidados, nesse procedimento são:

- Oriente o responsável e acalme a criança.
- Prepare o sistema de aspiração.
- Posicione a criança em decúbito lateral esquerdo, com as pernas ligeiramente elevadas em relação ao tórax, e semiflexionadas.
- Teste o correto posicionamento da sonda.
- Aspire todo o conteúdo gástrico, antes de iniciar a lavagem.
- Infundir a solução prescrita, levemente morna, gota a gota.
- Abra a sonda ou aspire o conteúdo, computando o total infundido e drenado, em mililitros.
- Mobilize a sonda e massageie a região epigástrica para facilitar a drenagem.

O volume administrado varia de acordo com a faixa etária e peso.

- Antídotos

Na maioria absoluta dos casos, o tratamento será de suporte e sintomático. Os principais antídotos utilizados no Brasil, em situações específicas, são apresentados no Quadro 7.2.

**Quadro 7.2. Antídoto relacionado ao agente tóxico e respectivo mecanismo de ação**

| *Antídoto* | *Agente tóxico* | *Mecanismo ou efeito* |
|---|---|---|
| Azul de metileno | Drogas metemoglobinizantes | Converte a metemoglobina em hemoglobina |
| Atropina | Anticolinesterásicos Carbamato/fosforado | Competição com a acetilcolina pelo sítio de ligação |
| Biperideno | Fenotiazinas | Reverte as manifestações extrapiramidais |
| Cloreto de cálcio | Bloqueador de canal de cálcio | Reverte a depressão da contratilidade cardíaca |
| Deferoxamina | Ferro | Age quelando o ferro circulante |
| Etanol | Metalol | Inibe o primeiro passo para a formação dos metabólitos tóxicos do metanol |
| Glucagon | Betabloqueador | Aumenta o AMP cíclico no miocárdio – efeito inotrópico e cronotrópico positivo |
| Hidroxocobalamina | Cianeto | Liga-se ao cianeto, formando complexo atóxico |
| Naloxona | Opioides | Antagonista dos opioides |
| N-acetilcisteína | Paracetamol | Liga-se ao metabólito tóxico com produção de substâncias atóxicas |
| Nitrito de amila e nitrito de sódio | Cianeto e seus derivados | Competição com a citocromo oxidase em relação aos cianetos |
| Hipossulfito de sódio | Cianeto e seus derivados | Converte o cianeto em tiocianato, que é pouco tóxico |
| Piridoxina | Isoniazida | Controle das convulsões |
| Solução lipídica | Propranolol, antidepressivo tricíclico | Não totalmente elucidado |
| Terra de Fuller | Paraquat (herbicida) | Adsorve o produto |
| Vitamina K | Cumarínicos | Promove a síntese hepática da protrombina |

*Fonte: Elaborado pelos autores.*

## Comentários finais

Considerando a frequência e a gravidade das intoxicações acidentais na infância, é necessário um maior número de investigações sobre o tema para que sejam produzidos materiais informativos e preventivos.

Uma medida importante para a diminuição desses casos é a modificação de frascos e embalagens pelos laboratórios e fabricantes de produtos químicos e de limpeza.

O aumento da fiscalização pela Anvisa e outros órgãos governamentais é de suma importância, a fim de evitar a comercialização de produtos clandestinos e sem especificação adequada.

As famílias e os educadores precisam dedicar esforços para a prevenção de acidentes, responsabilizando-se pela guarda dos produtos tóxicos longe do alcance das crianças, além de explicar os riscos de envenenamento para aquelas em idade escolar e aumentar a vigilância às crianças mais novas.

Além disso, é fundamental que os profissionais de saúde sejam devidamente capacitados em cuidados com envenenamentos e que os centros e as unidades básicas de saúde possuam os recursos necessários para esse tipo de atendimento, evitando a peregrinação de pacientes e suas famílias, que residem longe dos grandes centros, em buscar de tratamento, que deveria ser imediato.

A atenção primária, realizada pelos agentes de saúde, também pode contribuir para a prevenção dos acidentes por intoxicação, uma vez que esses profissionais conhecem as famílias e podem ajudá-las a identificar os riscos potenciais em seus lares.

## Referências


- Ahmed A, Aljamal AN, Mohamed Ibrahim MI, Salameh K, Al Yafei K, Zaineh SA et al. Poisoning Emergency Visits Among Children: a 3-year retrospective study in Qatar. BMC Pediatrics. 2015;28(15):104. [acesso em 10 jul 2018]. Disponível em: https://www.ncbi.nlm.nih.gov/pmc/articles/PMC4551530/.
- Alves VM, Silva MAS, Magalhães APN, Andrade TG, Faro ACM, Nardi AE. Suicide Attempts in a Emergency Hospital. Arquivos de Neuro-Psiquiatria. 2013;72(2):123-28.
- Andrade Filho A, Moura AD. Abordagem inicial do paciente intoxicado. In: Andrade Filho A, Campolina D, Dias MB. Toxicologia na Prática Clínica. Belo Horizonte: Folium; 2013. p. 1-30.

- Azkunaga B, Mintegi S, Del Arco L, Bizkarra I. Changes in the epidemology of poisonings attended in spanish pediatric emergency departaments between 2001 and 2010: increase in ethanol intoxication. Emergencias. 2012;24:376-79.
- Brasil. Ministério da Saúde. Fundação Oswaldo Cruz – Fiocruz. Sistema Nacional de Informações Tóxico-farmacológicas (Sinitox). Campanha de prevenção contra acidentes por intoxicação: jogo digital "Quem deixou isso aqui?". [acesso em 5 mai 2018]. Disponível em: https://www.icict.fiocruz.br/content/jogo-digital-ajuda-pais-e-filhos-se-prevenirem-contra-intoxica%C3%A7%C3%A3o-no--ambiente-dom%C3%A9stico.
- Brasil. Ministério da Saúde. Sistema Nacional de Informação de Agravos de Notificação (SINAN). Informações de Saúde – TABNET: Epidemiológicas e Morbidade. Doenças e Agravos de Notificação – de 2007 em diante. [acesso em 7 mai 2018]. Disponível em: http://www2.datasus.gov.br/DATASUS/index.php?area=0203&id=29878153.
- Brito JG, Martins CBG. Intoxicação acidental na população infantojuvenil em ambiente domiciliar: perfil dos atendimentos de emergência. Rev Esc Enferm USP. 2015;49(3):373-80.
- Cabrera RM, Vargas GG. Modo de Aquisición de Plaguicidas y Medicamentos em Pacientes Intoxicados atendidos en Emergencias del Hospital Clínico Viedma. Gac Med Bol. 2014;37(2):56-59.
- Cantilena Jr LR. Toxicologia Clínica. In: Klaassen CD, Watkins JB. Fundamentos em Toxicologia de Casarett e Dull. 2. ed. Rio Grande do Sul: AMGH; 2012. p. 419-27.
- Chyka PA, Seger D. Poison Statement: Single-dose activated charcoal. American Academy of Clinical Toxicology and European Association of Poisons Centres and Clinical Toxicologists. J Toxicology Clin. 1997;35(7):721-41.
- Deslandes S, Assis S, Santos N. Violência envolvendo crianças no Brasil: um plural estruturado e estruturante. In: Brasil. Ministério da Saúde. Secretaria de Vigilância em Saúde. Impacto da Violência na Saúde dos Brasileiros. Ministério da Saúde, Brasília: 2005. p. 43-67 (Série B. Textos Básicos de Saúde).
- Forsberg S, Höjer J, Ludwigs U. Hospital mortality among poisoned patients presenting unconscious. Clinical Toxicology. 2012;50(4):254-57.
- Gude AB, Hoegberg LCG. Techniques used to prevent gastrointestinal absorption. In: Nelson LS, Lewin NA, Howland MA, Hoffman RS, Goldfrank LR, Flomenbaum NE. Goldfrank's Toxicologic Emergencies. 9. ed. New York: McGraw-Hill; 2011. p. 90-103.
- Hinrichsen SL. Intoxicações Exógenas Agudas e Acidentes Provocados por Animais Peçonhentos. Rio de Janeiro: MEDBOOK; 2014. p. 149-56.
- Hoffman RS, Howland MA, Lewin NA, Nelson LS, Goldfrank LR. Principles of managing the acutely poisoned or overdose patient. In: Hoffman RS, Howland MA, Lewin NA, Nelson LS, Goldfrank LR. Goldfrank's Toxicologic Emergencies. 10. ed. New York: McGraw-Hill; 2015.
- Hyder AA, Wali S, Fishman S, Schenk E. The Burden of Unintentional Injuries Among the under-five Population in South Asia. Acta Paediatrica. 2008;97(3):267-75.
- Jürgens G, Hoegberg LC, Graudal NA. The effect of activated charcoal on drug exposure in healthy volunteers: a meta-analysis. Clin Pharmacol Ther. 2009;85(5):501-5.
- Kohli U, Kuttiat VS, Lodha R, Kabra SK. Profile of Childhood Poisoning at a Tertiary Care Center in North India. Indian Journal of Pediatrics. 2008;75:791-94.
- Kouéta F, Dao L, Yé D, Fayama Z, Sawadogo A. Acute Accidental Poisoning in Children: aspects of their epidemiology, etiology, and outcome at the Charles de Gaulle Pediatric Hospital in Ouagadougou (Burkina Faso). 2009;19(2):55-9.
- Machado RAA. Medidas de descontaminação. Curso de Atualização em Toxicologia Clínica e Preparatório para Plantonistas. Centro de Atendimento Toxicológico – TOXCEN. Espírito Santo: Secretaria de estado da Saúde; 2015. [acesso em 6 mai 2018]. Disponível em: https://toxcen.es.gov.br/Media/toxcen/Aulas/3_Medidas_de_descontaminacao.pdf.
- Manouchehrifar M, Derakhshandeh N, Shojaee M, Sabzghabael A, Farnaghi F. An Epidemiologic Study of Pediatric Poisoning; a six-month cross-sectional study. Emergency. 2016;4(1):21-4. [acesso em 10 jul 2018]. Disponível em: https://www.ncbi.nlm.nih.gov/pmc/articles/PMC4744609/.

- Margonato FB, Thomson Z, Paoliello MMB. Determinantes nas Intoxicações Medicamentosas Agudas na Zona Urbana de um Município do Sul do Brasil. Cad Saúde Pública. 2008;24(2):333-41. [acesso em 10 jul 2018]. Disponível em: http://www.scielo.br/scielo.php?script=sci_arttext&pid=S0102-311X2008000200012&lng=en&nrm=iso&tlng=pt.
- Morrongiello BA, Mcarthur BA, Goodman S, Bell M. Don't Touch the Gadget Because It's Hot! Mother's and Children's Behavior in the Presence of a Contrived Hazard at Home: implications for supervising children. J Pediat Psychol. 2015;40(1):85-95. [acesso em 10 jul 2018]. Disponível em: https://academic.oup.com/jpepsy/article/40/1/85/929208.
- Mowry JB, Spyker DA, Brooks DE, Zimmerman A, Schauben JL. 2015 Annual Report of the American Association of Poison Control Centers' National Poison Data System (NPDS): 33rd Annual Report. Clin Toxicol. 2016;54(10):924-1109.
- Pawlowicz U, Wasilewska A, Olanski W, Stefanowicz M. Epidemiological Study of Acute Poisoning in Children: a 5-year retrospective study in the Paediatric University Hospital in Bialystok, Poland. Emerg Med J. 2013;30:712-16.
- Peden M, Oyegbite K, Ozanne-Smith J, Hyder AA, Branche C, Rahman AKMF. World Report on Child Injury Prevention. Geneva: World Health Organization; 2008.
- Samaké BM, Coulibaly Y, Diani N, Dramé AI, Cissé MA, Doumbia MZ et al. Profil Epidemologique des Intoxications Aiguës au C.H.U. Gabriel Toure. Mali Medical. 2011;26(3):34-6. [acesso em 10 jul 2018]. Disponível em: http://malimedical.org/2011/34c.pdf.
- Secretaria de Estado da Saúde (Santa Catarina). Superintendência de Planejamento e Gestão. Superintendência de Regulação e Serviços Especiais. Protocolos da Rede de Atenção Psicossocial – RAPS. Organizado por Alan Índio Serrano. Florianópolis: SES; 2016. [acesso em 7 mai 2018]. Disponível em: http://portalses.saude.sc.gov.br/index.php?option=com_content&view=article&id=5313:protocolos-da-rede-de-atencao-psicossocial&catid=1019:protocolos-e-diretrizes-terapeuticas.
- Tavares EO, Buriola AA, Santos JAT, Ballani TSL, Oliveira MLF. Fatores Associados à Intoxicação Infantil. Esc Anna Nery (impr.). 2013;17(1):31-37. Disponível em: http://www.redalyc.org/pdf/1277/127728366005.pdf.
- Toledo LM, Sabroza PC. Violência: orientações para profissionais da atenção básica de saúde. ENSP/FIOCRUZ Rio de Janeiro; 2013. 36 p. [acesso 9 mai 2018]. Disponível em: http://www5.ensp.fiocruz.br/biblioteca/dados/txt_469588428.pdf.
- Vilaça L. Intoxicações Exógenas Acidentais em Crianças e Adolescentes Atendidos na Unidade de Emergência de um Hospital de Referência de Minas Gerais, em Belo Horizonte, em 2013. Dissertação [mestrado] – Universidade Federal de Minas Gerais, Faculdade de Medicina. 2016. [acesso em 10 jul 2018]. Disponível em: http://www.bibliotecadigital.ufmg.br/dspace/bitstream/handle/1843/BUOS-AS2K7G/binder1.pdf?sequence=1.
- Z'gambo J, Siulapwa Y, Michelo C. Pattern of Acute Poisoning at Two Urban Referral Hospitals in Lusaka, Zambia. BMC Emerg Med. 2016;16:2. [acesso em 9 mai 2018]. Disponível em: http://www.ncbi.nlm.nih.gov/pmc/articles/PMC4706701/pdf/12873_2016_Article_68.pdf.

## Testes

**1. Cuidador encontra criança de 2 anos, de costas, vasculhando o armário da cozinha. Ao ser chamada, a criança se volta para o adulto e, em suas mãos, foi identificado um frasco contendo líquido na cor amarela, com produto escorrendo em sua boca, tórax e pernas. A primeira providência deveria ser:**

A. Ligar para o serviço de emergência pré-hospitalar.
B. Contatar o serviço de toxicologia da cidade.
C. Lavar em água corrente a cavidade oral e a pele da criança, retirando todo o excesso do produto.
D. Dar leite para a criança tomar.
E. Levar a criança, imediatamente, a um pronto-socorro.

**2. Uma criança de 3 anos estava na casa da avó e adormeceu após o almoço. Depois de algumas horas, a avó encontrou a criança muito sonolenta, com uma cartela de medicamento de tarja preta ao seu lado. A avó notou que faltavam alguns comprimidos na cartela, pois havia comprado a caixa de medicamentos no dia anterior. Como a avó deveria proceder neste caso?**

A. Verificar a boca da criança.
B. Levar a criança, imediatamente, ao serviço de saúde mais próximo, com a caixa de comprimidos.
C. Oferecer água ou leite à criança.
D. Provocar vômito e acionar o SAMU.
E. Telefonar para os pais da criança e alertá-los sobre o problema.

**3. Criança de um 1 e 7 meses chega a um centro de saúde, no interior do estado, inconsciente, pálida, com baixa frequência cardíaca (bradicardia), dificuldade para respirar e suor excessivo. Enquanto um profissional se encarrega do atendimento inicial à criança, outro membro da equipe questiona o acompanhante sobre:**

A. Presença de medicamentos na residência, acessíveis à criança.
B. Alergia da criança à lactose.
C. Episódio de vômito e diarreia nas últimas 24 horas.
D. Uso de medicamento controlado por algum adulto na casa.
E. Todas as alternativas acima.

| Respostas | |
|---|---|
| 1 | C |
| 2 | B |
| 3 | E |

# 8 Ferimentos

Bruna Cristina Busnardo Trindade de Souza
Karina Jorgino Giacomello
Luciana de Lione Melo

## Introdução

As **machucaduras** e os **sangramentos secundários a lesões** são eventos muito comuns em crianças, a maioria deles provocados por **quedas**, **acidentes de transporte**, **acidentes com objetos perfurocortantes**, **mordedura de animais**, **queimaduras** etc., sendo responsáveis por grande parte dos óbitos e das incapacidades, temporárias ou permanentes, na população pediátrica.

Dados publicados pelo Ministério da Saúde (MS), em 2017, a partir do inquérito *Vigilância de Violências e Acidentes* (VIVA), realizado em serviços selecionados, revelaram que, entre setembro e novembro de 2014, dos 55.001 atendimentos de emergência por causas acidentais, 8.166 atingiram crianças entre 0 e 9 anos de idade. Os acidentes por queda perfizeram um total de 2.566 casos nessa faixa etária. Com relação à área do corpo atingida, **a cabeça e o pescoço apareceram como a mais afetada**; seguida pelos membros superiores; membros inferiores.

Considerando, portanto, a prevalência e o potencial de morte e incapacidades que decorrem dos acidentes na infância, este capítulo abordará a definição, o tratamento e a prevenção das complicações causadas por ferimentos de diferentes etiologias.

## Definição

Ferimento é uma descontinuidade súbita e recente de quaisquer partes moles (pele, músculos, tendões etc.), provocado pela transferência de forças mecânicas externas.

## Classificação

De modo geral, as lesões podem ser classificadas como **contusões**, **ferimentos** e **fraturas**. Didaticamente, são classificadas segundo alguns critérios, abordados a seguir.

### ▪ Quanto à profundidade

- **Superficial:** quando a pele, tecido subcutâneo ou mesmo aponeuroses e músculos são atingidos.
- **Profundo:** quando há comprometimento de tecidos nobres ou profundos, como tendões, nervos, vasos, ossos e vísceras.

### ▪ Quanto à integridade da pele

- **Fechado:** não envolve solução de continuidade da pele, nem possui sangramento externo associado. Um exemplo desse tipo de ferimento é a contusão, que ocasiona um comprometimento de tecido subcutâneo associado a ruptura de vasos sanguíneos que, geralmente, alteram a coloração da pele na área afetada, causando equimoses (Figura 8.1) e hematomas (coleção de sangue).
- **Aberto:** quando há **ruptura da pele**, com sangramento externo associado. Os ferimentos abertos, também denominados como feridas, são classificados de acordo com seu agente causador:
  - **Abrasão ou escoriação:** são lesões rasas, decorrentes de perda parcial ou total da cobertura da pele (derme ou epiderme), geralmente causadas por algo que gera **atrito contra a pele**. A ferida apresenta bordas imprecisas. A abrasão é dolorosa, mesmo que superficial, com pouca ou nenhuma perda sanguínea. Exemplo: ferimento causado pela fricção da pele no asfalto/concreto (Figura 8.2).

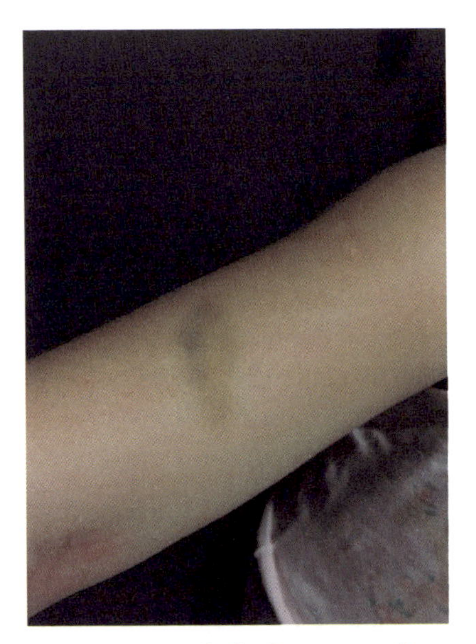

**Figura 8.1. Ferimento fechado, com equimose.**

*Fonte: Arquivo pessoal da autora Bruna C. B. Trindade de Souza.*

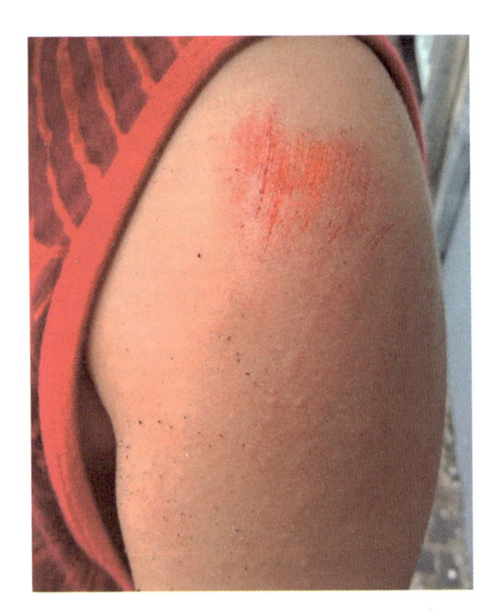

**Figura 8.2. Ferimento aberto do tipo abrasão ou escoriação.**

*Fonte: Arquivo pessoal da autora Bruna C. B. Trindade de Souza.*

- **Inciso:** ferida superficial ou profunda, causada por instrumento cortante, com fio bastante afiado. A ferida apresenta bordas nítidas e regulares, sem perda de tecido. Exemplo: ferimento causado por lâmina ou bisturi.
- **Cortante:** ferida profunda, com bordas parcialmente nítidas, perda mínima ou pequena de tecido. Exemplo: ferimento causado por faca ou caco de vidro.
- **Perfurante ou penetrante:** ferida profunda, com ou sem perda de substância, porém puntiforme. É causada por objetos pontiagudos, geralmente apresentando orifício de entrada, um trajeto e, às vezes, orifício de saída. Pode ocorrer pouco ou nenhum sangramento externo, mas a hemorragia interna pode ser grave e levar ao choque. Exemplo: ferimento causado por agulhas, pregos, arma de fogo, arma branca (faca, facão, adaga). Um ferimento perfurante pode ser dos subtipos: **perfurocontuso**, quando o objeto causador é de superfície romba, como no ferimento por arma de fogo (FAF); ou **perfurocortantes**, quando o agente possui superfície de contato laminar ou pontiagudo, como no ferimento por arma branca (FAB).
- **Ferimento aberto lacerante:** ferida profunda, com bordas nítidas, porém irregulares, com grande perda de substância. Frequentemente, as lacerações são resultantes de um impacto violento com algum objeto pontiagudo. Pode haver ocorrência de hemorragia externa e/ou interna. Exemplo: mordedura de animais, acidentes automobilísticos, queda de grandes alturas.
- **Avulsão ou amputação:** ocorre quando há a separação, parcial ou total, de uma parte do corpo em decorrência do trauma sofrido (membros ou parte de membros, orelhas, nariz etc.).

### Quanto à contaminação

- **Limpos:** lesões com contaminação bacteriana mínima e com menos de 6 horas de evolução.
- **Contaminados:** lesões que tiveram contato com material externo, como terra, saliva de animais etc., ou com evolução de mais de 6 horas.

## Tratamento

Para avaliação e tratamento dos ferimentos deve-se investigar qual foi o mecanismo da lesão, a intensidade da força e o tempo decorrido até a procura pelo atendimento, **imunização contra tétano** e alergias aos medicamentos.

As intervenções de baixa complexidade, comuns a todos os ferimentos são basicamente:

- Afastar a criança do local, se o ambiente for perigoso.
- Acalmar a criança.
- Identificar como a lesão ocorreu.
- Os demais cuidados deverão seguir as recomendações para cada tipo de lesão, conforme descrito nos tópicos a seguir.

Embora a maioria dos machucados sejam limitados à pele, observe qualquer **deformidade anatômica** produzida pelo trauma e a presença de edema progressivo. Se não presenciou o acidente, suspeite de fratura. Nesse caso tente **imobilizar** a região afetada, com uma tala ou tipoia, por exemplo, se for capacitado (ver Capítulo 3).

No ambiente doméstico e escolar, evite perder tempo. Se a criança apresentar **dor insuportável**, **palidez** ou **alteração do comportamento** solicite ou encaminhe-a para o **atendimento de urgência**.

### ▪ Ferimentos fechados – contusão

O tratamento imediato consiste nos princípios PRICE (*protection, rest, ice, compression, elevation*) para reduzir o inchaço, a dor e favorecer a cicatrização:

- **Proteção:** limpar a região e evitar contato com sujidades e atritos. O uso de água limpa, corrente, é tão efetiva quanto a solução fisiológica. Evite limpar a ferida com álcool ou iodo, pois são mais citotóxicos, provocam ardor e retardam a cicatrização.
- **Repouso da área afetada:** imediatamente após a lesão e nos primeiros dias, com o auxílio de talas e tipoias.

- **Gelo (ou bolsa de gelo):** nas primeiras 24 horas, deve ser aplicado por 15 minutos e repetido a intervalos. Proteger a pele com um tecido fino ou plástico; outra opção é a aplicação de compressas frias. Não usar gelo em ferimentos abertos, mucosas, globo ocular e genitais.
- **Compressão:** com enfaixamentos ou à critério médico.
- **Elevação:** nas primeiras 48 horas, com o apoio de almofada, travesseiro ou tipoia, para facilitar a drenagem do edema.

A **contusão** e os **entorses** são ocorrências bastante frequentes, especialmente durante a prática de esportes e nas brincadeiras. A conduta é expectante. Seguir os **princípios PRICE** e observar a presença de sinais de complicação: aumento do edema, escurecimento da pele, esfriamento, palidez distal e dor intensa.

## ▪ Ferimentos abertos

- Expor a lesão, com cuidado, sempre que possível.
- Localizar o foco da lesão.
- Retirar, delicadamente, qualquer corpo estranho superficial, como areia, grama, caco de vidro, agulha.
- Promover limpeza do local: lave o ferimento com água limpa e sabão ou soro fisiológico (SF) 0,9%; não esfregue o local; seque delicadamente com pano limpo ou gaze.
- Conter sangramentos.
- Fazer um curativo adequado para cada tipo de lesão.
- Aplicar um curativo simples e oclusivo, utilizando gaze estéril e fita hipoalergênica ou adesivos impermeáveis prontos.
- Diminuir a extensão da lesão (os ferimentos mais extensos deverão ser suturados por profissional habilitado).
- Diminuir o risco de infecção.
- Empregar analgesia adequada, preferencialmente antes da realização do curativo. Em domicílio, o analgésico oral deverá ser administrado conforme prescrito pelo pediatra.

Observar o local a curtos intervalos, como a cada 10 minutos, até comprovar que o ferimento não apresentou alteração.

Para evitar a aderência da gaze em ferimentos com exsudato, pode-se utilizar materiais que diminuam esse risco, como a gaze vaselinada.

Em ferimentos profundos seguir os mesmos passos e aplicar um curativo simples, com pontos falsos e adesivos estéreis. O **ponto falso** é um recurso para **aproximar as bordas do ferimento**, sem precisar de sutura cirúrgica. Para a sua confecção tracione uma borda contra a outra, fixando-as com uma tira fina de adesivo hipoalergênico.

## ▪ Lesões específicas

Algumas lesões podem exigir atenção especial, por conta da localização, dos mecanismos envolvidos e das complicações potenciais.

### • Couro cabeludo

O couro cabeludo é altamente vascularizado; portanto, pode ocorrer **sangramento abundante**, até mesmo em pequenas lesões. Em caso de desluvamento, lesão com arrancadura do couro cabeludo, a hemorragia pode ser intensa o suficiente para ocasionar choque hipovolêmico.

Se a lesão for **superficial** e houver um pequeno sangramento, o procedimento recomendado é:

- Lave as mãos e calce luvas (ou improvise com um saco plástico limpo).
- Acalme a criança.
- Comprima o local com um pano ou toalha limpos, por 10 minutos.
- Lave o ferimento com água e sabão ou SF 0,9%, para retirar resíduos de sangue e sujidades.
- Seque com gaze ou pano limpo.
- Evite usar algodão, para que não haja aderência à ferida.
- Proteja o ferimento e enfaixe a cabeça.
- Não aplique álcool, pomada, talco ou qualquer outro produto na ferida.
- Não assopre a ferida, pelo risco de contaminação.

- Observe o comportamento da criança e as características das pupilas, se dilatadas ou contraídas.
- Encaminhe para atendimento médico urgente se o sangramento persistir, se a criança se queixar de cefaleia, ou se apresentar sonolência, desequilíbrio ao caminhar, desmaios, alteração nas pupilas, vômitos ou sangramentos pelo ouvido ou nariz.

Dependendo do ferimento, os cabelos deverão cortados próximos à pele (e não raspados), para facilitar a sua visualização, sutura e cicatrização.

Outra lesão bastante frequente na infância é o impacto na cabeça, levando a hematoma no couro cabeludo, os famosos "galos". Nessa situação, aplique compressas frias ou bolsa de gelo, por 10 minutos.

- Tórax

Atenção especial deve ser dada às lesões torácicas, em razão do potencial risco para afetarem a respiração. Se o traumatismo for além das costelas e dos músculos, a parede torácica pode sofrer perfurações, podendo alterar a pressão intratorácica, necessária para que ocorra a inspiração e expiração de maneira efetiva.

Se o trauma atingir o pulmão e houver **saída de ar**, solicite para a criança fazer uma expiração forçada e faça um **curativo de três pontas** (Figura 8.3), utilizando um retalho de celofane, uma lâmina de papel metalizado ou um plástico flexível de forma a ocluir o ferimento, mas mantendo uma abertura que permita a saída do ar, durante a expiração e o seu fechamento, durante a inspiração.

São **sinais de perfuração pulmonar**: sangue borbulhando pelo ferimento, tosse com secreção sanguinolenta, desvio da traqueia e enfisema subcutâneo (sensação de "areia" sob a pele).

Posicione a criança sobre o lado lesado ou mantenha-a semissentada, se não houver suspeita de lesão de coluna, para facilitar a respiração.

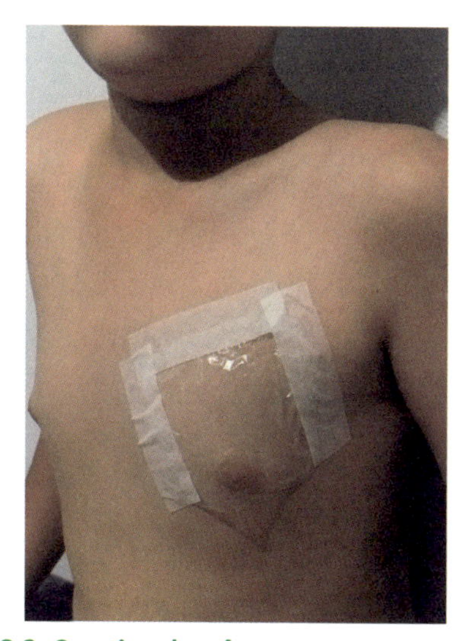

**Figura 8.3. Curativo de três pontas.**

*Fonte: Arquivo pessoal da autora Bruna C. B. Trindade de Souza.*

- Evisceração

É o tipo de ferimento em que ocorre laceração profunda dos músculos da parede abdominal, com **exteriorização dos órgãos internos**, principalmente dos intestinos. No atendimento primário, não é indicado tentar recolocar as vísceras na cavidade abdominal. Condutas:

- Acione o serviço de emergência.
- Acalme a criança e a impeça de visualizar a ferida.
- Afaste os curiosos.
- Proteja suas mãos com luvas ou saco plástico limpo.
- Cubra o ferimento com um curativo estéril grosso, tipo compressa, ou uma toalha de rosto limpa, umedecido com água filtrada (mineral, se disponível) ou soro, para evitar o ressecamento dos órgãos, até que o tratamento definitivo seja realizado, em ambiente hospitalar.

## • Objetos encravados

É um tipo de lesão na qual há perfuração da pele por um objeto penetrante (prego, lança de portão, faca, chave de fenda etc.), que está parcialmente exteriorizado ou transfixado. Apesar de pouco frequente em crianças, esse ferimento é grave e precisa ser adequadamente atendido.

Na presença de qualquer objeto encravado, ele **não deve ser retirado** no atendimento pré-hospitalar, a não ser que esteja dificultando o acesso da via aérea. Caso contrário:

- Acione o serviço de urgência.
- Acalme a criança.
- Afaste os curiosos.
- Exponha a lesão.
- Não tente partir ou mobilizar o objeto.
- Se a criança estiver presa ao local (na grade do muro, no portão), apoie o corpo, mantendo-o imobilizado, até a chegada dos bombeiros. Caso contrário, estabilize o objeto, envolvendo-o com tiras adesivas fixadas em duas direções, terminando com tiras de reforço sobre as primeiras ou, então, faça um enfaixamento.
- Se houver sangramento, pressione a região ao redor do objeto.

## • Mordedura de animais

Com a crescente exposição das crianças a animais de diferentes espécies, o número desse tipo de acidente vem aumentando.

A **profilaxia contra a raiva humana** deve ser realizada seguindo as recomendações do Ministério da Saúde, de acordo com o tipo de ferimento e a possibilidade ou não de manter o animal sob observação pelos 10 dias posteriores ao acidente.

De modo geral, o primeiro atendimento é prestado pelos cuidadores. Sempre que possível, o animal deve ser mantido em local fechado em que possa ser observado pelos próximos 10 dias. Os cuidados específicos são apresentados nos Capítulos 10 e 11. De modo geral:

- Limpe o ferimento com água corrente abundante e sabão, logo após a agressão. Essa ação deve ser repetida na unidade de saúde, independentemente do tempo transcorrido.
- Durante a limpeza elimine toda a sujidade, sem agravar o ferimento.
- Nesse caso, aplique antissépticos que inativem o vírus da raiva, como iodopovidona, polivinilpirrolidona-iodo (PVPI), digluconato de clorexidina, álcool iodado.
- Por se tratar de um ferimento contaminado, a sutura somente é indicada em ferimentos extensos, em ambiente hospitalar.

### • Ferimentos de partes moles

Atingem pele, subcutâneo, tendões, músculos, nervos e cartilagens. Incluem as contusões, estiramentos musculares e entorses. O tratamento domiciliar segue as indicações dos princípios PRICE de proteção (limpeza), repouso, gelo, compressão e elevação, de acordo com a necessidade.

Se houver necessidade de sutura, desbridamento de tecidos ou remoção de corpo estranho, o procedimento deverá ser realizado em ambiente hospitalar, sob anestesia local.

### • Amputações

No caso de amputações, se houver sangramento maciço deve-se, em primeiro lugar, **controlar a perda sanguínea**. Para isso:

- **Comprima** o local com um pano ou toalha limpos, por 10 minutos ou mais, **ininterruptamente**.
- Se o sangramento encharcar o tecido, coloque outro por cima deste e continue a compressão.
- Eleve o membro, se for o caso.
- Não controlando o sangramento, pode-se utilizar o torniquete.
- Acione o serviço de emergência ou leve a criança para atendimento médico.

Se a parte amputada puder ser localizada sem comprometer o atendimento à criança, preserve o segmento e encaminhe-o junto com o paciente ao hospital: lave a peça com água corrente limpa, se necessário; acondicione dentro de um saco plástico fechado; coloque-o dentro de outro saco ou recipiente contendo água e gelo, para proporcionar o resfriamento do tecido.

## ▪ Outros cuidados

Além dos cuidados diretos com os ferimentos, outros procedimentos são necessários no atendimento à criança. Entre eles, destacaremos a sutura, a antibioticoterapia e a vacina antitetânica.

A **sutura** de ferimentos profundos, com baixo risco de infecção, pode ser realizada até 12 horas após o trauma; porém, quando o risco de infecção é elevado (contaminações grosseiras, áreas mal vascularizadas, pacientes imunossuprimidos), o procedimento deve ser realizado em até 6 horas.

A **antibioticoprofilaxia** está indicada em todo ferimento aberto com contaminações grosseiras ou com alto risco de infecção, como nas mordeduras de animais, em fraturas expostas e nos casos em que fatores locais ou sistêmicos diminuam a resistência à infecção. O antibiótico deve ser iniciado até 4 horas após a ocorrência da lesão e deve ser utilizado por, no mínimo, sete dias.

Outro cuidado importante é a verificação da **situação vacinal** da criança ou adolescente relacionada ao tétano, pois lesões que apresentem solução de continuidade de pele e mucosas favorecem o desenvolvimento do *Clostridium tetani*, presente no ambiente. A principal medida de prevenção contra o tétano acidental é a vacinação rotineira, nas Unidades Básicas de Saúde (UBS) de todo o país, preconizada pelo Programa Nacional de Imunizações (PNI). Porém, além das doses antitetânicas previstas, deve-se seguir o esquema pós-exposição recomendado (Tabela 8.1) nos seguintes casos:

- Ferimento há mais de 6 horas.
- Profundidade maior que 1 cm.
- Contaminadas por solo, fezes ou ferrugem.
- Configuração estrelada.

**Tabela 8.1. Condutas profiláticas do tétano, de acordo com o risco e a situação vacinal**

| *Vacinação prévia contra tétano* | *Ferimentos com risco mínimo de tétano*[a] | | | *Ferimentos com alto risco de tétano*[b] | | |
|---|---|---|---|---|---|---|
| | *Vacina* | *SAT* IGHAT*** | *Outras condutas* | *Vacina* | *SAT IGHAT* | *Outras condutas* |
| Incerta ou menos de três doses. | Sim[a] | Não | Lavar com SF 0,9% e substâncias oxidantes ou antissépticas não alcoólicas. Desbridamento do foco da infecção. | Sim[b] | Sim | Lavar com SF 0,9% e substâncias oxidantes ou antissépticas não alcoólicas. Remover corpos estranhos e tecidos desvitalizados. Desbridamento do ferimento e lavagem com água oxigenada. |
| Três ou mais doses, sendo a última há menos de 5 anos. | Não | Não | | Não | Não | |
| Três ou mais doses, sendo a última entre 5 e 10 anos. | Não | Não | | Dose de reforço | Não[c] | |
| Três ou mais doses, sendo a última há 10 anos ou mais. | Sim | Não | | Dose de reforço | Não[d] | |
| Três ou mais doses, sendo a última há 10 anos ou mais, em situações especiais. | Sim | Não | | Dose de reforço | Sim[e] | |

*Fonte: Brasil – Ministério da Saúde, 2017.*

** SAT: soro antitetânico.*

*** IGHAT: imunoglobulina humana antitetânica.*

*a. Ferimentos superficiais, limpos, sem corpos estranhos ou tecidos desvitalizados.*

*b. Ferimentos profundos ou superficiais sujos, com corpos estranhos ou tecido desvitalizado; queimaduras; ferimentos puntiformes; FAF; FAB; mordeduras; politraumatismos e fraturas expostas.*

*c. Vacinar e aprazar as próximas doses para complementar o esquema básico. Essa vacinação visa proteger contra o risco de tétano em ferimentos futuros. Se o profissional que presta o atendimento suspeita que os cuidados posteriores com o ferimento não serão adequados, deve considerar a indicação de imunização passiva com SAT ou IGHAT. Quando indicado o uso de vacina e SAT ou IGHAT, concomitantemente, devem ser aplicados em locais diferentes.*

*d. Para paciente imunodeprimido, desnutrido grave ou idoso, além do reforço com a vacina está também indicada IGHAT ou SAT.*

*e. Se o profissional que presta o atendimento suspeita que os cuidados posteriores com o ferimento não serão adequados, deve considerar a indicação de imunização passiva com SAT ou IGHAT. Quando indicado o uso de vacina e SAT ou IGHAT, concomitantemente, devem ser aplicados em locais diferentes.*

- Ferimentos causadas por projéteis, esmagamento ou queimadura (fogo ou frio).
- Presença de tecidos desvitalizados ou desnervados.
- Mordidas de animais ou seres humanos.

## Estresse pós-traumático

As lesões físicas secundárias aos acidentes são potencialmente traumáticas para as crianças. Dessa maneira, além de tratar das injúrias físicas, os profissionais da saúde, professores e cuidadores devem estar atentos ao **sofrimento psicológico** apresentado por elas.

Em crianças e adolescentes vítimas de acidentes com lesões debilitantes, por exemplo, a presença e o incentivo dos pais e dos amigos durante a recuperação, são de extrema importância para o enfrentamento e o retorno às suas atividades de vida. Sendo assim, o cuidado às crianças durante e após um acidente, do mais simples aos traumas com lesões debilitantes, deve incluir a família, estimulando sua participação no tratamento o mais precocemente possível.

## Violência

Considerando que a presença de ferimentos é um dos principais sinais de que a criança está sendo vítima de violência, todo profissional da área da saúde e da educação deve estar atento para que seja possível identificar e dar o encaminhamento adequado em qualquer tipo de suspeita.

As lesões mais sugestivas de abuso são: múltiplos hematomas em variados estágios de resolução, mordeduras, queimaduras bem delimitadas, marca de corda, padrões lesionais semelhantes e lesões por escaldadura em áreas incomuns.

Além das lesões sugestivas de **violência física**, os profissionais devem suspeitar, também, de **violência sexual**, **tortura** e **negligência**, caso notem sangramento, prurido ou lesões em genitais; discrepância entre a história referida e o grau da lesão apresentada; relatos inconsistentes ou versões diferentes da mesma história; intervalo prolongado entre o tempo da lesão e a solicitação de atendimento de saúde; lesão inconsistente com o nível de desenvolvimento da criança.

Uma vez que houver suspeita de estar frente a um caso de violência, o profissional deve realizar o encaminhamento do caso às autoridades legais.

## Sangramento

Sangramento é definido como a perda de sangue corporal. Quando presente, uma série de mecanismos reguladores entram em ação para controlá-lo, como a produção de coágulos e a constrição dos vasos sanguíneos. Em lesões graves, esses mecanismos podem se mostrar ineficazes, havendo um **sangramento intenso**, com risco de evoluir para um quadro de choque hipovolêmico, secundário à hemorragia. Para isso, o mnemônico **ABCDE do trauma** (*Airway* – vias aéreas; *Breathing* – ventilação; *Circulation* – circulação; *Disability* – incapacidade/nível de consciência; *Exposure* – exposição da área), criado pelo ortopedista Jim Styner, em 1976, teve o acréscimo do X, referindo-se às hemorragias exsanguinantes (hemorragias externas graves), tornando-se **XABCDE**.

Os sangramentos na infância podem ocorrer como consequência de traumas ocasionados em acidentes domésticos, nas práticas esportivas, na escola, no trânsito, entre outras.

A quantidade de sangue (volemia) presente na criança, corresponde a 8 a 9% de seu peso, ou 70 a 80 mL/kg, e a perda de 15% desse total já compromete seu equilíbrio hemodinâmico. Exemplificando: a volemia de uma criança com 12 kg (peso médio entre os 18 a 36 meses de vida), corresponde a 840 a 960 mL; nesse caso, há risco potencial se a perda for maior que 144 mL.

### ▪ Classificação

#### • Sangramento externo

Ocorre quando há perda sanguínea para o exterior da luz do vaso acometido, sendo o sangue exteriorizado através da pele. É de fácil reconhecimento à visualização e à inspeção. São divididos em:

- **Hemorragia capilar:** lesões em capilares logo abaixo da pele, geralmente lesionados por escoriações e contusões. Esse sangramento geralmente cessa rápido e espontaneamente.

- **Hemorragia venosa:** lesão que atinge um ou mais vasos, sendo necessário pressão direta sobre a área para auxiliar a hemostasia. Mesmo parecendo simples, lesões venosas podem causar grandes hemorragias e ameaçar a vida.
- **Hemorragia arterial:** lesão que atinge uma ou mais artérias, com maior risco para complicações, uma vez que o calibre do vaso e a pressão sanguínea são maiores. A ocorrência de hematoma expansivo ou hemorragia pulsátil, mesmo em pequenos ferimentos, indica lesão arterial. Além disso, a quantidade de oxigênio perdida na hemorragia arterial afetará o funcionamento de órgãos nobres, como o cérebro e os pulmões.

### • Sangramento interno

Trata-se do sangue extravasado dos vasos que permanece **oculto** e **acumulado nas cavidades corporais**, principalmente nas regiões torácica, abdominal e pélvica, além dos ossos. Por ser de **difícil detecção**, necessita de uma inspeção minuciosa, já no primeiro atendimento, em busca de sinais que o indiquem.

Contusões ou abrasões em região torácica merecem toda a atenção, pois podem resultar em fratura de costela, com risco para lesão pulmonar grave e hemotórax, assim como os traumas abdominais que evoluem para ruptura de vasos e vísceras. Em acidentes automobilísticos, o abdome é inspecionado à procura de abrasões causadas pelo impacto do cinto de segurança.

Sinais como **palidez** ou **cianose**, **resfriamento**, **parestesia** e **pulsos diferentes** nos membros são indicativos de lesão arterial. Grandes fraturas pélvicas podem também ser a causa de graves hemorragias internas.

## ▪ Sinais e sintomas

Embora as taxas de sobrevida da criança com hemorragia sejam grandes, por possuírem um sistema compensatório eficaz e uma reserva fisiológica aumentada, o **reconhecimento precoce** e o **controle de grandes sangramentos** são de suma importância, uma vez que se tornou prioridade no atendimento primário para a prevenção do choque tipo hemorrágico/hipovolêmico, já que a deterioração dos sinais vitais é um sinal tardio de gravidade nas crianças (Tabela 8.2).

**Tabela 8.2. Resposta sistêmica à perda sanguínea na criança**

| *Sistema* | *Perda sanguínea leve (< 30%)* | *Perda sanguínea moderada (30-45%)* | *Perda sanguínea grave (> 45%)* |
|---|---|---|---|
| Cardiovascular | Aumento da FC.<br>Pulsos periféricos finos e fracos.<br>Pressão arterial sistólica normal: 80-90 mmHg + (2 × idade, em anos).<br>Pressão de pulso normal. | Aumento acentuado da FC.<br>Pulsos centrais fracos e filiformes.<br>Pulsos periféricos ausentes.<br>Pressão arterial sistólica no limite inferior da normalidade: 70-80 mmHg + (2 × idade, em anos).<br>Estreitamento da pressão de pulso. | Taquicardia seguida de bradicardia.<br>Pulsos centrais muito fracos ou ausentes; Ausência de pulsos periféricos.<br>Hipotensão: < 70 mmHg + (2 × idade, em anos);<br>Estreitamento da pressão de pulso (ou pressão arterial diastólica indetectável). |
| Sistema nervoso central | Ansiedade.<br>Irritabilidade.<br>Confusão. | Letargia.<br>Resposta diminuída à dor.[1] | Coma. |
| Pele | Fria e mosqueada; Tempo de enchimento capilar prolongado (> 2 segundos). | Cianótico.<br>Tempo de enchimento capilar muito prolongado. | Pálida e fria. |
| Débito urinário[2] | Diminuído ou muito diminuído. | Mínimo. | Ausente. |

*Fonte: Brasil – Ministério da Saúde, 2016; ATLS, 2018.*

[1] *A resposta lenta da criança ao estímulo doloroso com essa perda sanguínea (30-45%), é indicada pela pouca resposta, observada durante procedimentos invasivos.*

[2] *Após a descompressão inicial pela sondagem vesical. Limite inferior: 2 mL/kg/h (lactente), 1,5 mL/kg/h (crianças de 1-3 anos), 1 mL/kg/h (pré-escolar, escolar), 0,5 mL/kg/h (adolescente).*

São sinais de agravamento:

- Aumento da frequência cardíaca (FC) – taquicardia.
- Aumento da frequência respiratória (FR) – taquipneia.
- Palidez cutânea e pele fria.
- Pulsos periféricos filiformes.
- Alteração do nível de consciência.
- Hipotensão, que pode não ser detectada pelos cuidadores.

Assim, mesmo com sangramento externo controlado, o monitoramento dos sinais vitais e a vigilância do estado geral são importantes para o reconhecimento e a prevenção de complicações, muitas vezes letais. Por isso, o transporte a um centro especializado deve ser realizado rapidamente.

## ▪ Tratamento

Os primeiros socorros para os casos de sangramento externo consistem em **comprimir diretamente o ferimento**, de maneira contínua, com as mãos protegidas com luvas (ou improvisado um saco plástico) e auxílio de gazes, compressa ou pano limpo (Figura 8.4), sobrepondo-as, quando as gazes estiverem saturadas de sangue (Figura 8.5).

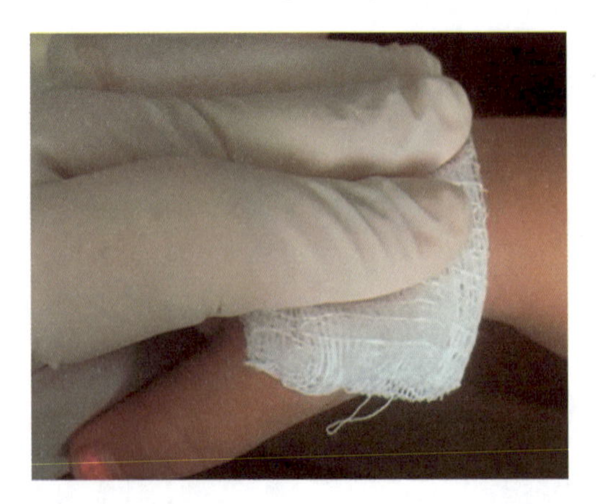

**Figura 8.4. Compressão de ferimento em membro superior.**

*Fonte: Arquivo pessoal da autora Bruna C. B. Trindade de Souza.*

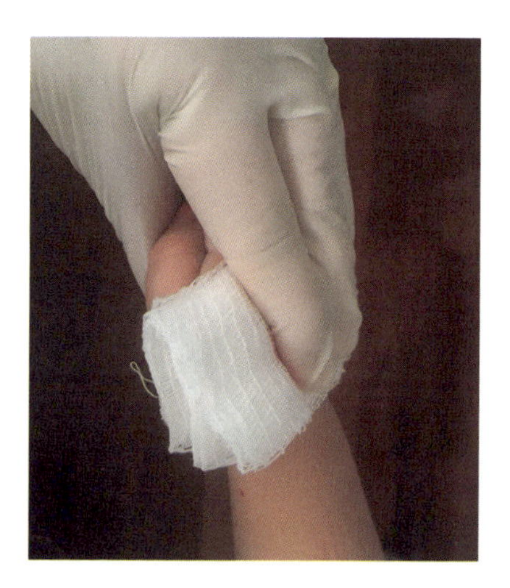

**Figura 8.5. Compressão de ferimento com gazes sobrepostas.**

*Fonte: Arquivo pessoal da autora Bruna C. B. Trindade de Souza.*

É possível, também, utilizar bandagens compressivas, em que uma faixa elástica ou uma atadura de crepe é colocada sobre as gazes ou o tecido (Figura 8.6), aplicando-se uma pressão moderada antes de finalizar o enfaixamento (Figura 8.7). Ferimentos nas extremidades podem receber enfaixamento circular, e se no pescoço, sob a axila, contralateralmente. É necessário observar a perfusão local.

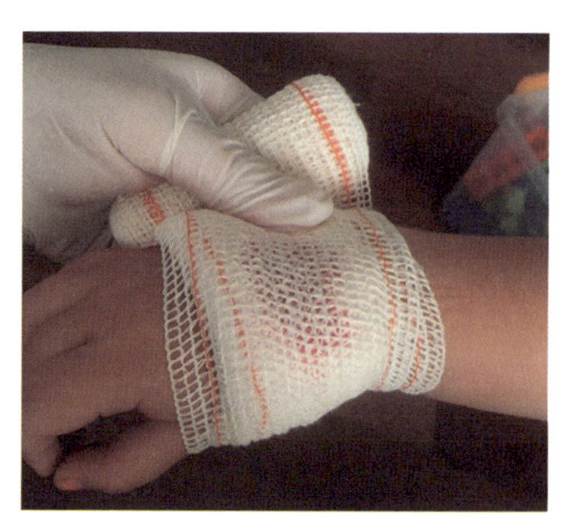

**Figura 8.6. Confecção de bandagem compressiva sobre ferimento sangrante.**

*Fonte: Arquivo pessoal da autora Bruna C. B. Trindade de Souza.*

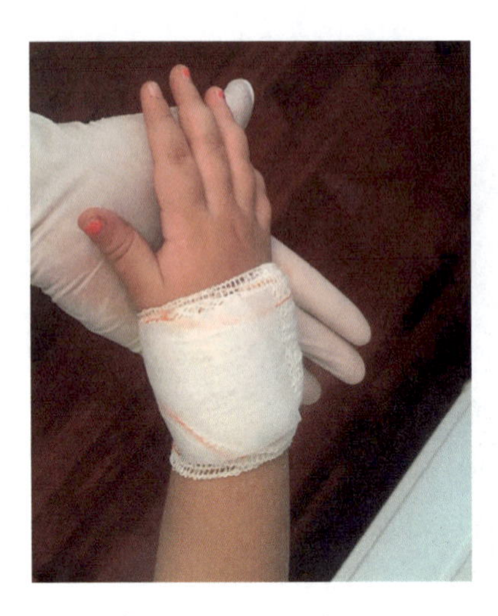

**Figura 8.7. Bandagem compressiva.**

*Fonte: Arquivo pessoal da autora Bruna C. B. Trindade de Souza.*

Sempre que possível, eleve a região acima do nível do coração, mantendo a criança deitada.

Se houver persistência da hemorragia, inicie a compressão direta da artéria que irriga a região para que haja a diminuição do tamanho de sua luz e, consequentemente, redução do fluxo de sangue, até que o sistema de coagulação seja ativado. Os principais pontos arteriais para compressão são os braquiais, femorais e temporais superficiais.

No sangramento venoso, a hemostasia se faz mais rapidamente que no sangramento arterial. Dessa maneira, a **compressão arterial** precisará ser mais rigorosa e por tempo maior que na compressão venosa.

Em sangramentos ativos, como nas amputações traumáticas de membros superiores e inferiores, quando todas as ações anteriores falharem ou quando não tem o profissional para ficar exclusivamente realizando a compressão direta, podemos substituí-la pelo **torniquete** (Quadro 8.1), que pode ser improvisado com a insuflação de um manguito ou uma tira de tecido.

O socorrista pode encontrar dificuldades para fazer um torniquete nos dedos das mãos ou dos pés. É possível improvisar com uma tira de elástico (dreno de Penrose, em ambiente hospitalar), ou uma luva de látex. Para isso, calce uma luva pequena na mão lesionada e corte, com cuidado, a ponta próxima do dedo afetado; abra esse orifício e siga enrolando sua borda para trás, até a chegar à base do dedo.

| Quadro 8.1. Instruções para o uso do torniquete |
|---|
| • Proteja a pele íntegra com gaze ou tecido fino.<br>• Posicione o torniquete imediatamente acima e proximal ao ferimento hemorrágico.<br>• Amarre uma faixa larga (5 a 10 cm) e coloque um bastão (ou caneta grossa, graveto etc.), sob ela, torcendo-o.<br>• Não exerça força demasiada, apenas gire o bastão o suficiente para cessar o sangramento.<br>• Identifique o horário de início, no próprio torniquete.<br>• Mantenha o local descoberto para monitorar uma possível recidiva de sangramento.<br>• Aplique outro torniquete, logo acima do primeiro, se necessário.<br>• Considere o uso de analgésicos, uma vez que o procedimento é doloroso.<br>• Se utilizar um manguito para o torniquete, comprima até 20 mmHg, além da pressão sistólica mensurada.<br>• Não soltar o torniquete até a chegada no intra-hospitalar, o mesmo pode ficar locado de 2 a 4 horas, quando será retirado por um cirurgião. |

*Fonte: Elaborado pelas autoras.*

Quando for necessário restaurar o volume intravascular, tanto nas hemorragias internas quanto nas externas, é realizada a chamada reanimação com fluidos. A reposição volêmica deve ser iniciada com a infusão rápida de solução cristaloide (soro fisiológico, soro glicosado ou ringer lactato), 20 mL/kg, que pode ser repetida por duas vezes, se necessário.

A partir disso, recomenda-se o uso de concentrado de hemácias a 10 mL/kg, respeitando a proporção de 3:1 (a cada três infusões rápidas de cristaloides (soros), realizar uma infusão de concentrado de hemácias).

## ▪ Cuidados com sangramentos em regiões específicas

### • Epistaxe

A epistaxe (do grego *epi*, sobre; *stag*, gotejar) é um dos tipos mais frequentes de sangramento na infância, tendo origem na **mucosa das fossas nasais** em razão de anormalidade na mucosa, perda da integridade vascular e/ou por alterações na coagulação.

Esse tipo de sangramento pode ocorrer em uma única narina ou em ambas, acometendo a parte anterior das fossas nasais, em até 90% dos casos, devido a grande vascularização local.

Na maioria dos casos, não é necessário atendimento médico, havendo resolutividade fora do ambiente hospitalar. Apenas 6% dos episódios necessitam de atendimento em unidade de saúde, e 1% requer internação hospitalar.

Os fatores de risco para sangramento nasal são: baixa umidade do ar, alergias, resfriado, pequenos traumas e fratura. Quase todos são preveníveis com medidas simples, como a umidificação das narinas, tratamento adequado de alergias e resfriados, proteção do ambiente etc.

Para o controle do sangramento nasal, recomenda-se diferentes procedimentos de acordo com a gravidade do caso.

O método mais utilizado na epistaxe ativa é a **digitopressão**, que pode ser realizada em qualquer ambiente. Para isso:

- Acalme a criança.
- Posicione-a sentada, com a cabeça inclinada para frente, a fim de evitar deglutição ou engasgo com coágulos de sangue.
- Oriente-a a respirar pela boca.
- Calce uma luva ou improvise uma proteção com saco plástico.
- Comprima as narinas, bilateralmente, entre os dedos polegar e indicador continuamente, ainda com a cabeça da criança inclinada para frente, por 5 minutos, no mínimo (Figura 8.8).
- Aplique uma compressa fria no dorso nasal, por 5 minutos, para promover vasoconstrição nessa região.
- Encaminhe a criança para atendimento médico se o sangramento não cessar, mesmo após repetir a manobra.

Já o **tamponamento com vasoconstritor** é realizado em ambiente hospitalar, com tampões embebidos em medicamentos vasoconstritores. Para o tamponamento da região anterior das narinas, posicione uma gaze

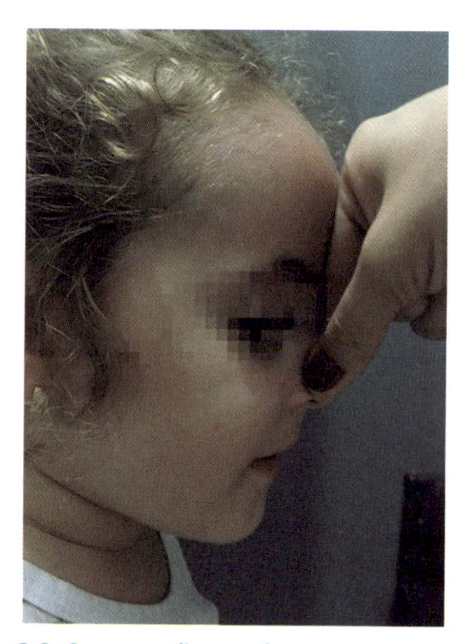

**Figura 8.8. Compressão nasal.**

*Fonte: Arquivo pessoal da autora Bruna C. B. Trindade de Souza.*

vaselinada na cavidade nasal, até a hemostasia. Para diminuir o desconforto, pode-se colocar a gaze dentro de um dedo de luva (de procedimento) cortado, lubrificá-lo com vaselina e introduzir na narina. Se for necessário auxiliar a retirada do tampão, utilize um fio amarrado a sua extremidade.

Na suspeita de sangramento na região posterior, o tamponamento deve ser mais profundo e realizado por um médico.

Outros métodos utilizados para a hemostasia são: cauterização química de vasos, por meio da rinoscopia anterior com nitrato de prata ou ácido tricloroacético a 80%; e cauterização elétrica, por meio de endoscopia nasal, com o uso de eletrocautérios, sob anestesia geral, combinadas com soluções anestésico-vasoconstritoras antes da cauterização.

Outras opções de tratamento estão disponíveis em centros especializados, como o uso do aspirador-coagulador, por meio da rinoscopia e a embolização ou ligadura arterial cirúrgica, quando as medidas anteriores não estabilizaram os sangramentos recorrentes.

• Sangramento ocular

Pode ser ocasionado por trauma, corpo estranho ou enucleação.

No **trauma ocular**, com ferimento leve e sangramento, oclua o globo lesado com gaze estéril ou pano limpo, embebidos em soro fisiológico ou água limpa e proteja com outra gaze estéril ou tecido.

No **trauma penetrante**, o objeto empalado não deve ser retirado, a menos que a saída seja espontânea durante a irrigação suave com água corrente limpa ou soro fisiológico. O mesmo deve ser considerado para pequenos corpos estranhos, como areia, farpa, cílios etc. Inspecione o olho. Não assopre. Se for necessário imobilizar o objeto, cuidado para não pressionar o globo ocular. Cubra os dois olhos para dificultar a sua movimentação e não piorar o trauma e o sangramento.

Em casos de **enucleação**, isto é, remoção do globo para fora da cavidade ocular, nunca tente recolocar o órgão; apenas proteja a área com gazes ou pano limpo embebidos em soro fisiológico e oclua ambos os olhos.

O **atendimento médico urgente**, preferencialmente com um oftalmologista, se fará necessário em todas essas situações, para avaliação de todas as partes atingidas.

• Sangramento dentário

Geralmente secundário a um trauma, é uma ocorrência comum entre as crianças, principalmente no ambiente doméstico e escolar. Nos casos de **avulsão do dente**, inicie a **digitopressão na gengiva** com gaze ou pano limpo, ou solicite à criança para mordê-los, exceto se o trauma causar apenas o amolecimento do dente.

No caso de **avulsão de dente permanente**, segure-o pela coroa (não pela raiz) e armazene em um recipiente com solução fisiológica ou leite gelado. Encaminhe a criança e o dente ao dentista em até 30 minutos.

• Ouvido

Se houver sangramento da orelha, após trauma leve, faça compressão local, limpeza e um curativo simples na área externa.

O sangramento pode ser causado por **lesão no ouvido**, **fratura craniana**, **trauma no canal auditivo**, **infecções graves**, **aneurisma**, **tumor** ou **ruptura dos tímpanos**. Ao contrário de outros tipos de sangramentos, o tamponamento não é indicado.

Se a criança estiver consciente, posicione-a em decúbito dorsal. Se inconsciente, mantenha o decúbito lateral com a orelha afetada para baixo e acione a serviço de emergência.

Atenção para a presença de sangramento (otorragia) ou saída de líquor, pois são indicativos de lesão intracraniana.

## Comentários finais

Os aspectos discutidos neste capítulo deixam claro que as lesões causadas por acidentes são a principal causa de morbimortalidade na infância, sendo considerado um problema de saúde pública no Brasil.

Pequenos acidentes podem ser evitados ou amenizados com alguns cuidados. No lar e na escola, a atenção dos cuidadores nos momentos de recreação é de extrema importância, assim como o acompanhamento e a supervisão em brinquedos nos parquinhos, que oferecem riscos de quedas ou quinas perigosas (ver Capítulo 2).

O fato de a maioria dos casos serem eventos preveníveis, torna imprescindível a implementação de ações educativas, de proteção e fiscalização dos órgãos competentes, para que seja possível a redução dessas ocorrências.

Além disso, é importante destacar que a população mais vulnerável é, justamente, aquela com maior dificuldade de acesso aos serviços de saúde, como a população de baixa renda, o que evidencia a necessidade de políticas direcionadas para essas demandas.

## Referências


- American College of Surgeons. Advanced Trauma Life Support (ATLS). Student Course Manual. 10. ed. Chicago: American College of Surgeons; 2018.
- Brasil. Ministério da Saúde. Secretaria de Atenção à Saúde. Protocolos de Intervenção para o SAMU 192 – Serviço de Atendimento Móvel de Urgência. 1. Emergências Clínicas. 2. Emergências Traumáticas. 3. Emergências Pediátricas. 4. Emergências Obstétricas. 5. Procedimentos. 6. Protocolos Especiais. Brasília: Ministério da Saúde; 2016.
- Brasil. Ministério da Saúde. Secretaria de Vigilância em Saúde. Coordenação-Geral de Desenvolvimento da Epidemiologia em Serviços. Guia de Vigilância em Saúde: volume único

[internet]. 2. ed. Brasília: Ministério da Saúde; 2017. [acesso 17 mar 2018]. Disponível em: http://portalarquivos.saude.gov.br/images/pdf/2017/outubro/06/ Volume-Unico-2017.pdf.

- Brasil. Ministério da Saúde. Sistema de Vigilância em Saúde. Departamento de Vigilância de Doenças e Agravos Não Transmissíveis e Promoção da Saúde. VIVA: Vigilância de Violências e Acidentes: 2013 e 2014 [internet]. Brasília: Ministério da Saúde, 2017, p. 41. [acesso em 18 out 2019]. Disponível em: http://bvsms.saude.gov.br/bvs/publicacoes/viva_vigilancia_violencia_acidentes_2013_2014.pdf.
- Criança Segura Brasil. Evite acidentes. Aprenda a prevenir. [acesso em 30 jul 2018]. Disponível em: http://criancasegura.org.br/evite-acidentes/.
- Ferreira AVS, Baracat ECE, Simon Junior H, Abramovici S. Emergências pediátricas. 2. ed. Revisada e ampliada. São Paulo: Atheneu; 2010.
- Guareschi APDF, Vasques RCY, Souza ABG. Avaliação do desenvolvimento neuropsiciomotor. In: Souza ABG. Manual prático de enfermagem pediátrica. Rio de Janeiro: Atheneu; 2017.
- Kosugi EM, HigaNakao L, Mendes Neto JA, Barros BBC, Gregório LC. Epistaxe: Diagnóstico e tratamento. Rev Bras Med [Internet]. 2014;71(9):323-28. [acesso em 10 mar 2018]. Disponível em: http://www.moreirajr.com.br/revistas.asp?fase=r003&id_materia=5933.
- Larrabee R. PRICE: Protection, Rest, Ice, Compression and Elevation for Injuries. Health Library. [acesso em 15 mai 2018]. Disponível em: http://www.lancastergeneralhealth.org/LGH/HWI/Physician-Chronicles/PRICE--Protection,-Rest,-Ice,-Compression---Elevat.aspx.
- Lopes FA, Campos Júnior D. Tratado de pediatria: Sociedade Brasileira de Pediatria. 2. ed. Barueri: Manole; 2010.
- Malta DC, Mascarenhas MDM, Silva MMA da, Carvalho MGO de, Barufaldi LA, Avanci JQ et al. A ocorrência de causas externas na infância em serviços de urgência: aspectos epidemiológicos, Brasil, 2014. Ciênc Saúde Coletiva [Internet]. 2016;21(12):3729-44. [acesso em 6 abr 2018]. Disponível em: http://www.scielo.br/scielo.php?script=sci_arttext&pid=S1413-81232016001203729.
- Marsac ML, Donlon KA, Hildenbrand AK, Winston FK, Kassam-Adams N. Understanding recovery in children following traffic-related injuries: exploring acute traumatic stress reactions, child coping, and coping assistance. Clin Child Psychol Psychiatry. 2014;19(2):233-43. [acesso 9 abr 2018]. Disponível em: https://www.ncbi.nlm.nih.gov/pmc/articles/PMC3981392/.
- Nikoyan L, Matthews S. Epistaxis and hemostatic devices. Oral and maxillofacial Surgery Clinics of North America [internet]. 2012; 24(2): 219-28. [acesso em 10 mar 2018]. Disponível em: https://www.researchgate.net/publication/224036867_Epistaxis_ and_Hemostatic_Devices.
- Orton E, Kendrick D, West J, Tata LJ. Persistence of healf inequalities in childhood injury in the UK; a population-based cohort study of children under 5. PLoSONE [internet]. 2014;9(10);1-8. [acesso em 8 abr 2018]. Disponível em: http://journals.plos.org/plosone/article?id=10.1371/journal.pone.0111631.
- Pre-Hospital Trauma Life Support (PHTLS). Comitê de Atendimento Pré-hospitalar ao Traumatizado. National Association of Emergency Medical Technician. 9. ed. Massachusetts: Jones & Bartlett Publishers; 2018.
- Stone CK, Humphries RL, Drigalla D, Stepahn M. Current Emergências Pediátricas: diagnóstico e tratamento. [Tradução: André Garcia Islabão, Jussara NT Burnier, Soraya Imon de Oliveira]. Porto Alegre: AMGH; 2016.

## Testes

**1. Responda com V, se a sentença for verdadeira ou F, se falsa. No atendimento pré-hospitalar, quando houver a presença de um objeto encravado em um ferimento, a conduta correta é:**

( ) Retirar, imediatamente, o objeto encravado.

( ) Nunca retirar um objeto encravado.

( ) O objeto encravado pode ser retirado caso esteja atrapalhando a obtenção de via aérea segura.

( ) Manter o objeto da forma como está, e encaminhar a criança, o mais rápido possível, para um atendimento hospitalar/especializado.

( ) Fixar o objeto encravado, antes de mobilizar e transportar a criança, de modo a evitar danos a outras estruturas.

**2. As lesões localizadas no tórax demandam atenção especial, por afetarem a respiração. Com relação ao trauma com perfuração da parede torácica, é incorreto dizer que:**

A. A lesão pode alterar a pressão intratorácica, impedindo que ocorra a inspiração e a expiração de maneira efetiva.

B. Se houver saída de ar, através da lesão, deve-se realizar um curativo oclusivo, de modo a não permitir que haja troca de gases pelo orifício.

C. Nos casos em que não haja saída de ar pelo ferimento, pode-se fazer um curativo oclusivo.

D. Quando houver escape de ar, através da lesão, realizar um curativo de três pontos, ocluindo o ferimento de modo a manter uma abertura que permita a saída do ar, na expiração, e sua vedação, durante a inspiração.

E. A drenagem é indicada em situações especiais.

**3. O torniquete deve ser o tratamento de escolha para a hemostasia de uma lesão exsanguinante em membros superior e inferior, quando outros métodos utilizados não obtiveram sucesso. Podemos utilizar o torniquete também quando:**

A. Não for possível um profissional exclusivo para compressão local direta.

B. Somente em sangramento arterial.

C. Somente em casos de amputação.

D. A criança apresentar dor.

E. Todas as alternativas estão incorretas.

**4. A conduta imediata, em caso de epistaxe é:**

A. Inclinar a cabeça da criança para trás, e comprimir as narinas na base do nariz.

B. Colocar um chumaço de algodão ou gaze nas narinas.

C. Encaminhar a criança, imediatamente, para o hospital.

D. Comprimir a região mole das narinas, logo abaixo do osso nasal, utilizando dois ou três dedos, inclinando a cabeça da criança para frente.

E. Lavar as narinas em água corrente.

| Respostas | |
|---|---|
| 1 | F, F, V, F, V |
| 2 | B |
| 3 | A |
| 4 | D |

# 9 Acidentes de trânsito

Camila Cazissi da Silva
Erika Sana Moraes
Luciana de Lione Melo

## Introdução

Os **acidentes não intencionais** são a principal causa de morte de crianças entre 1 e 14 anos, no Brasil, e englobam aqueles causados por **afogamento**, **sufocação**, **intoxicação**, **queimadura**, **arma de fogo**, **queda** e **acidentes de trânsito**.

De acordo com a Organização Mundial da Saúde (OMS), acidente de trânsito pode ser definido como "evento não intencional, que envolve veículos destinados ao transporte de pessoas e que, ocorrendo na via pública, pode causar lesões, deixar sequelas e causar a morte".

Os acidentes de trânsito representam um grave problema de saúde pública mundial, impactando sobre os índices de morbimortalidade, diminuindo a expectativa de vida, e aumentando os custos que envolvem o tratamento e a reabilitação.

## Dados epidemiológicos

Projeções da OMS mostram que, em 2030, os traumas causados por acidentes automobilísticos serão a quinta maior causa de morte. Essa projeção desastrosa deve-se, em grande parte, ao não cumprimento das leis de trânsito e a uma fiscalização inadequada.

Situações como a combinação perigosa de ingestão de álcool e direção, o descumprimento da obrigatoriedade do uso do cinto de segurança, inclusive no banco traseiro, e o não uso de cadeiras apropriadas para cada faixa etária, aumentam ainda mais esses índices.

Segundo o Fundo das Nações Unidas pela Infância (Unicef), milhões de crianças morrem ou apresentam sequelas permanentes decorrentes de acidentes automobilísticos. Nos países de baixa renda ou em desenvolvimento, os números são ainda mais preocupantes.

Segundo o Departamento Nacional de Trânsito (Denatran), são considerados **acidentes de trânsito** aqueles ocorridos em ruas, estradas e rodovias, que **envolvem automóveis**, **bicicletas** e **motocicletas**, e podem ser dos tipos: **colisões**, **saída de pista**, **abalroamentos**, **choque**, **atropelamentos** (de pessoa, de animal), **capotagem**, **tombamento**, sendo os atropelamentos e as colisões os tipos de maior periculosidade. Dados disponibilizados pelo Sistema de Informação sobre Mortalidade (SIM), revelam que, em 2017, ocorreram 3.865 mortes na faixa etária de 0 a 19 anos, em decorrência de **acidentes de transporte** (subgrupo V01-V99). Nesse mesmo ano, ocorreram 11.986 hospitalizações de crianças entre 1 e 14 anos. Embora os índices de mortalidade envolvendo vítimas fatais tenham apresentado uma queda significativa nos últimos anos, ainda há muito a melhorar.

Instituído em 23 de setembro de 1997, o Código de Trânsito Brasileiro, define que o trânsito, em condições seguras, é um direito de todos e dever dos órgãos e entidades componentes do Sistema Nacional de Trânsito, a estes cabendo, no âmbito das respectivas competências, adotar as medidas destinadas a assegurar esse direito.

O Sistema Nacional de Trânsito é o conjunto de órgãos e entidades da União, dos Estados, do Distrito Federal e dos Municípios, que tem por finalidade o exercício das atividades de planejamento, administração, normatização, pesquisa, registro e licenciamento de veículos, formação, habilitação e reciclagem de condutores, educação, engenharia, operação do sistema viário, policiamento, fiscalização, julgamento de infrações e de recursos e aplicação de penalidades. Seus objetivos básicos são:

- Estabelecer diretrizes da Política Nacional de Trânsito, visando a segurança, fluidez, conforto, defesa ambiental e educação para o trânsito, além de fiscalizar seu cumprimento.
- Fixar, mediante normas e procedimentos, a padronização de critérios técnicos, financeiros e administrativos para a execução das atividades de trânsito.
- Estabelecer a sistemática de fluxos permanentes de informações entre os seus diversos órgãos e entidades, a fim de facilitar o processo decisório e a integração do Sistema.

## Riscos

Algumas características relacionadas ao **desenvolvimento infantil** podem favorecer a ocorrência de acidentes, como a **dificuldade em julgar a velocidade e a distância** em que os carros estão se movendo, além da **pouca orientação quanto à direção dos sons do trânsito**, são algumas delas.

Crianças em idade pré-escolar (4 a 6 anos) não são capazes de planejar uma travessia; já as crianças em idade escolar (7 a 11 anos) apresentam outras dificuldades, como parar na calçada, olhar para os dois lados e atravessar a rua em segurança. Por vezes, podem ter opiniões equivocadas e fantasiosas sobre carros, como pensar que podem parar instantaneamente e, se elas podem ver o motorista, que ele também pode vê-las.

Os locais onde as crianças brincam também podem oferecer riscos para acidentes, como no caso dos atropelamentos. **Entradas de garagens, quintais sem cerca, ruas ou estacionamentos não são locais seguros.**

Além desses fatores, os acidentes em que a criança é ocupante do veículo são agravados quando ela não está contida por equipamentos, ou está contida de maneira inadequada.

Apesar da exigência do uso de **cadeira apropriada** e do **cinto de segurança**, de acordo com o peso da criança e sua faixa etária, ainda é possível observar o descumprimento dessa obrigatoriedade, por negligência ou imprudência do adulto responsável ao ceder à insistência da criança em não utilizar os dispositivos de segurança.

## Prevenção

A prevenção é única maneira de reduzir as taxas de morbimortalidade relacionadas com os acidentes de trânsito, especialmente dos danos causados pelas colisões e atropelamentos.

### ▪ Como ocupante do veículo

Em 1º de setembro de 2010, foi regulamentada a Resolução n. 277, de 28 de maio de 2008, do Conselho Nacional de Trânsito (CONTRAN), conhecida como **"Lei da Cadeirinha"**, que estabelece as regras do transporte de crianças menores de 10 anos, e a obrigatoriedade do uso de **dispositivos de retenção** (tiras, fechos, travamento, ajuste e fixação), em veículos, com o objetivo de garantir condições mínimas de segurança para o transporte (Figura 9.1 e Quadro 9.1).

Entre as irregularidades passíveis de penalidades, é vetado ao condutor transportar crianças: no banco da frente, mesmo presas ao cinto; ao colo; em pé; no porta-malas; em número maior que a capacidade do veículo, pois ao deslocar-se de uma dessas maneiras, o motorista coloca em risco a vida das crianças e, ainda estará sujeito a multa por falta gravíssima.

Já no primeiro ano de vigência da Lei houve uma redução de 23% no número de óbitos.

**Figura 9.1. Transporte seguro de crianças em veículos: bebê conforto, cadeira de segurança e cadeira de elevação.**

*Fonte: Adaptada de http://www.dnit.gov.br/noticias/saiba-mais-sobre-a-lei-da-cadeirinha-e-qual-modelo-corresponde-a-cada-fase-das-criancas.*

**Quadro 9.1. Recomendações para o transporte de crianças em veículos**

| *Peso ou idade* | *Tipo de assento* | *Posicionamento no banco traseiro* | *Estratégia de contenção* |
|---|---|---|---|
| Até 13 kg ou 1 ano de idade | Bebê conforto | Voltado para o vidro traseiro | Posicionar as tiras do cinto do bebê conforto através das fendas, à altura dos ombros ou pouco abaixo. Ajustá-las ao tórax, deixando um dedo de folga. |
| 9 a 18 kg ou de 1 a 4 anos | Cadeira de segurança | Voltado para frente, em posição vertical | Posicionar as tiras do cinto da cadeirinha através das fendas, à altura dos ombros ou pouco abaixo. Ajustá-las ao tórax, deixando um dedo de folga. O topo da orelha da criança não deve ultrapassar o encosto da cadeirinha. |
| 18 a 36 kg ou de 4 a 7 anos e meio | Cadeira de elevação ou *booster* | Com cinto de três pontos | Cinto de três pontos: pelo centro do ombro, do tórax e sobre os quadris. O topo da orelha da criança não deve ultrapassar o encosto do banco. |
| > 36 kg ou altura maior que 1,45 m ou dos 7 anos e meio a 10 anos | Cinto de segurança de três pontos do veículo | Com cinto de três pontos | Apoio total das costas no encosto; os joelhos devem se ajustar à borda do banco. Cinto de três pontos: pelo centro do ombro, do tórax e sobre os quadris. O topo da orelha da criança não deve ultrapassar o encosto de cabeça do veículo. |

*Fonte: Elaborado pelas autoras.*

Apesar dos evidentes benefícios, muitas crianças ainda são transportadas fora dos assentos ou utiliza-os de maneira inadequada, o que implica em sua ineficiência para conter a criança durante frenagens, curvas, colisões e capotamentos, além de não coibir a movimentação voluntária no interior do veículo.

## ▪ Atropelamento

Algumas orientações e cuidados são essenciais para que os casos de atropelamento na infância sejam prevenidos. Aqui estão algumas delas:

- A criança deve estar sempre acompanhada de um adulto, quando fora de casa.
- Manter o portão de acesso para a rua sempre fechado.
- Não permitir que as crianças brinquem em calçadas.
- Certificar-se que os carros estacionados estejam com o freio acionado.
- Segure as crianças pelo punho, em vias públicas; ande longe do meio fio.
- Mostre para a criança o risco de atravessar atrás de um carro parado; não atravessar a rua por trás de árvores e postes.
- Ensine a criança a reconhecer os sinais de trânsito.
- Ao descer de qualquer veículo, sempre fazê-lo pelo lado da calçada.
- Oriente a criança sobre a importância de fazer contato visual com motoristas, antes de atravessar a rua, para ter certeza de que eles a notaram.
- Ensine os maiores de 12 anos a atravessar a rua: olhar para os dois lados, várias vezes; utilizar, sempre, a faixa de pedestres, confirmando se o semáforo está fechado e os veículos pararam para a travessia. Treine com o adolescente até que ambos se sintam seguros.
- Oriente a criança para nunca correr na rua sem confirmar se há veículos transitando, seja para pegar uma bola, o cachorro, pipas ou por qualquer outra razão.
- Não atravessar a rua entre os veículos.
- Observar se algum veículo está entrando na via, pela esquina, ou dando a ré.

Lembre-se que o exemplo é a melhor forma de ensinar uma criança a reproduzir um comportamento.

É importante destacar que, à medida em que a criança adquire habilidades psicomotoras, ela pode vivenciar experiências mais complexas de maneira segura e receber orientações para, assim, aprender, compreender e obedecer às leis de trânsito, tornando-se um pedestre consciente.

## Tratamento pré-hospitalar

A atenção pré-hospitalar à criança consiste na abordagem inicial com: **controle das vias aéreas**, **ventilação**, **controle circulatório**, **imobilização adequada** e **encaminhamento** para a unidade hospitalar destinada. Entretanto, as intervenções adotadas dependerão se o atendimento for prestado por um socorrista leigo ou por um socorrista treinado.

Via de regra, quando o acidente ocorre em uma via pública ou em garagens e estacionamentos, os primeiros socorros são ministrados por um leigo, seja ele o familiar, um transeunte ou o próprio motorista. Se esse for o caso:

- Acione de imediato o serviço de emergência.
- Mantenha a calma.
- Tome cuidado para não ser atropelado.
- Observe o local e peça para alguém sinalizar a via (ligar o pisca-alerta, posicionar o triângulo de emergência, espalhar galhos de árvores longe do acidente etc.), e afastar os outros veículos.
- Observe as condições gerais da criança: Está respirando? Está acordada? Abre os olhos quando chamada ou tocada? Está sangrando? Tem fratura exposta?
- Desligue o motor do carro, se possível.
- Não movimente a criança, exceto se houver risco iminente de incêndio, explosão, descarga elétrica, afogamento.
- Não retire o capacete em acidentes com motocicletas.
- Se a criança apresentar dificuldade para respirar: verifique se a boca está obstruída por vômito, sangue, saliva etc.; limpe o excesso, improvisando uma luva ou usando um tecido envolto no dedo. Afrouxe o cinto de segurança ou a roupa, se necessário.

- Segure a cabeça ou o pescoço da criança, na posição em que se encontrar, para impedir a movimentação.
- Em sangramentos, proteja suas mãos com uma luva ou improvise com um saco plástico, e comprima o local por mais de 10 minutos, ininterruptamente (ver Capítulo 8).
- Não ofereça líquidos ou alimentos, mesmo que a criança solicite.
- Afaste os curiosos e aguarde o socorro especializado.

**Nos traumas pediátricos graves, o comprometimento multissistêmico é regra e não exceção.** Dessa maneira, no primeiro atendimento à vítima de acidente de trânsito deve-se considerar que todos os sistemas apresentam lesão, até que se comprove o contrário.

Como o esqueleto da criança ainda não está completamente calcificado, é mais complacente e menos capaz de absorver as forças cinéticas que ocorrem em decorrência do trauma, causando, com isso, lesões de órgãos intracavitários sem lesão óssea associada.

Quando a criança é um passageiro, o padrão de lesões envolve o **trauma múltiplo**, com **lesões de cabeça** e **pescoço**, **tórax** e **abdome**, que variam em gravidade, conforme o uso dos dispositivos de contenção. Já quando a criança é um pedestre, as lesões variam em função da velocidade do veículo e do tamanho da criança, que determinará o local do impacto: cabeça e tórax, em crianças pequenas, e tórax e abdome, em crianças maiores.

O atendimento inicial ocorre na cena do evento traumático, com o acionamento da equipe de atenção pré-hospitalar, representado pelo Serviço de Atendimento Móvel de Urgência – SAMU (192), e pelo Resgate do Corpo de Bombeiros (193) e, em casos graves, pelo helicóptero Águia, da Polícia Militar do Estado de São Paulo.

A assistência consiste no **exame primário** e na **reanimação**, quando necessária, e, depois a **estabilização** das alterações identificadas inicialmente, realiza-se o **exame secundário** e outras intervenções, seguida pela **reavaliação** do quadro e, por fim, os **cuidados definitivos**, já no cenário de atenção hospitalar (ver ao final do capítulo o *Anexo: Escore de Trauma Pediátrico*).

O exame primário obedece à recomendação do *Advanced Trauma Life Support* (**ATLS**), do Colégio Americano de Cirurgiões, seguindo o **"ABCDE"**. O foco inicial é garantir a abertura das vias aéreas (*airway*), avaliação da respiração (*breathing*), avaliação da qualidade da circulação (*circulation*), seguida de uma rápida avaliação neurológica (*disability*) e a exposição do corpo (*exposition*). Um panorama dessas condutas é apresentado, a seguir.

## Exame primário

### ▪ Vias aéreas

A prioridade imediata e o foco principal são o tratamento das vias aéreas, identificando **obstruções** parcial ou total determinadas por secreções, corpos estranhos ou mesmo pela perda da sustentação da base da língua. A abordagem prima por manter a permeabilidade, que é fundamental para a manutenção da ventilação.

A posição neutra da cabeça protege a região cervical e, também, assegura a manutenção da **permeabilidade de vias áreas**. Para crianças pequenas, que possuem a região occipital mais proeminente, é necessário utilizar um coxim de 2 a 3 cm de altura, sob o tronco, na altura dos ombros, para evitar a flexão do pescoço e manter as vias aéreas retificadas, exceto no caso em que houver suspeita de trauma raquimedular.

Em caso de evidência de obstrução ou parada respiratória, utilizam-se manobras de manutenção das vias aéreas, com **bolsa válvula-máscara** ou mesmo obtendo uma via aérea definitiva, pela **intubação orotraqueal**, de preferência.

A monitorização da ventilação é feita por meio da avaliação dos sinais clínicos, como: frequência respiratória, expansibilidade torácica, presença de cianose central (boca), saturação periférica de oxigênio ($SpO_2$).

### ▪ Respiração

Para a avaliação rápida da respiração:

- Verifique a frequência respiratória, que se mantem em torno de 40 movimentos por minuto (mpm) em crianças menores de 1 ano; de

30 a 40 mpm, em crianças entre 1 e 4 anos; e de 20 a 30 mpm, em crianças maiores.

- Monitore a $SpO_2$.
- Identifique sinais de dispneia: esforço respiratório; batimento de aletas nasais; retrações torácicas com o uso de musculatura acessória; movimento de balanço (balancim).
- Ausculte os campos pulmonares.
- Teste o nível de consciência.

A criança com trauma significativo necessita de uma concentração de oxigênio (fração inspirada de $O_2$ – $FIO_2$), que varia de 85 a 100%, podendo ser ofertado por máscara facial ou pelo tubo orotraqueal.

Crianças sem via aérea definitiva devem ser avaliadas constantemente, pois o esforço respiratório pode progredir rapidamente para insuficiência respiratória, seguida de parada respiratória.

## Circulação

A avaliação da circulação, com controle de sangramento aparente, é o próximo passo do atendimento. Lesões tegumentares e fraturas desalinhadas de ossos longos são os principais focos e devem ser controlados por meio de curativos compressivos.

Contudo, é importante destacar que lesões com sangramento externo tem baixa incidência na população pediátrica, sendo mais comuns **lesões de vários órgãos**, com pelo menos um componente de sangramento.

Para a avaliação do estado hemodinâmico:

- Verifique a frequência cardíaca, que se mantem em torno de 130 batimentos por minuto (bpm), em crianças menores de 1 ano; de 100 a 120 bpm, entre 1 e 4 anos; e de 90 a 100 bpm, nas crianças acima de 4 anos.
- Monitore a pressão arterial a cada 15 minutos.
- Avalie a coloração das mucosas e a perfusão periférica.

A preocupação seguinte é a obtenção de **acesso venoso vascular**, para **reposição volêmica** à criança com hipotensão ou sinais de choque. É desejável a punção de dois acessos periféricos com cateteres curtos e calibrosos, mas isso nem sempre é simples. No paciente instável, por exemplo, recomenda-se que o socorrista realize até duas tentativas dentro de 90 segundos e que, em caso de insucesso, busque o acesso intraósseo na porção anterior da tíbia, método que permite a infusão adequada de grandes volumes.

## ▪ Estado neurológico

A integridade do sistema nervoso pode ser superficialmente avaliada, mesmo pelo leigo, observando-se alguns sinais de normalidade na criança:

- Está acordada ou é facilmente despertada.
- Atende aos comandos verbais.
- Respira sem dificuldade.
- Movimenta os dedos das mãos e dos pés.
- Pupilas simétricas, medindo em torno de 0,3 a 0,5 mm e reativas à luz.

Para avaliar o comprometimento da consciência, o profissional utiliza a **escala de coma de Glasgow** (ECG), com base em três parâmetros: abertura ocular, resposta motora e resposta verbal (Quadro 9.2), totalizando 3 a 15 pontos. Em 2018, os neurologistas Paul Brennan, Gordon Murray e Graham Teasdale descreveram a ECG combinada ao Escore de Reação Pupilar (*Pupilar Reactivity Score* ou PRS), configurando a ECG-P. Esse novo instrumento apresentou, em diferentes estudos, um maior valor prognóstico, tanto sobre a mortalidade quanto sobre o desfecho desfavorável e está em fase de validação para pacientes pediátricos.

Por fim, **expor todo o corpo** para checar a presença de lesões, o que deve ser feito com **controle térmico** para evitar a hipotermia.

**Quadro 9.2. Escala de coma de Glasgow pediátrica (2018)**

| ***Indicador*** | ***Criança > 1 ano*** | ***Criança < 1 anos*** | ***Pontuação*** |
|---|---|---|---|
| Abertura dos olhos (AO) | Espontânea<br>Ao som<br>À pressão<br>Ausente<br>Não testável | Espontânea<br>Ao som<br>À pressão<br>Ausente<br>Não testável | 4<br>3<br>2<br>1<br>NT |
| Resposta verbal (RV) | Orientado<br>Confuso<br>Palavras<br>Sons<br>Ausente<br>Não testável | Sorri, acompanha<br>Choro consolável<br>Choro persistente, gemente<br>Agitada, inquietação<br>Ausente<br>Não testável | 5<br>4<br>3<br>2<br>1<br>NT |
| Resposta motora (RM) | Obedece a ordens<br>Localizadora<br>Flexão normal<br>Flexão anormal<br>Extensão<br>Ausente<br>Não testável | -<br>Localizadora<br>Flexão normal<br>Flexão anormal<br>Extensão<br>Ausente<br>Não testável | 6<br>5<br>4<br>3<br>2<br>1<br>NT |

*Fonte: Brennan et al., 2018; escala de coma de Glasgow (http://www.glasgowcomascale.org/).*

## Exame secundário

Para o exame secundário deve-se seguir alguns princípios. Primeiro, ele só deve ser iniciado depois de terminado o exame primário, o tratamento das lesões que ameaçam a vida da criança e a reavaliação do quadro. Somente, então, o profissional faz uma análise pormenorizada, no sentido **da cabeça aos pés**, a fim de identificar outras alterações e indicar a necessidade de exames subsidiários.

Outro princípio primordial diz respeito a não retardar o imediato tratamento de uma lesão já diagnosticada, apenas para completar o exame clínico, que deverá ser concluído quando a abordagem terapêutica permitir.

### ▪ Transporte

Considera-se a primeira hora pós-lesão como o período crítico e que influencia, diretamente, nas taxas de mortalidade; por isso, é fundamental o rápido transporte da vítima para o atendimento hospitalar.

O transporte é um dos elementos da cadeia de eventos que integram o sistema organizado para atendimento do traumatizado, e ocorre em pelo menos um momento: da cena do acidente até a unidade de saúde especializada.

A criança deve ser direcionada, preferencialmente, a um centro hospitalar referência em traumatologia pediátrica, o mais próximo da ocorrência, que disponha de recursos tecnológicos e equipes treinadas em pronto atendimento e terapia intensiva. O suporte nesses centros contribui para a redução das taxas de mortalidade do trauma, apresentando números em torno de 10%, enquanto as obtidas em serviços não especializados variam entre 15 e 20%.

## Tratamento especializado

Na unidade hospitalar, a criança vítima de trauma por acidente de trânsito é reavaliada pela equipe de emergência em relação a: permeabilidade de vias aéreas, padrão respiratório e hemodinâmico, e quadro neurológico, além da identificação de outras lesões que não tenham sido diagnosticadas ou abordadas pelo serviço pré-hospitalar, considerando-se, sempre, a possibilidade do trauma multissistêmico.

A partir dessa avaliação, os casos mais graves são encaminhados para a Unidade de Terapia Intensiva Pediátrica (UTIP), onde a **hipóxia**, a **hemorragia** e o **trauma cranioencefálico** (TCE) grave, causas frequentes de morte, são monitorados e tratados.

Na UTIP, a monitorização multiparamétrica e a observação contínua da criança pela equipe de enfermagem são importantíssimas. Entre os dados monitorados, destacam-se:

- Eletrocardiograma contínuo (ECG).
- $SpO_2$ e sinais vitais.
- Pressão arterial invasiva; pressão venosa central (PVC); débito urinário, nos casos de instabilidade hemodinâmica.
- Balanço hídrico.
- Avaliação neurológica: Glasgow.
- Ventilação mecânica, capnografia e oxigenoterapia.

- Avaliação do padrão respiratório: expansibilidade, presença de sinais de desconforto (retrações, taquipneia, balancim); cianose; ruídos adventícios.

## ▪ Lesões específicas

Os acidentes de trânsito podem lesar diferentes regiões do corpo, que necessitarão de cuidados específicos em unidade de emergência hospitalar. A maioria dessas lesões são potencialmente fatais e só podem ser manejadas por socorristas profissionais.

### • Trauma cranioencefálico

Trauma cranioencefálico é definido como qualquer agressão que resulte em lesão anatômica ou comprometimento de couro cabeludo, crânio, meninges ou encéfalo. A lesão cerebral traumática ocorre, na maioria das vezes, como resultado de uma queda ou de um acidente de trânsito grave, e se constitui como a principal causa de morte e sequelas na faixa etária pediátrica.

Os sinais e sintomas podem ser imediatos ou tardios. As crianças menores apresentam **irritabilidade**, **convulsão**, **sonolência**, **vômito em jato** e, as maiores, podem mostrar **confusão mental**, **desorientação**, referir **dor de cabeça** e **visão turva**.

É importante conhecer como a injúria ocorreu, e se a criança perdeu a consciência.

No ambiente extra-hospitalar, o socorrista não deve manipular a criança até a chegada de socorro especializado. Se houver uma lesão com sangramento, faça compressão com um tecido limpo.

Observe a presença de algum déficit, como paralisia de membros, e se as alterações estão progredindo.

A principal complicação do TCE é a **hipertensão intracraniana** e lesão cerebral por **herniação**. Nesses casos, a monitorização da pressão intracraniana (PIC) está indicada em toda criança que apresente escores na **escala de coma de Glasgow menor ou igual a 8**, o que, também, determina a necessidade de **intubação** e **ventilação mecânica**.

## • Trauma raquimedular

O traumatismo raquimedular é uma **lesão na coluna vertebral**, incluindo ou não a medula ou as raízes nervosas, em qualquer dos seus segmentos: cervical, dorsal, lombossacro.

É um **quadro neurológico crítico**. Diante da suspeita de trauma raquimedular, o cuidado oferecido à vítima, desde a cena até o cenário hospitalar, envolve a **estabilização da coluna** e **manipulação cautelosa** quando houver necessidade de intervenções, como a intubação.

A criança deverá ser mantida na posição em que foi encontrada.

No atendimento especializado, é aplicado o **colar cervical**, adequado para idade e tamanho, e cabeça, pescoço, tronco e pelve são alinhados, em posição neutra, até a realização de exame de imagem e avaliação minuciosa por equipe especializada.

## • Trauma torácico

Na infância, por não apresentar o desenvolvimento ósseo completo, é possível a presença de **lesões torácicas fechadas**, sem fratura dos arcos costais, que ainda se mostram flexíveis.

As lesões em decorrência do trauma torácico são graves, com **alto índice de mortalidade**, em razão da evolução com hemorragia e hipóxia. O maior risco são as lesões parenquimatosas, como a contusão pulmonar, pneumotórax e hemotórax. A criança vítima desse tipo de trauma é internada em UTI e monitorada quanto ao padrão respiratório, expansibilidade torácica e saturação de oxigênio.

O tratamento, muitas vezes, necessita de ventilação mecânica para manter a relação ventilação-perfusão adequada e, nos casos em que houver pneumotórax ou hemotórax, será necessária a drenagem.

## • Trauma abdominal fechado

A marca do cinto de segurança sobre o abdome de uma criança é um indicador de possíveis lesões intra-abdominais, que podem ser graves, devido ao risco de grandes hemorragias associadas à **ruptura de órgãos**, como baço, fígado e rins, sendo o baço o mais afetado.

A abordagem terapêutica do trauma abdominal fechado envolve, inicialmente, a **avaliação cuidadosa do abdome** e do **equilíbrio hemodinâmico** da vítima: distensão abdominal, dor, alteração na coloração do abdômen, palidez cutânea, sonolência ou inconsciência etc.

Nos casos que evoluem com hemorragia abdominal com sangramento ativo, instabilidade hemodinâmica, apesar de reposição volêmica, ou suspeita de perfuração de víscera oca, a conduta é cirúrgica.

- Trauma de extremidades

O esqueleto da criança está em crescimento ativo e é composto por tecido cartilaginoso e zonas de crescimento, metabolicamente ativas. Em função disso, as crianças com trauma esquelético suportam grandes forças, antes de apresentarem fraturas de ossos longos ou luxações, sendo as fraturas incompletas, em "galho verde", as mais comuns.

## Comentários finais

Os acidentes de transporte, envolvendo crianças, causam milhões de mortes e sequelas neurológicas irreversíveis, que podem necessitar de uso de suporte ventilatório, nutricional e locomotivo. A prevenção é primordial para evitar e minimizar essas consequências, o atendimento sistematizado à criança e à família é capaz de reduzir a mortalidade.

Assim, educar para o trânsito parece ser uma das poucas medidas capazes de diminuir as taxas dessa tragédia social. Programas educativos com a finalidade de ensinar crianças e pais a se comportarem no trânsito, e assegurar espaços para que a criança possa brincar com segurança, são aspectos que merecem a atenção da sociedade.

Outro aspecto a ser considerado diz respeito ao acompanhamento da criança acidentada e da família, em função das diversas demandas de cunho emocional e social, como sentimento de culpa e a necessidades de reorganização da rotina e dinâmica familiar, que necessitam de apoio e cuidado profissional.

## Referências


- AAP – Committee on Pediatric Emergency Medicine, Council on Injury, Violence, and Poison Prevention, Section on Surfery, Section on Transport Medicine, Pediatric Trauma Society, Society of Trauma Nurses, Pediatric Committee. Management of Pediatric trauma. Pediatrics. 2016;138(2):1-11.
- Ahmed OZ, Burd RS. Management Issues in critically ill pediatric. Patients with Trauma. Pediatr Clin N Am. 2017;64(5):973-90.
- Alencar R. Escala de Coma de Glasgow: o que mudou e pode revolucionar a avaliação de TCE. PebMed. 2018. [acesso em 10 ago 2018]. Disponível em: https://pebmed.com.br/escala-de-coma--de-glasgow-o-que-mudou-e-pode revolucionar-a-avaliacao-de-tce/.
- American College of Surgeons. ATLS Manual do Curso – Advanced Trauma Life Support. 9. ed. Illinois: American College of Surgeons; 2014.
- Brandão MB. Traumatismo cranioencefálico. In: Lopes CE, Brandão MB, Vilela R. Terapia intensiva em pediatria. São Paulo: Sarvier; 2010. p. 603-15.
- Brennan PM, Murray GD, Teasdale GM. Simplifying the use of prognostic information in traumatic brain injury. Part 1: The GCS-Pupils score: an extended index of clinical severity. [acesso em 10 ago 2018]. J Neurosurg, 2018;128(6):1612-20. Disponível em: http://thejns.org/doi/full/10.3171/2017.12.JNS172780.
- Criança Segura Brasil. Criança segura no carro. [acesso em 5 mar 2018]. Disponível em: http://www.criancasegura.org.br.
- Groben VJ, Rodgers CC. A criança com disfunção cerebral. In: Hockenberry MJ, Wilson D. Wong fundamentos de enfermagem pediátrica. 9. ed. Rio de Janeiro: Guanabara-Koogan; 2014.
- Jorge MHPM, Martins CBG. A criança, o adolescente e o trânsito: algumas reflexões importantes. [acesso em 10 ago 2018]. Rev Assoc Med Bras. 2013;59(3):199-208. Disponível em: http://www.scielo.br/scielo.php?script=sci_arttext&pid=S010442302013000300001.
- Brasil. Ministério da Justiça. Código de Trânsito Brasileiro. Lei n. 9.503, de 23 de setembro de 1997. [acesso em 10 mar 2018]. Disponível em: http://www.planalto.gov.br/ccivil_03/leis/L9503Compilado.htm.
- Brasil. Ministério da Justiça. Resolução n. 277, de 28 de maio 2008. Dispõe sobre o transporte de menores de 10 anos e a utilização do dispositivo de retenção para o transporte de crianças em veículos. [acesso em 2018 maio 24]. Disponível em: http://www.denatran.gov.br/download/Resolucoes/RESOLUCAO_CONTRAN_277.pdf.
- Brasil. Ministério da Saúde. Portaria MS/GM de 18 de maio de 2001. Política Nacional de Redução da Morbimortalidade por Acidentes e Violências. Brasília: Diário Oficial da União; 2001. Seção 1e.
- Brasil. Ministério da Saúde. Departamento de Informática do Sistema Único de Saúde- SUS. DATASUS. [acesso em 15 mar 2018]. Disponível em: http://datasus.saude.gov.br/informacoes-de-saude/tabnet.
- Organización Mundial de la Salud. Informe sobre la situación mundial de la seguridad vial: es hora de pasar a la acción. Genebra: OMS; 2009. [acesso em 10 mar 2018]. Disponível em: http://www.who.int/violence_injury_prevention/road_safety_status/report/web_version_es.pdf.
- Ramos TCO, Souza JA, Ramos ICO, Lima RM. Trauma abdominal fechado: manejo na UT em um hospital pediátrico terciário. Arq Catarin Med. 2016 abr-jun;45(2):67-78. [acesso em 10 ago 2018]. Disponível em: http://www.acm.org.br/acm/seer/index.php/arquivos/article/view/77/88.
- PHTLS. Atendimento pré-hospitalar ao traumatizado. 8. ed. Porto Alegre: Artmed; 2016.
- Schvartsman C, Carrera R, Abramovici S. Avaliação e transporte da criança traumatizada. J Pediatr. 2005;81(5):223-29.
- Snyder CW, Chandler NM, Litz CN, Pracht EE, Danielson PD, Ciesla DJ. Immature Patients in a Mature System: Regional Analysis of Florida's Pediatric Trauma System. J Trauma Acute Care Surg. 2017;83(4):711-15.
- United Nations Children's – UNICEF. The State of the World's Children 2015 Executive Summary. Nova York: Unicef; 2015. [acesso em 10 2018]. Disponível em: http://www.unicef.org/publications/files/SOWC_2015_ Summary_and_Tables.pdf.

## Testes

**1. Após um atropelamento envolvendo uma criança, o socorrista leigo deve:**

A. Imobilizar a criança e improvisar um colar cervical.

B. Acionar o SAMU e posicionar a criança em decúbito lateral, para evitar a aspiração de vômito.

C. Sinalizar o local, e manter a vítima na posição em que ela se encontra, exceto se houver risco iminente de incêndio.

D. Acionar o SAMU e sentar a vítima.

E. Segurar o pescoço na posição em que a cabeça se encontra, e oferecer água para hidratar.

**2. Segundo as recomendações de atendimento à vítima de acidente de transporte, qual a sequência ideal para a realização do exame primário:**

A. Circulação, vias aéreas, respiração, estado neurológico.

B. Estado neurológico, vias aéreas, respiração, circulação.

C. Vias aéreas, respiração, circulação, estado neurológico, exposição.

D. Circulação, respiração, vias aéreas, estado neurológico, exposição.

E. Exposição, vias aéreas, respiração, circulação, estado neurológico.

**3. A Resolução n. 277, de 28 de maio de 2008, estabelece as regras para o transporte de crianças em veículos, com o objetivo de garantir condições mínimas de segurança. De acordo com essa resolução, como deve ser realizado o transporte de um lactente de dois meses:**

A. Em bebê conforto, que deve estar posicionado voltado para o vidro traseiro do veículo, e tiras de segurança ajustadas ao tórax, deixando um dedo de folga.

B. Na cadeirinha de segurança, posicionada voltada para a frente do veículo, e tiras de segurança ajustadas ao tórax, com um dedo de folga.

C. Em bebê conforto, que deve estar posicionado voltado para a frente do veículo, e tiras de segurança ajustadas ao tórax, com um dedo de folga.

D. Ao colo do adulto, que estará com cinto de segurança de três pontos, afivelado.

E. Dentro de cesto portátil, tipo Moisés, fixado com o cinto de dois pontos.

**4. A avaliação do estado neurológico em criança com suspeita de trauma, decorrente de acidente de transporte, deve incluir:**

A. Estado de consciência; fontanela anterior, em vítima com até 6 meses de vida; tamanho e fotorreação pupilar, bilateral.

B. Escala de coma de Glasgow, que compreende: abertura ocular, resposta motora e resposta verbal adequadas para cada faixa etária e avaliar o tamanho e fotorreação pupilar bilateral.

C. Escala de coma de Glasgow que compreende: abertura ocular e resposta motora adequadas para a faixa etária; tamanho das pupilas, que devem variar entre 0,3 e 1,0 mm.

D. Escala de coma de Glasgow, que compreende: abertura ocular e resposta verbal adequadas para a faixa etária.

E. Nível de atenção; tamanho das pupilas.

**5. A avaliação pré-hospitalar do estado circulatório em criança com suspeita de trauma, por acidente de transporte, deve incluir:**

A. Frequência respiratória, dor, perfusão periférica, nível de consciência.

B. Frequência cardíaca, temperatura axilar, coloração das extremidades.

C. Frequência cardíaca, pressão arterial, coloração das mucosas e perfusão periférica.

D. Frequência respiratória, fotorreação pupilar, pressão arterial.

E. Frequência cardíaca, pressão arterial, coloração das mucosas, febre.

| Respostas | |
|---|---|
| 1 | C |
| 2 | C |
| 3 | A |
| 4 | B |
| 5 | C |

# Anexo

| Escore de Trauma Pediátrico | | | |
|---|---|---|---|
| ***Características*** | ***+2*** | ***+1*** | ***-1*** |
| Peso (em kg) | > 20 | 10 a 20 | < 10 |
| Vias aéreas | Normal | Assistida por máscara ou cânula de oxigênio ($O_2$) | Avançada: intubação ou cricotireoidostomia |
| Pressão arterial sistólica (mmHg) | > 90 ou pulsos periféricos bons, boa perfusão | 50 a 90 ou pulsos centrais palpáveis (carotídeo e femural) | < 50 ou pulsos fracos ou ausentes |
| Nível de consciência | Acordado | Obnubilado, perda da consciência | Coma, irresponsivo |
| Lesões de pele | Nenhuma lesão visível | Contusão, abrasão, laceração < 7 cm, sem atingir a fáscia | Perda tecidual, lesão por arma de fogo ou branca, atinge a fáscia |
| Fratura | Nenhuma | Fratura fechada única | Fraturas expostas ou múltiplas |

*Escore varia de +12 (menos grave) a –6 (mais grave).*

*Escores entre –1 e +8: a criança deve ser transportada para hospital terciário.*

*Fonte: Brasil – Ministério da Saúde, 2016.*

# 10 Acidentes por picadas de insetos

Herberto José Chong Neto
Vânia de Oliveira Carvalho

## Introdução

Embora as picadas de insetos ocorram com frequência, a maioria dos indivíduos não apresenta reações. No momento da picada são introduzidas substâncias potencialmente antigênicas nos tecidos humanos, como saliva e veneno e, em indivíduos predispostos, podem provocar reações locais, que variam de leves a graves, além de reações sistêmicas.

Indivíduos com história de picadas de insetos, que causam reações locais recorrentes, e aqueles com manifestações generalizadas, requerem avaliação e tratamento. Este capítulo propõe revisar as características clínicas, fisiopatológicas e terapêuticas desses eventos e foi subdividido em: prurigo estrófulo e alergia a picada de insetos.

## Prurigo estrófulo

O prurigo estrófulo é uma **dermatose** desencadeada por **reação de hipersensibilidade** provocada por antígenos existentes na saliva dos insetos, denominado, também, de **urticária papular**. Na presença de um número suficiente de picadas de insetos em indivíduos suscetíveis ocorrerá a doença, que se manifesta por **erupção papular pruriginosa crônica** e, mais frequentemente, recidivante. É uma das queixas mais frequentes nos consultórios de pediatras e acomete crianças entre 2 e 10 anos de idade, gerando desconforto, para a criança, e angústia, para os familiares, que, muitas vezes, desconhecem o agente causal.

## ▪ Etiologia e fisiopatologia

Os agentes etiológicos mais comuns pertencem a ordem: *Diptera* (mosquitos, moscas, pernilongos, borrachudos, mutucas), *Siphonaptera* (pulgas), *Ixodida* (carrapatos) e *Hemiptera*, família *Cimicidae*, que tem emergido nos últimos anos (percevejos "de cama", barbeiros).

O tempo necessário para que ocorra a **sensibilização** varia de criança para criança e depende, também, de algumas condições, como a quantidade de picadas e o número de exposições. Após ter sido sensibilizada, a criança apresentará a reação. Em geral, a doença tem início entre os 12 e os 24 meses de vida, mas poderá ser mais precoce nas crianças intensamente expostas aos insetos. O tipo de reação se modificará até que ocorra a tolerância, o que acontece ao redor dos 10 anos.

A fisiopatologia envolve reação imune aos antígenos presentes na saliva do inseto, e dela participam eosinófilos, linfócitos T CD4, além das imunoglobulinas E e G. Inicialmente, a criança é picada e não ocorre reação – **período de indução**; a seguir, a picada desencadeará diferentes tipos de respostas até que seja induzida a **tolerância** (Quadro 10.1).

**Quadro 10.1. Estágios de reação imunológica no prurigo estrófulo**

| ***Estágio*** | ***Reação*** |
|---|---|
| Estágio 1 – período de indução | Sem lesões visíveis |
| Estágio 2 | Reação de hipersensibilidade retardada tipo IV |
| Estágio 3 | Reação retardada e imediata tipo I e IV |
| Estágio 4 | Reação imediata apenas (sem reação tipo IV) |
| Estágio 5 – tolerância | Nenhuma reação |

*Fonte: Elaborado pelos autores.*

As lesões perduram por dias a semanas e podem ser múltiplas, mesmo nas crianças que não foram expostas a muitos insetos. A presença de reação tipo IV explica a cronicidade das lesões.

É importante destacar que o tempo transcorrido entre a picada e a formação da reação cutânea, que caracteriza a doença, aumentará de acordo com a maior exposição da criança ao antígeno, e isso dificulta a identificação do agente pelos pais. Com o passar do tempo e das sucessivas picadas, a pele apresentará lesões que ocorreram há algumas semanas e, outras, que ocorreram há alguns dias, de maneira simultânea, além de outras novas que surgirão sempre que houver um novo contato, até que o agente seja eliminado ou que a reação de sensibilização deixe de ocorrer, alguns anos depois.

## ▪ Quadro clínico

O diagnóstico clínico pode ser realizado segundo a mnemônica **SCRATCH**, sugerida, em 2006, pelos pediatras americanos Raquel G. Hernandez e Bernard A. Cohen: *symmetric distributtion* – **distribuição simétrica**; *clusters of different coloration* – **agrupadas com diferentes colorações**; *rover not required* – **animal de estimação não necessário para o diagnóstico**; *age specific* – **idade específica**, geralmente entre 2 e 10 anos; *target lesions and time* – **lesões com ponto central e tempo de duração**; *confused pediatric/parent* – **confusão/dúvida do médico e pais sobre a etiologia das lesões**, *household with single family member affected* – **único membro na família afetado**.

A pele apresenta pápulas urticarianas, distribuídas de forma linear e aos pares, o que evidencia o hábito alimentar do inseto, que pica e se desloca, determinando as características lesões em "café da manhã, almoço e jantar" (Figura 10.1).

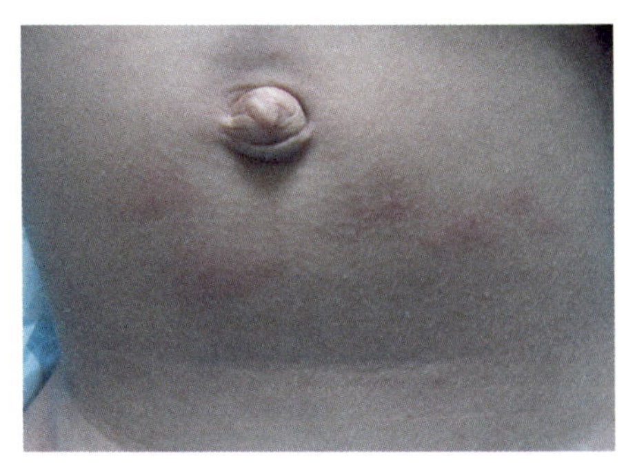

**Figura 10.1. Pápulas eritematosas com distribuição linear e aos pares, no abdômen.**

*Fonte: Arquivo da autora Vânia de Oliveira Carvalho.*

O número de lesões varia de algumas poucas até disseminadas. As urticas podem desaparecer em algumas horas, permanecendo lesões características, como as papulovesículas ou seropápula de Tomazoli (Figura 10.2), e pápulas de diferentes tamanhos, variando entre 3 e 5 mm, recobertas por pequenas crostas de sangue. Assim, é possível encontrar lesões em diferentes estágios, em uma mesma região anatômica (Figura 10.3).

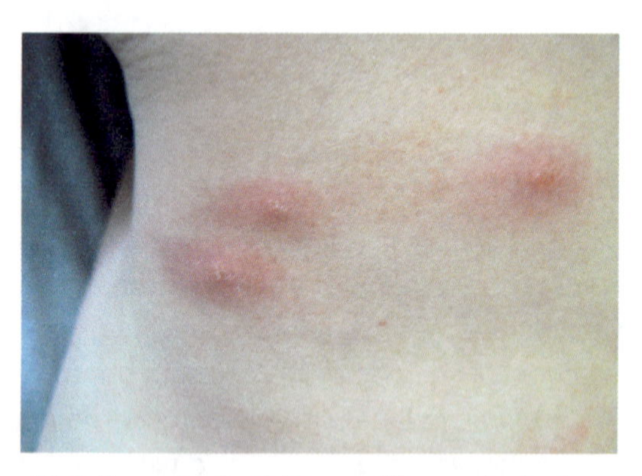

**Figura 10.2. Seropápula de Tomazolli, caracterizada por halo eritematoso e pápula com vesícula central.**

*Fonte: Arquivo da autora Vânia de Oliveira Carvalho.*

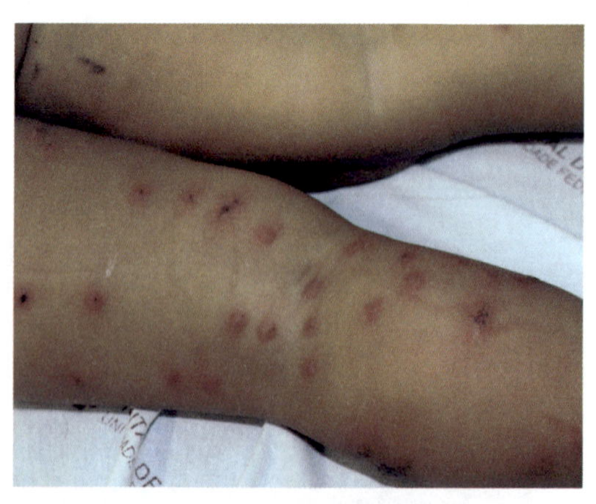

**Figura 10.3. Presença de lesões pleomórficas com pápulas eritematosas, algumas com crostas hemáticas centrais, outras com vesículas.**

*Fonte: Arquivo da autora Vânia de Oliveira Carvalho.*

As formas vesiculosas e bolhosas são menos frequentes, e ocorrem mais nas extremidades dos lactentes e nas picadas causadas por formigas.

As lesões são **pruriginosas**, o que determina **escoriações**. As seropápulas duram de 4 a 6 semanas e evoluem para manchas hipocrômicas ou hipercrômicas (Figura 10.4), cuja melhora pode demorar meses. As áreas expostas são mais acometidas, como a região extensora de membros, causadas por mosquitos, e do tronco, causadas por pulgas. As reações provocadas pelas picadas são menos frequentes na face, palmas das mãos, plantas dos pés, axila, e não ocorrem nas regiões genital e perianal.

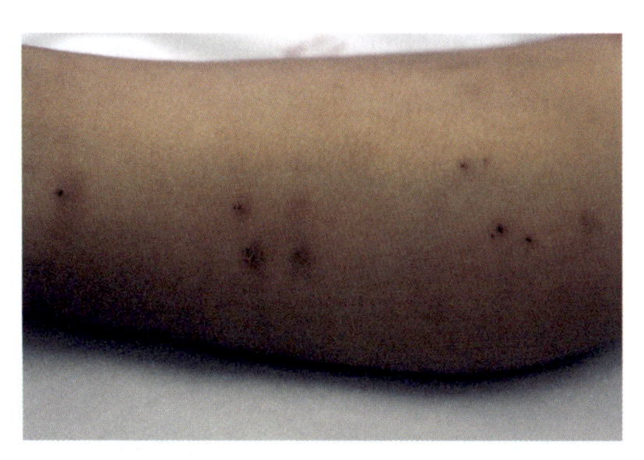

**Figura 10.4. Lesões residuais com máculas hipercrômicas e crostícula hemática central.**

*Fonte: Arquivo da autora Vânia de Oliveira Carvalho.*

Pode ser difícil identificar o agente causal, mas o padrão de distribuição e a localização das lesões possibilitam levantar a suspeita do inseto causador da doença. Assim, aquelas de aspecto papular, apresentadas em grupos de dois ou três, em áreas cobertas, como o tronco, com disposição linear e próxima aos elásticos da parte superior da roupa íntima sugerem as pulgas como desencadeantes (Figura 10.5). Além da pulga humana (*Pulex irritans*), as pulgas dos gêneros animais, como as de gatos (*Ctenocephalis felis*) e de cães (*Ctenocephalis canis*), também determinam a doença, principalmente quando o animal de estimação apresenta infestação grave. Lesões papulares isoladas são características de picadas de mosquitos, como os pernilongos, e localizam-se, de preferência, nas extremidades expostas do corpo.

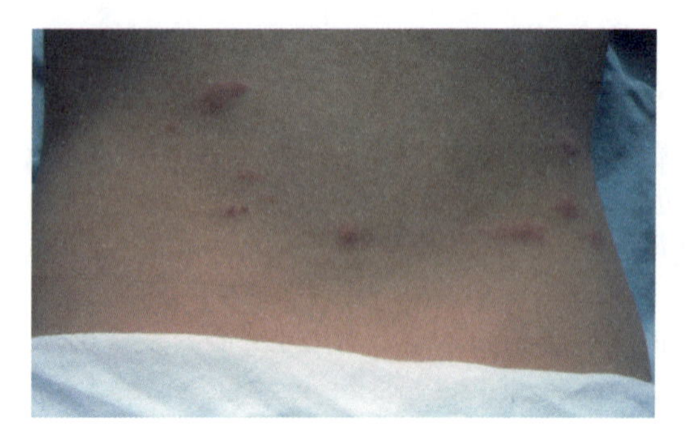

**Figura 10.5. Pápulas com distribuição linear no limite da área coberta pela roupa, características de picadas de pulga.**

*Fonte: Arquivo da autora Vânia de Oliveira Carvalho.*

## ▪ Tratamento

O primeiro passo é convencer os pais de que as lesões são provocadas por insetos, que nem sempre são percebidos por eles, o que causa certa resistência em aceitar o diagnóstico e aderir às medidas preventivas. É possível argumentar que as reações cutâneas foram provocadas por um inseto, mostrando-lhes a linearidade das lesões, e explicando sobre o hábito alimentar do inseto (café/almoço/jantar), o fato das lesões não atingirem aos demais membros da família, devido à tolerância nos adultos e a não sensibilização das crianças antes dos 2 anos de idade e, ainda, que é possível que o contato com o inseto, em uma única ocasião, mantenha as lesões ao longo de algumas semanas.

As lesões têm variação sazonal, com **maior frequência nos meses quentes**, pois a maioria dos insetos se prolifera no clima tropical de regiões com calor e umidade.

O prurido provocado pelas lesões pode ser minimizado pelo uso de **corticosteroide tópico** de média potência, aplicado uma vez ao dia, durante cinco dias. **Anti-histamínicos orais** podem diminuir o prurido e estão indicados quando houver muitas lesões. **Loções** com cânfora, calamina ou mentol podem aliviar os sintomas. É importante **higienizar as lesões** com água e sabonete, a fim de evitar evolução com infecção secundária.

• Prevenção é o melhor remédio

Remover e evitar o contato com o agente causal são a base para minimizar os sintomas da doença e, para isso, o **controle ambiental** deve ser orientado. Avaliar a rotina da criança é importante para determinar o local em que ocorre o contato e qual o agente envolvido. Algumas medidas podem se mostrar eficazes, como:

- Uso de **barreiras mecânicas**, como blusas com mangas longas e calças compridas nos momentos de maior exposição aos insetos.
- Colocação de **telas** nas janelas e mosquiteiros sobre o berço ou cama, para evitar o contato com insetos voadores.
- **Fechar as janelas** nos períodos do nascer e do pôr do sol, pois é nesse horário que os insetos voadores do gênero *Anopheles* picam. Os mosquitos do gênero *Aedes* têm maior atividade diurna e em áreas abertas, portanto, a criança deve estar protegida quando está brincando fora de casa.
- Climatizar os ambientes com ar condicionado para afastar os mosquitos do recinto.
- **Dedetização** dos ambientes por empresa especializada é recomendada, seguindo-se todas as orientações de tempo de afastamento da casa e limpeza após o procedimento.
- Usar **repelentes elétricos**, que reduzem a entrada de insetos voadores, quando colocados próximo a janelas e portas; atenção para posicionar o dispositivo a uma distância mínima de 2 metros da cabeça; não mexer no refil com o aparelho ligado; não tocar no líquido ou na pastilha; não cobrir o aparelho.
- Orientação dos pais quanto à importância de manter a limpeza do terreno da casa com a retirada do lixo e entulho que possam acumular água, que serve de criadouro para insetos voadores.
- Levar os animais de estimação infestados por pulgas para avaliação e tratamento com um veterinário.

O uso da vitamina B1 oral como repelente é controverso, mas, em alguns casos, parece melhorar os sintomas das picadas, sobretudo quando causadas por insetos voadores. Os **repelentes tópicos** infantis podem ser utilizados em exposições eventuais.

Os produtos comerciais contêm diferentes princípios ativos com ação repelente e aqueles denominados "infantis" contêm uma menor concentração das substâncias, a fim de evitar toxicidade. Esses produtos são aplicados nas áreas expostas do corpo quando a criança estiver em locais com um maior número de insetos, como na praia e no campo, e não deve ser utilizado enquanto a criança está dormindo ou por períodos prolongados.

Os repelentes que contêm dietiltoluamida (DEET) – 5 a 15%, icaridina ou butilacetilaminopropionato de etila (IR3535) – 10 a 30%, são eficazes, desde que utilizados da maneira correta, como descrito nos rótulos, e oferecem proteção adequada, sem risco de intoxicação. Algumas informações importantes quanto ao uso:

- Repelentes tópicos devem ser aplicados na criança sempre por um adulto, colocando o produto em suas mãos antes de espalhar na pele da criança, apenas nas áreas expostas.
- Não ingerir o produto e evitar o contato com os olhos.
- Reaplicar o produto, de acordo com as orientações do fabricante.
- Remover o repelente no banho com água e sabonete antes de dormir.

A Agência Nacional de Vigilância Sanitária (Anvisa), regulamentou os repelentes tópicos, com a Resolução da Diretoria Colegiada (RDC) n. 19/2013, determinando as normas de segurança para seu uso e as indicações que constam nas embalagens, desde de outubro de 2014.

As indicações para o uso de repelentes variam conforme a idade:

- **0 a 6 meses:** não aplicar repelentes antes dos 6 meses de vida; nesse caso, a prevenção é realizada com barreiras mecânicas, uso de telas de proteção nas janelas e mantendo os ambientes fechados.
- **6 meses a 2 anos:** aplicar os repelentes com icaridina gel infantil e IR3535, somente quando necessário.
- **2 a 7 anos:** uso eventual de repelente infantil aplicado, no máximo, duas vezes ao dia.

- **7 a 12 anos:** repelente infantil, pode ser aplicado até três vezes ao dia.
- **A partir de 12 anos:** repelente para adultos, pode ser aplicado até três vezes ao dia.

Além das reações cutâneas produzidas por esses insetos, destacaremos as lesões provocadas por **percevejos**, conhecidos na literatura americana como *bed bugs*. Os percevejos são insetos da família *Cimicidae*, e sua espécie mais comum é a *Cimex lectularius*. Tem corpo achatado, dorsoventralmente, com três pares de patas e tamanho aproximado de 0,5 cm.

Na última década, esse agente têm se proliferado rapidamente por diversos países e foram introduzidos, principalmente, por viajantes provenientes de regiões com maior infestação. No Brasil, sua distribuição predomina na região sul, mas há relatos de sua presença em Minas Gerais e Rio de Janeiro.

Os percevejos são encontrados em dobras dos colchões, assentos de poltronas e fendas de camas, infestando, na maioria das vezes, locais públicos com alta rotatividade de transeuntes, como: hotéis, hospitais e veículos de transporte. As lesões provocadas por esses insetos localizam-se no tronco e, eventualmente, na face, variando de pápulas únicas até lesões múltiplas, indolores e distribuídas de maneira linear. Um achado importante da picada de percevejo é a presença de lesão na pálpebra, produzida por seu hábito alimentar noturno, durante o sono da criança, momento em que a pálpebra se encontra fechada.

As picadas dos percevejos causam lesões na pele pela saliva injetada durante a picada. A lesão se inicia como uma **mácula eritematosa** que aumenta progressivamente de tamanho e **evolui para pápula** ou **placa eritematosa**, que pode coalescer e formar placas semelhantes à urticária; são **pruriginosas** a ponto de provocar privação do sono e facilitar o desenvolvimento de infecções bacterianas secundárias. Reações graves com mal-estar e febre são raras, e a resolução ocorre em semanas. O tratamento indicado é a associação de anti-histamínicos orais com corticosteroides tópicos aplicados sobre as lesões.

Os percevejos são resistentes aos inseticidas disponíveis, o que representa um desafio para o controle dessa infestação. Assim, estão indicados para seu controle ações, como: controle químico, lavagem da roupa de cama com água quente, aspiração de colchões e sofás, limpeza a vapor.

## Alergia a picada de insetos

A alergia a picada é provocada por insetos da ordem *Hymenoptera*, das famílias *Apidae* (abelhas), *Vespidae* (vespas) e *Myrmicinae* (formiga), e são **mediadas por imunoglobulina E** (IgE), que causam **reações locais extensas ou sistêmicas**, com sinais e sintomas cutâneos, respiratórios, gastrointestinais e vasculares.

A prevalência de sensibilização aos venenos desses insetos varia de 9,3 a 28,7%, em adultos, verificada por testes cutâneos e ensaios imunológicos (IgE específica), podendo atingir 30 a 60% dos apicultores, fato este não confirmado em outro estudo realizado no Brasil. Reações locais extensas ocorrem em 2,4 a 26,4% da população geral, e em até 38% dos apicultores. Nos Estados Unidos, reações sistêmicas variam entre 0,5 e 3,3% dos adultos, e, na Europa, houve variação de 0,3 a 7,5%, e **anafilaxia** ocorreu em 0,6 a 42,8% dos casos.

Em crianças, as reações sistêmicas ocorrem em 0,15 a 0,8%, sendo que 7% apresentam identificação de IgE específica por teste cutâneo.

Dados epidemiológicos da anafilaxia na América Latina, verificados por questionário eletrônico preenchido por médicos alergistas, mostraram que as reações ocorreram em 57% no gênero masculino, 62% dos pacientes desenvolveram reações no domicílio e o agente etiológico foi identificado em 89% dos casos, sendo ele, principalmente, a picadas de inseto (31%), alimentos (29%) e drogas (29%).

A mortalidade por picadas de *Hymenoptera* varia de 0,03 a 0,45 por milhão de habitantes; porém, esses números podem estar subestimados, pois 40 a 85% das mortes provocadas por picadas de insetos não são notificadas. Nos Estados Unidos, ocorrem cerca de 40 mortes ao ano por picada de insetos, na França, entre 16 e 38 mortes ao ano por picada de insetos e, no Brasil, não há estatística sobre essa mortalidade.

A primeira dificuldade, diante de paciente alérgico a picada de inseto, é identificar o agressor para o correto tratamento. Observa-se, ainda, um certo desconhecimento do assunto pela maioria dos profissionais e familiares, e a falta de correlação de causa e efeito, fatos que retardam a adoção de uma conduta terapêutica adequada.

## ▪ Fisiopatologia

Os **alérgenos dos venenos** são proteínas, em sua maioria, enzimas (fosfolipase $A_2$, hialuronidase), com exceção da melitina do veneno de abelha, que é um peptídeo. Nesses venenos também estão presentes aminas vasoativas, como a histamina, a adrenalina, a acetilcolina, entre outras.

As reações aos venenos de insetos podem ocorrer por mecanismos imunológicos ou não, e com a possibilidade de reações cruzadas entre eles.

Basicamente, o funcionamento do sistema imunológico baseia-se nas **reações antígeno e anticorpo**. Antígeno é toda substância estranha para o organismo, que desencadeia a produção de anticorpos específicos pelo sistema imunológico, com a função de eliminar o antígeno. Ao longo da vida, diferentes anticorpos são produzidos em resposta aos antígenos com os quais a pessoa entrou em contato.

Nas reações por venenos de insetos podem estar envolvidos os quatro mecanismos básicos de hipersensibilidade: imediata, com a participação de IgE específica; citotóxica; por deposição de imunocomplexos e tardia ou celular.

A reação de hipersensibilidade imediata tipo I requer a participação de anticorpos IgE específicos afixados a receptores de alta afinidade, na membrana dos glóbulos brancos dos mastócitos e basófilos, e a consequente liberação de mediadores químicos pré-formados, que resultam em vasodilatação sistêmica com aumento da permeabilidade capilar, broncoconstrição (dificuldade para respirar, chiado), hipotensão arterial e choque ("colapso" cardiocirculatório).

Na reação de hipersensibilidade tipo II ou citotóxica, há participação de anticorpos das classes imunoglobulinas (Ig) dos tipos G e M (IgG e IgM), contra antígenos da superfície ou da matriz celular.

Nas doenças causadas por imunocomplexos ou hipersensibilidade do tipo III há a participação de imunocomplexos circulantes de IgG ou IgM com antígenos dos venenos que, quando em grande quantidade, depositam-se próximos ao leito vascular e ativam o sistema complemento que, por sua vez, leva ao recrutamento e ativação de células inflamatórias.

As reações de hipersensibilidade do tipo IV ou de sensibilidade tardia são desencadeadas pela associação do antígeno a receptores nos linfócitos T, e ainda não há descrição de alergia por esse mecanismo provocada por veneno de insetos.

## ▪ Quadro clínico

Picadas de insetos causam **reações** classificadas como **locais** ou **sistêmicas**, podendo ser **imediatas** ou **tardias**.

Reações locais são restritas às áreas vizinhas à picada; aquelas que excedem a 20 cm envolvem mecanismos mediados por IgE, que aparecem de maneira imediata ou se desenvolvem em 12 a 24 horas, são denominadas reações locais extensas e ocorrem em 10 a 15% dos adultos, e em 19% das crianças. Essas reações persistem por horas e até mesmo por uma semana e podem acompanhar sintomas, como fadiga, febre, náusea e, eventualmente, evoluir com infecção local secundária por contaminação da ferroada ou pelo ato de coçar. Pode ser grave, quando atinge locais anatomicamente “perigosos” como: língua, faringe, esôfago, comprimindo as vias aéreas, ou no globo ocular, podendo culminar com atrofia da íris, abscesso de cristalino, perfuração ocular, glaucoma e alterações de refração. Dentre os indivíduos que apresentaram reações locais extensas, 5 a 10% têm risco de reações sistêmicas, quando ocorrer uma nova picada.

As reações sistêmicas são acompanhadas de sinais e sintomas em um ou mais sistemas anatômicos, distantes do local da picada.

As manifestações clínicas da **anafilaxia** por picada de insetos são semelhantes a anafilaxia provocada por outras causas:

- Início em 15 a 30 minutos, e até 20% dos episódios apresentam evolução prolongada ou bifásica, que ocorre em 3 a 5 horas após a picada; por esse motivo é necessária a permanência do paciente por 12 horas em observação.

- Presença de angioedema: inchaço das camadas mais profundas da pele, face, olhos e lábios, e pode ser fatal quando atinge a orofaringe ou a língua, que podem bloquear a via aérea.
- Congestão nasal, espirros.
- Prurido, rubor.
- Pigarro, tosse, cansaço, chiado no peito.
- Rouquidão, espasmo das cordas vocais.
- Dificuldade para engolir.
- Taquicardia, dor no peito, hipotensão, tontura.

É importante ressaltar que até 20% das crianças não apresentarão sinais e sintomas cutâneos durante uma reação anafilática.

As reações sistêmicas são classificadas de acordo com a intensidade, segundo proposta pelo médico suíço Ulrich R. Müller.

**Quadro 10.2. Classificação da intensidade das reações sistêmicas**

| ***Grau*** | ***Sinais e sintomas*** |
|---|---|
| Grau I | Urticária, prurido, ansiedade, mal-estar. |
| Grau II | Um dos sintomas anteriores e dois ou mais dos seguintes: broncoconstrição leve (falta de ar, chiado), náuseas, vômitos, dor abdominal, diarreia e angioedema. Este último pode ser considerado grau II, quando aparece isoladamente. |
| Grau III | Um dos anteriores e dois ou mais dos seguintes: dispneia, sibilos, estridor (esses três já são considerados grau III quando aparecem isoladamente), disfagia, disartria, disfonia, fraqueza, confusão mental e sensação de morte iminente. |
| Grau IV | Um dos anteriores e dois ou mais dos seguintes: diminuição da pressão arterial, colapso, perda de consciência, incontinência urinária e cianose. |

*Fonte: Elaborado pelos autores.*

Pacientes com mastocitose, doença em que há um aumento anormal dos mastócitos, que produzem histamina em resposta a substâncias alergênicas e a estímulos mecânicos, podem apresentar reações sistêmicas, causadas pela ação tóxica de substâncias vasoativas ou grande número de picadas. Essas reações são de difícil diferenciação em relação às reações sistêmicas agudas.

Uma **quantidade excessiva de picadas** provoca **reações fatais** por falência renal, rabdomiólise (destruição dos músculos esqueléticos), hemólise, síndrome do desconforto respiratório do adulto (que pode afetar os adolescentes), ou coagulação intravascular disseminada.

Reações incomuns por mecanismos desconhecidos e de aparecimento tardio têm sido verificadas, como: doença do soro (reação de hipersensibilidade tardia ao soro do doador, que leva ao desenvolvimento de anticorpos, os quais se ligam à proteína, criando "complexos imunológicos", que por sua vez se depositam em vários tecidos e órgãos); encefalite (inflamação cerebral); neuropatias periférica e central; glomerulonefrite; miocardites (inflamação da musculatura cardíaca), e síndrome de Guillain-Barré (doença autoimune que afeta o sistema nervoso, provocando a diminuição da força muscular, chegando a paralisia).

Como a apresentação clínica é variável, uma nova classificação para as suas manifestações foi proposta pelo alergologista e imunologista Fábio Fernandes Morato Castro, segundo o mecanismo fisiopatológico envolvido (Quadro 10.3).

**Quadro 10.3. Classificação das manifestações clínicas, conforme o mecanismo fisiopatológico**

| ***Denominação*** | ***Mecanismo fisiopatológico*** | ***Manifestação clínica*** |
|---|---|---|
| Hipersensibilidade | IgE e IgG<br>Imediata (IgE)<br>Citotóxica<br>Imunocomplexos<br>Celular | Local extensa<br>Anafilaxia<br>Anemia-hemolítica<br>Nefrite<br>Dermatite de contato |
| Pseudoalérgica | Ativação direta de mastócitos | Mastocitose sistêmica |
| Tóxica | Local<br>Sistêmicas | Dor<br>Sinais de inflamação<br>Sintomas variados, conforme a quantidade de veneno injetada |
| Secundária | Secundária à doença de base | Infarto agudo do miocárdio |

*Fonte: Elaborado pelos autores.*

## ▪ Diagnóstico

O diagnóstico de alergia a picada de insetos é realizado pela **história clínica** e comprovação da **presença de anticorpos IgE específicos** ao veneno do inseto suspeito (Quadro 10.4).

| Quadro 10.4. Procedimentos diagnósticos para reações a picadas de insetos | |
|---|---|
| Anamnese | Identificação do inseto<br>História prévia de reação sistêmica<br>Gravidade da reação<br>Resposta ao tratamento |
| Exame físico | Características da picada<br>Presença do ferrão<br>Sinais e sintomas de doença sistêmica (respiratórios e cardiovasculares) |
| Testes cutâneos<br>(IgE específica)<br>Puntura<br>Intradérmico | História de reação sistêmica |
| ImmunoCAP (IgE específica) | Menor sensibilidade que os testes cutâneos |
| IgG específica | Não recomendado |
| Triptase sérica | Todos os pacientes com reação sistêmica |
| IgE/IgG4 | IgE negativa e reação sistêmica |
| Testes de ativação do basófilo | Alto custo. Não padronizado |
| Provocação com o inseto vivo | Pouco utilizado na prática |

*Fonte: Elaborado pelos autores.*

A identificação do inseto responsável pode ser útil no diagnóstico e tratamento; assim, sempre que disponível, os pais devem ser encorajados a trazer o inseto agressor para identificação por parte do médico.

Alguns fatores auxiliam na **identificação do inseto**, como: atividade e localização da criança no momento da picada; a possível visualização do inseto; a presença do ferrão de abelhas na pele ou de pústula, até 24 horas após uma picada de formiga.

Dos testes *in vivo*, a puntura e/ou o teste intradérmico devem ser realizados sempre que houver história de reação sistêmica.

Extratos de venenos de abelha e vespa são utilizados desde a década de 1970 para o diagnóstico das reações alérgicas mediadas por IgE. No entanto, para a formiga-de-fogo, espécie comum no Brasil, estão disponíveis, comercialmente, apenas extratos do corpo do inseto, que apresentam menor potência do que os extratos de veneno. O mesmo ocorre com o acesso a extratos alergênicos de venenos de vespas para as espécies comuns na América do Norte, diferentes daquelas encontradas na fauna brasileira.

Extratos do corpo do inseto contêm pouco ou nenhum veneno e, em geral, não distinguem indivíduos alérgicos de não alérgicos em testes diagnósticos. Exceção se dá com o extrato do corpo da formiga-de-fogo, que apresenta boa sensibilidade e especificidade.

Os extratos de venenos dos insetos da ordem *Hymenoptera* estão disponíveis para testes intradérmicos em concentrações muito pequenas, que variam de 0,001 a 1 mcg/mL e, para testes epicutâneos, em concentrações iniciais de 0,01 mcg/mL.

Uma vez que uma só picada de um único inseto pode ocasionar a sensibilização a múltiplos componentes do veneno injetado e há riscos de reação cruzada, recomenda-se que sejam realizados testes com diversos componentes dos venenos disponíveis, bem como controles "positivos", em que se utiliza puntura de histamina, e controles "negativos", com puntura de solução salina.

É interessante ressaltar que um teste cutâneo pode ser negativo, mesmo após algumas semanas da picada do inseto, em razão do **período refratário** de "anergia", intervalo em que há ausência de resposta imunológica; assim, o teste deve ser repetido depois de 4 a 6 semanas do evento.

Indivíduos com teste cutâneo negativo e história fortemente sugestiva de anafilaxia por alergia a picada de insetos devem ser pesquisados para a presença de anticorpos IgE específicos, com testes sorológicos e, se ainda negativos, o teste cutâneo deve ser realizado novamente entre 3 e 6 meses.

Atualmente, por meio de técnicas de clonagem, estão disponíveis alérgenos recombinantes de venenos de insetos dessa ordem, com maior sensibilidade e especificidade para diagnóstico das reações mediadas por IgE.

Testes *in vitro* (em laboratório) para a detecção de anticorpos IgE específicos no soro para venenos de insetos são promissores, mas com performance variável. A correlação entre testes cutâneos e ensaios de IgE específica no soro não é perfeita. Testes *in vitro* podem ser negativos em até 20% dos indivíduos com testes cutâneos positivos, enquanto teste cutâneo pode ser negativo em 10% daqueles com níveis elevados de IgE específica no soro.

Após a descoberta da IgE, avanços tecnológicos trouxeram novas ferramentas de laboratório para a quantificação de anticorpos IgE específicos para alérgenos no soro, e nas superfícies de basófilos e mastócitos. Entre esses, os testes *in vitro* oferecem inúmeras vantagens, como: precisão, ausência de interferência de drogas, segurança, possibilidade de avaliar amostras estocadas por longos períodos. Para a sua determinação podem ser utilizados radioimunoensaios, métodos imunoenzimáticos e quimioluminescência, que são mais elaborados, mais caros e menos sensíveis, quando comparados aos testes cutâneos.

Em uma análise retrospectiva para sensibilidade, especificidade, valores preditivios positivo e negativo (VPP e VPN) de pacientes com história de reação aos insetos citados, utilizou-se **testes cutâneos** como padrão-ouro para a identificação de IgE específica, e comparou-se com o **método imunoenzimático de radioalergossorbância** (RAST). Naquela ocasião, observou-se os seguintes resultados em relação ao RAST:

- **Sensibilidade:** formiga > abelha > vespa.
- **Especificidade:** vespa > abelha > formiga.
- **VPP:** vespa > abelha > formiga.
- **VPN:** abelha > formiga > vespa, na sua quase totalidade com valores baixos.

Nos últimos anos, foram desenvolvidos sistemas de automação de terceira geração, conhecidos como Pharmacia UniCAP e Immulite. A qualidade das medidas de anticorpos IgE específicos, relatados por laboratórios de diagnóstico em alergia clínica, não é uniformemente equivalente.

A provocação com picada de insetos *Hymenoptera* vivos deve ser realizada sob supervisão e por profissionais experientes. Em indivíduos não tratados com história prévia de reação sistêmica a picada, com teste cutâneo positivo, os índices de reação sistêmica variaram entre 21 e 73%. Essa variação é maior com o uso de vespas. Em pesquisas, esse exame foi utilizado como padrão-ouro para verificar a eficácia da imunoterapia a venenos de insetos; porém, de maneira limitada, em virtude do risco de desenvolver reações sistêmicas graves, após a picada para o teste.

## ▪ Tratamento

O maior risco da picada de insetos diz respeito às **reações sistêmicas**. Diante de um quadro de **anafilaxia**, o socorrista leigo e os cuidadores da criança devem ser capazes de **reconhecer seus sinais**, **acionar o serviço de emergência** ou **encaminhá-la para o serviço de saúde**, quando próximo.

A anafilaxia é uma situação com risco de morte para a criança, e de extrema ansiedade para familiares e equipe de saúde; assim, é necessária uma abordagem envolvendo crianças, famílias, escolas e organizações desportivas para um manejo eficaz do evento.

A ação do médico, quando diante de um paciente com anafilaxia, resume-se a, na fase aguda, reconhecer, tratar e **prevenir novos episódios** e, em longo prazo, avaliar o risco, educar e reduzir a possibilidade de novos episódios. Para isso, o tratamento deve obedecer o tripé: educação, tratamento do quadro agudo e tratamento de manutenção, com o uso da imunoterapia específica para o alérgeno (apresentada adiante no texto) e outras medidas de suporte implementadas pela equipe multiprofissional.

O tratamento da anafilaxia é instituído imediatamente após a suspeita e o diagnóstico. É iniciado com a **avaliação do estado de consciência** (ver Quadro 9.2 – *Escala de coma de Glasgow*), da **manutenção de via aérea** e da **condição cardiovascular**. As condutas indicadas na doença aguda e na reação anafilática por veneno de inseto, de qualquer etiologia, são discutidas a seguir e estão resumidas no Quadro 10.5.

O tratamento padrão inicial consiste na injeção de epinefrina, solução 1:1.000 (1 mg em 1 mL), por via intramuscular (IM), preferencialmente no terço médio do vasto lateral da coxa, na dose de 0,01 mL/kg (= 10 mcg/kg) para crianças de até 30 kg, até o máximo de 0,3 mL/dose.

| Quadro 10.5. Tratamento imediato na alergia a picada de inseto | |
|---|---|
| ***Tipo de lesão*** | ***Condutas*** |
| Local | Não necessita de terapêutica específica |
| Local extensa | Compressa fria e observação |
| Sistêmica (anafilaxia) | Epinefrina 1:1.000: 0,01 mL/kg, IM, até o máximo de 0,3 mL/dose em crianças; 0,3 a 0,5 mL/dose em adolescentes e adultos<br>Repetir, após 5 a 15 minutos<br>$O_2$ entre 5 e 10 L/minuto<br>Drogas vasoativas (dopamina, dobutamina)<br>Reposição de volume, IV<br>Anti-histamínicos, corticosteroides, IV |
| Sistêmica em paciente em uso de betabloqueadores adrenérgicos | Glucagon: 0,1 mg/kg, IV (infusão em bolus); pacientes com hipotensão e broncoespasmo |

*IM: intramuscular; IV: intravenoso.*

*Fonte: Elaborado pelos autores.*

Para pacientes com peso entre 30 e 50 kg, a dose é de 0,3 mL/dose e, acima de 50 kg, a dose é similar a dos adultos – 0,5 mL/dose, também por via IM. A mesma dose pode ser repetida após 5 a 15 minutos, se necessário.

É importante imobilizar a perna durante a aplicação, para evitar acidentes. Não aplicar a injeção nas nádegas, em razão do risco de contaminação.

A **epinefrina** possui efeitos vasoconstritores, previne ou diminui o **edema laríngeo**, a **hipotensão** e o **choque**, além de possuir importantes efeitos **broncodilatadores**. O medicamento é fotossensível, produzida em recipiente de vidro, na cor âmbar, e não deve permanecer exposto fora da ampola.

A via de administração é relevante, pois o tecido subcutâneo caracteriza-se por baixa vascularização, o que retarda a absorção da epinefrina, comprometida ainda mais por sua ação local vasoconstritora. Embora, na prática, a epinefrina administrada por via subcutânea funcione, sua ação é melhor e mais rápida se injetada por via intramuscular.

Há evidências que corroboram essa afirmação, como o pico sanguíneo da droga após a injeção, que se dá em cerca de 8 minutos, na administração intramuscular, e em cerca de 20 minutos, na subcutânea.

É importante salientar que, se a aplicação for realizada com um **autoinjetor** (discutido adiante no texto), a agulha deve permanecer em contato com a face lateral da coxa, por 10 segundos. A eficácia tem aumentado se o comprimento da agulha for superior a 2,54 cm.

Se não houver resposta à injeção intramuscular de epinefrina, pode ser usada via intravenosa (IV), na diluição de 1:10.000, obtida a partir da adição de 9 mL de água para injeção ou soro fisiológico 0,9% em uma ampola padrão de epinefrina 1:1.000. Essa solução é administrada em infusão lenta de 1 mcg/minuto e, depois, aumentada para 2 a 10 mcg/minuto. Nesse caso, é indispensável manter a criança em **monitoração** contínua do **eletrocardiograma** (ECG) e **saturação periférica de oxigênio** ($SpO_2$).

Em caso de **hipotensão**, posicione a criança em posição de Trendelemburg (pernas elevadas). Em ambiente hospitalar, além dessa intervenção, é necessário administrar líquidos (solução salina, plasma ou expansores de volume), por via IV e, se não houver resposta, a introdução de drogas vasopressoras.

A **anafilaxia** pode ser refratária nos pacientes que estão em uso concomitante de **betabloqueadores** (como o cloridrato de propranolol, atenolol, carvedilol), e inibidores da enzima conversora de angiotensina (como captopril, enalapril). Esses medicamentos inibem a elevação da pressão arterial, piorando a hipotensão. Nesses casos, é administrado **glucagon**, na dose de 1 a 5 mg (20 a 30 mcg/kg/mL), por via IV, seguido de infusão contínua. O glucagon é um hormônio com efeito oposto ao da insulina, e **aumenta o nível de glicose** no sangue; além disso, exerce efeitos sobre veias e artérias, promovendo sua contração e, consequentemente, a **elevação da pressão arterial**.

Manifestações clínicas de menor gravidade, como **urticária** e **angioedema**, respondem bem a **epinefrina** e **anti-histamínicos**. O tratamento com a combinação de anti-histamínicos anti-H1 e anti-H2 pode ser mais eficaz, quando comparado ao uso isolado de anti-H1, para reverter a hipotensão induzida pela histamina. A difenidramina pode ser administrada na dose de 1 mg/kg, ou prometazina na dose de 0,5 mg/kg por via IM, mas esta última não deve ser usada em menores de 2 anos de idade, pelo risco de depressão respiratória. Ambas as drogas causam sonolência acentuada.

Se a criança apresentar **broncoespasmo**, como no caso de asma aguda, o tratamento se faz com o uso de **beta-2-adrenérgicos**, **oxigênio** por via inalatória e **corticosteroide** por via IV.

Os corticosteroides sistêmicos não têm ação antianafilática, pois demoram a agir e não aliviam as manifestações agudas e críticas com a rapidez necessária. São indicados para uso intravenoso nas seguintes situações: choque prolongado, edema de glote e broncoespasmo refratário. As doses recomendadas são: hidrocortisona, 5 a 10 mg/kg, a cada 4 horas, ou metilprednisolona, 1 a 2 mg/kg. A eficácia dos corticosteroides na reação bifásica (tardia) não está completamente estabelecida.

O tratamento de manutenção é complexo e deve ser iniciado assim que o diagnóstico for confirmado. O médico tem ação fundamental no tratamento preventivo, ao identificar os pacientes com história anterior e os fatores de risco para novos episódios de anafilaxia. Em situações de risco, como a dos apicultores e jardineiros, os profissionais são orientados a trabalhar com vestimenta protetora, usando-a sobre toda a superfície corporal.

Estudos têm demonstrado que a alergia a picada de insetos é um processo autolimitado, com remissão espontânea na maioria das crianças, quando menores de 16 anos.

O risco de sensibilidade persistente é maior para os pacientes que apresentaram reações sistêmicas, caso em que devem receber tratamento em longo prazo. Uma das medidas mais simples e eficazes para diminuir os casos de anafilaxia é o afastamento do agente etiológico, evitando, por exemplo, exposição ao ar livre (piquenique, parquinhos), áreas com lixeiras e pomares.

Para a administração imediata de epinefrina, são comercializados *kits*, tipo **caneta injetora** para **autoaplicação**, que devem estar acessíveis na residência, no ambiente escolar, no trabalho ou para onde o indivíduo se deslocar.

Esse tipo de dispositivo está disponível para importação. São aprovados por autoridades sanitárias marcas como: EpiPen Jr 2-Pak® 0,15 mg e EpiPen 2-Pak® 0,3 mg (e seus autoinjetores autorizados da marca Mylan®); AnaPen®; Auvi-Q® e AdrenaClik®; Jext®; Emerade®.

São apresentados em três doses: 0,15 mg para crianças até 10 kg, 0,15 mg para crianças com peso entre 15 e 30 kg e 0,30 mg para aquelas com peso maior que 30 kg, incluindo adultos. Não há conhecimento suficiente sobre a eficácia dos autoinjetores para crianças com menos de 15 kg. Seu uso correto é reorientado em todas as consultas.

A **educação** das crianças, familiares e dos envolvidos no cuidado da doença ajuda a reduzir a apreensão e o medo, devolvendo a segurança ao paciente. A comunidade, incluindo os médicos, deve receber instruções sobre como reconhecer e tratar essa emergência.

O **especialista em alergia** tem papel fundamental no diagnóstico e no tratamento; assim, todas as crianças e os adolescentes que apresentaram um quadro de anafilaxia devem ser encaminhados para avaliação dos riscos, comorbidades e tratamentos concomitantes que podem favorecer novos episódios, e para individualizar a terapêutica, a fim de reduzir os riscos de futuras reações.

A **imunoterapia específica** para promover a dessensibilização ao veneno de insetos está indicada em pessoas que já apresentaram reações sistêmicas a picadas anteriores, e nos casos de teste cutâneo positivo.

Os protocolos de imunoterapia são variados. Em esquema acelerado, por exemplo, a dose de manutenção é obtida de três horas e meia a dois ou três dias após o início do tratamento. Em geral, esses protocolos são bem tolerados, mas 12% das pessoas apresentam reações alérgicas durante a evolução da fase de indução para a fase de manutenção.

Os protocolos de imunoterapia que utilizam doses de manutenção de 50 mcg do veneno, a cada quatro a seis semanas, em aplicações subcutâneas, atingem 79% de eficácia e, na dose de 100 mcg, esse número chega a 98%. O risco de novas reações sistêmicas em indivíduos tratados e com histórico de anafilaxia é de 75%.

A imunoterapia pode ser descontinuada após três a sete anos de uso, independentemente dos níveis de anticorpos IgE e IgG específicos para o veneno encontrados no soro ou pelo teste de provocação com a picada do inseto. Essa decisão deve ser tomada de maneira individualizada, ou seja, a cada caso.

A imunoterapia com alérgenos recombinantes e vacinas com DNA não têm sido utilizadas na prática diária; porém, perspectivas promissoras são aguardadas com a clonagem dos venenos de insetos e epítopos peptídicos para os linfócitos T e B, aumentando a precisão e a eficácia para o tratamento dessas reações alérgicas.

O uso de imunoterapia sublingual, para alergia a veneno de abelha, foi testada em pacientes adultos com história de reações locais extensas. Após testes de provocação pela picada do inseto, os resultados mostraram que 57% dos indivíduos apresentaram redução significativa da intensidade da reação local. Mesmo não sendo essa a via de administração habitual, a vacina por via sublingual mostrou bom perfil de segurança e eficácia, mas necessita de estudos mais amplos e, atualmente, não é recomendada no tratamento de anafilaxia por *Hymenoptera*.

## Comentários finais

Os sinais e sintomas de acidentes por picadas devem ser reconhecidos prontamente pelos profissionais de saúde e familiares, a fim de prestar atendimento efetivo nos casos graves.

O prurigo estrófulo é um evento frequente na infância, causado principalmente por pulgas e pernilongos, e seu diagnóstico é basicamente clínico. O conhecimento da doença evita investigações desnecessárias e possibilita o controle dos sintomas, fato extremamente importante, uma vez que a doença interfere na qualidade de vida das crianças afetadas e de suas famílias.

Quando os agentes envolvidos são abelhas e vespas, as manifestações clínicas variam de urticária e angioedema até choque anafilático. Nesse caso, devem ser avaliados os riscos, possíveis doenças associadas e tratamentos concomitantes, que poderiam favorecer o aparecimento de novos episódios, reduzindo, assim, a probabilidade de futuras reações e um desfecho letal.

## Referências


- Abbas AK, Lichtman AH, Pillai S. Cellular and Molecular Immunology. 8. ed. Philadelphia: Saunders Company; 2014. p. 417-32.
- Bernardes Filho F, Quaresma MV, Avelleira JCR, Azulay DR, Azulay-Abulafia L, Bastos AQ et al. Bed Bug Dermatitis, description of two cases in Rio de Janeiro, Brazil. An Bras Dermatol. 2015;90(2):240-3.
- Biló BM, Rueff F, Mosbech H, Bonifazi F, Oude-Elberink JNG, the EAACI Interest Group on Insect Venom Hypersensitivity. Diagnosis of hymenoptera venom allergy. Allergy. 2005;60:1339-49.
- Biló MB, Bonifazi F. The natural history and epidemiology of insect venom allergy: clinical implications. Clin Exp Allergy. 2009;39:1467-76.
- Clark S, Gaeta TJ, Kamarthi GS, Camargo CA. ICD-9-CM coding of emergency department visits for food and insect sting allergy. Ann Epidemiol. 2006;16:696-700.
- Golden DBK, Kelly D, Hamilton, RG, Craig TJ. Venom immunotherapy reduces large local reactions to insect stings. J Allergy Clin Immunol. 2009;123:371-5.
- Halpert E, Borrero E, Ibañez-Pinilla M, Chaparro P, Molina J, Torres M et al. Prevalence of papular urticaria caused by flea bites and associated factors in children 1-6 years of age in Bogotá, D.C. World Allergy Organ J. 2017;10(1):36. [acesso em 23 mai 2019]. Disponível em: https://www.ncbi.nlm.nih.gov/pmc/articles/PMC5674867/.
- Hamilton RG, Adkinson NF. In vitro assays for the diagnosis of IgE-mediated disorders. J Allergy Clin Immunol. 2004;114:213-25.
- Hernandez RG, Cohen BA. Insect bite-induced hypersensitivity and the SCRATCH principles: a new approach to papular urticaria. Pediatrics. 2006;118:e189-96.
- Katz TM, Miller JH, Hebert AA. Insect repellents: historical perspectives and new developments. J Am Acad Dermatol. 2008;58:865-71.
- Machado ACT, Morato-Castro FF. Manifestações clínicas: reações alérgicas. In: Alergia a venenos de insetos. Barueri: Manole; 2009. p. 111-17.
- Müller UR. Recombinant Hymenoptera venom allergens. Allergy. 2002;57:570-6. [acesso em 23 mai 2019]. Disponível em: https://onlinelibrary.wiley.com/doi/full/10.1034/j.1398-9995.2002.02157.x.
- Quach KA, Zaenglein AL. The eyelid sign: a clue to bed bug bites. Pediatr Dermatol. 2014;31(3):353-5.
- Ribeiro MLKK, Barcellos AC, Silva HGF, Carletto LHMC, Bet MC, Rossetto NZ et al. Anafilaxia na sala de emergência: tão longe do desejado. Arq Asma Alerg Imunol. 2017;1:217-25.
- Ribeiro MLKK, Chong Neto HJ, Rosário Filho NA. Diagnóstico e tratamento da anafilaxia: há necessidade urgente de implementar o uso das diretrizes. Einstein. 2017;15:500-6.
- Rosário NA, Chong Neto HJ. Anafilaxia. In: Alergia e Imunologia para o pediatra. 2. ed. Barueri: Manole; 2010. p. 387-400.
- Rueff F, Bilò MB, Jutel M, Mosbech H, Müller U, Przybilla B. Sublingual immunotherapy with venom is not recommended for patients with hymenoptera venom allergy. J Allergy Clin Immunol. 2009;123:272-3.
- Scott H. Sicherer F, Estelle R. Simons. Epinephrine for First-aid Management of Anaphylaxis. Pediatrics. 2017;139(3). [acesso em 23 mai 2019]. Disponível em: http://pediatrics.aappublications.org/content/139/3/e20164006.
- Shmidt E, Levitt J. Dermatologic infestations. Int J Dermatol. 2012;51:131-41.
- Thieu KP, Lio PA. Recurrent papular urticaria in a 6-year-old girl. Arch Disease Child. 2008;93:750.

## Testes

**1. Assinale se a afirmação é verdadeira (V) ou falsa (F):**

( ) Picadas por pulgas provocam lesões de aspecto papular, são lineares, aparecem em grupos de duas ou três, no tronco e no abdômen.

( ) Reações locais são restritas à área da picada e precisam de tratamento.

( ) Reações locais extensas excedem 20 cm, persistem por horas e até uma semana, e a criança pode apresentar fadiga, febre, náusea e prurido.

( ) Loções com canfora, calamina ou mentol aliviam o prurido das picadas.

( ) As lesões provocadas por picadas devem ser higienizadas com água e sabonete, para evitar infecção secundária.

( ) Na reação local extensa é indicado o uso de compressa fria.

**2. Menino, 7 anos de idade, foi picado por uma abelha. Em poucos minutos apresentou edema bipalpebral, urticária, dores abdominais e vômitos. Nesse caso, qual o medicamento de escolha e a via de administração preferencial?**

A. Anti-histamínico, IM.
B. Epinefrina, SC.
C. Corticosteroide, IV.
D. Epinefrina, IM.
E. Antialérgico, VO.

**3. As reações anafiláticas possuem mecanismos semelhantes, mesmo que o agente indutor seja diferente. Veja este caso: menina, 5 anos de idade, com alergia a leite de vaca e em tratamento com propranolol. Em uma festa infantil, ingeriu brigadeiro e evoluiu com quadro de anafilaxia. Os pais aplicaram duas doses de epinefrina no autoinjetor, sem melhora, e encaminharam a filha ao pronto-socorro mais próximo. Após a avaliação, o pediatra plantonista prescreveu:**

A. Epinefrina, IM.
B. Corticoide, IM.
C. Glucagon, IV.
D. Epinefrina, SC.
E. Soro glicosado, 200 mL, infundido em 30 minutos.

**4. O prurigo estrófulo é uma reação de hipersensibilidade à picada de insetos. O tempo para sensibilização varia de criança para criança e depende do número de exposições. Considerando essa dermatose, é correto afirmar que:**

A. A doença tem início entre 3 e 12 anos e a criança apresentará reação após ter sido sensibilizada.

B. A reação ocorre após várias picadas sucessivas, mas os sintomas não aparecem antes dos 2 anos de idade, pois o sistema imunológico é imaturo.

C. O diagnóstico é baseado no aspecto e distribuição das lesões, e deve ser confirmado pela dosagem de IgE, que se mostrará aumentada.

D. O diagnóstico é clínico, baseado no aspecto e distribuição das lesões, que se apresentam como pápulas e vesículas, de forma linear e aos pares.

E. As lesões determinadas pelas pulgas localizam-se, em geral, nas áreas expostas do corpo, pois esse agente pica através de roupas.

**5. Uma menina de 4 anos apresenta dificuldade respiratória, tosse, edema de lábios, dor abdominal e urticária. No pronto atendimento ela deve receber:**

A. Epinefrina, IM.

B. Corticoide, IM.

C. Anti-histamínico, VO.

D. Epinefrina, SC.

E. Corticoide, VO.

**6. Sobre o caso da pergunta 5, após 50 minutos do tratamento, houve melhora de todos os sintomas. A conduta subsequente é:**

A. Alta hospitalar, com orientação do uso de repelentes.

B. Observação durante 12 horas.

C. Alta, com corticoide oral, por 5 dias.

D. Alta, com anti-histamínico oral, por 15 dias.

E. Observação durante 24 horas.

| Respostas | |
|---|---|
| 1 | V, F, V, V, V, V |
| 2 | D |
| 3 | C |
| 4 | D |
| 5 | A |
| 6 | B |

# 11 Acidentes por mordedura de animais

Fernanda Paula Cerântola Siqueira
Cássia Galli Hamamoto
Fernanda Bigio Cavalhieri
Rafael Cerântola Siqueira

## Introdução

Entre os principais tipos de acidentes na infância, as mordeduras de animais representam grande preocupação em razão da possibilidade de transmissão de **zoonoses**, como a **raiva humana**, doença com letalidade próxima a 100%. Considerada uma das doenças de maior importância em saúde pública em todo o mundo, pois apresenta alto custo social e econômico.

A raiva não é a única complicação da mordedura de animais. A mais frequente é o desenvolvimento de **infecções secundárias** na lesão, podendo ocorrer, ainda, sequelas físicas e traumas psicológicos.

As **mordeduras por animais domésticos**, especialmente por cães, são as mais comuns de notificação, representando índices de 80 a 90%. A maioria dos acidentes ocorre nas **extremidades corporais**, como mãos e pés, seguidos por mordeduras em cabeça, pescoço, orelhas e lábios. Outro fator de destaque é a faixa etária da criança, com uma incidência maior entre 5 e 9 anos.

Atualmente, a interação das crianças com animais de estimação é apontada como benéfica do ponto de vista psicológico, fisiológico e social. Mas a maneira como esses animais são criados aumenta o risco de agressão ao ser humano.

O comportamento de agressividade animal pode ser desencadeado por vários fatores. Dentre eles, destacam-se:

- Maior quantidade de animais nas residências.
- Permanência deles em locais que dificultam a movimentação.
- Falta de higiene no lugar onde vivem e outros maus-tratos.
- Livre acesso dos animais às ruas e às residências vizinhas.
- Necessidade instintiva de proteger alimentos, filhotes, pessoas e território.
- Instinto predatório.
- Por estímulos produzidos pelo cuidador, como dor, dominância, medo e alteração hormonal ou, ainda, pelo ensino da agressividade.

As crianças são vítimas frequentes de agressão animal por não terem noção do perigo, por se aproximarem de maneira destemida, pela menor capacidade de reconhecer o comportamento do animal ou dos fatores que predispõem suas reações de agressividade.

Atividades inerentes à criança, como correr, falar muito alto e andar de bicicleta, algumas vezes, podem parecer provocativas e irritar os animais.

## Perfil epidemiológico

As mordeduras de animais, de acordo com a Organização Mundial de Saúde (OMS, 2013) e o Centro de Controle e Prevenção de Doenças (CDC, 2015), são consideradas um problema frequente, que requerem atendimento em hospitais de todo o mundo. Nos Estados Unidos, por exemplo, há estimativas de que as mordeduras de cachorro, sozinhas, correspondam a 4,5 milhões de casos todos os anos, o que leva a mais de 885.000 atendimentos.

No Brasil, são escassas as informações quanto às mordeduras por animais. O Ministério da Saúde (MS), em 2016, publicou um boletim epidemiológico, informando que, no período de 2009 a 2013, foram registradas 2.959.356 notificações de atendimento antirrábico humano, apresentando uma média de 591.871 casos ao ano (Figura 11.1). A região Sudeste apresentou o número mais elevado de notificações, com 1.189.261 (40,2%), sendo São Paulo o Estado que mais notificou (585.735; 19,8%).

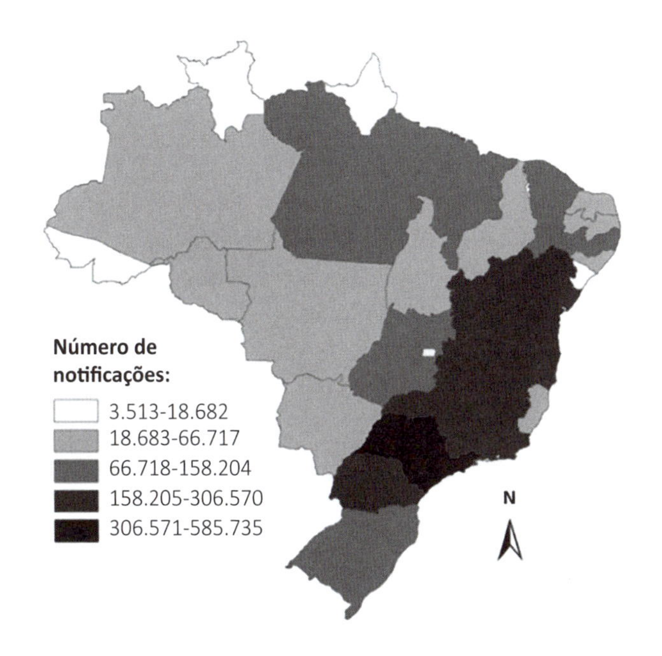


**Figura 11.1. Distribuição dos casos de atendimento antirrábico humano, no Brasil, segundo Unidade da Federação de ocorrência (2009-2013).**

*Fonte: Brasil – Ministério da Saúde, 2016.*

Assim como em outros países, no Brasil, a espécie animal agressora mais frequente tem sido a canina (83,6%), sendo a maioria cães domésticos. **Roedores e morcegos raramente mordem humanos**, a maioria das mordeduras por esses animais são provocadas.

Segundo os dados de 2016 do Ministério da Saúde, as crianças mais acometidas são as que residem na zona urbana, menores de 10 anos e do sexo masculino. A área do corpo mais atingida pelos animais são os membros inferiores (37,2%), seguidos das mãos/pés (35,5%).

Em escolares e adolescentes, as extremidades são as regiões mais afetadas. Em lactentes e crianças pequenas, as lesões no rosto e no pescoço são mais frequentes.

Um estudo realizado na cidade de Porto Alegre – RS, em 2011, utilizando como fonte de dados as fichas de notificação do Sistema de Informação de Agravos de Notificação – Sinan, revelou que a forma mais frequente de exposição ao vírus da raiva foi a mordedura e identificou ferimento profundo, em mais da metade dos casos (54,5%). Com relação ao número de lesões, tanto nesse estudo como em outro, desenvolvido em um serviço de urgência, no Chile, houve predomínio de ferimento único, tendo como complicações principais a dor, por mordedura de cães, e infecção secundária, por arranhadura de gatos.

Diferentes levantamentos identificaram que **a maioria dos cães agressores era conhecida das vítimas** e que uma parcela considerável dos animais, entre 10 e 35%, não era vacinado, expondo os animais ao risco de contraírem a raiva e transmitirem a doença ao homem.

Esses dados apontam para a importância de se promover programas educativos, alertando a população para os riscos desse tipo de ocorrência, evitando tais acidentes.

## Raiva humana

Apesar da redução dos casos da raiva humana nos últimos anos, ela ainda continua sendo um problema de saúde pública por sua letalidade, alto custo na assistência, profilaxia e controle.

A raiva é uma antropozoonose transmitida pela **inoculação do vírus** presente na **saliva e secreções do animal infectado** para o homem, principalmente pela mordedura (Figura 11.2). Além disso, o vírus da raiva é neurotrópico e sua ação no sistema nervoso central (SNC), causa a **encefalomielite aguda**. É importante salientar que **apenas os mamíferos transmitem e adoecem** pelo vírus da raiva. No Brasil, o morcego é o principal responsável pela manutenção da cadeia silvestre e o cão, uma fonte importante de infecção em alguns municípios (Figura 11.3).

Os roedores, mesmo os urbanos ou de criação, são considerados de baixo risco para a transmissão da raiva. Entre eles: as ratazanas de esgoto (*Rattus norvegicus*), os ratos de telhado (*Rattus rattus*), os camundongos (*Mus musculus*), as cobaias ou os porquinhos-da-índia (*Cavia porcellus*), os hamsters (*Mesocricetus auratus*) e os coelhos (*Oryctolagus cuniculus*).

Por não existir tratamento comprovadamente eficaz para a raiva, ressalta-se a importância da imunidade adquirida pelo uso da **vacina antirrábica humana** (VARH) e a imunidade passiva, com o uso do **soro antirrábico**.

Figura 11.2. Espécies que mais transmitem a raiva.

*Ilustração: Pedro Félix.*

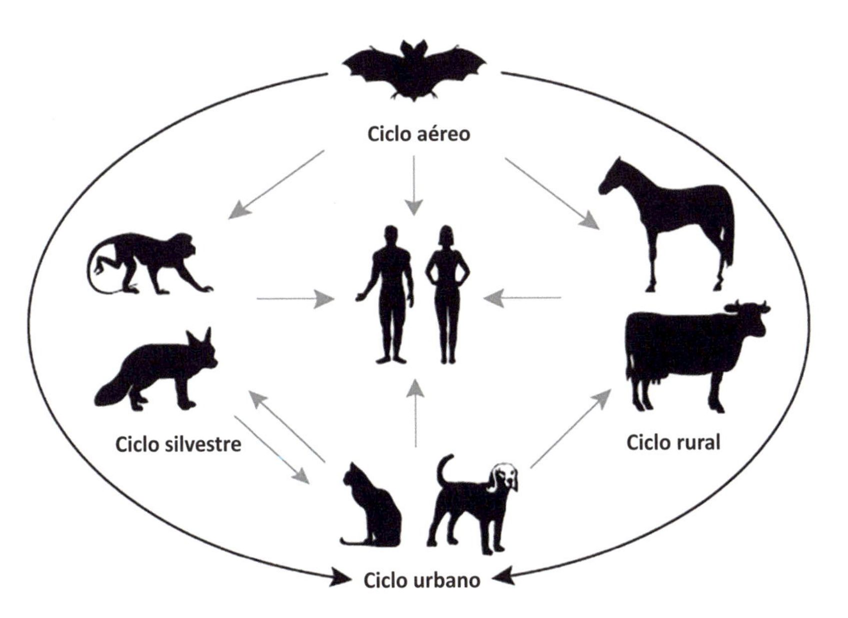


Figura 11.3. Ciclo epidemiológico de transmissão da raiva.

*Fonte: Instituto Pasteur – SES/SP. Brasil – Ministério da Saúde, 2014.*

No Brasil, anualmente, uma média de 425.400 pessoas procuram atendimento médico por terem sido expostas ou por se julgarem expostas ao vírus. Destas, mais de 64% recebem esquema de **profilaxia pós-exposição**.

Todo caso suspeito de raiva humana é de **notificação compulsória**, imediata e individual, e a criança atendida deve receber acompanhamento e profilaxia adequados.

## Infecções por mordeduras de animais

O trauma por mordedura pode variar de pequenos ferimentos a lesões traumáticas graves, que colocam em risco a vida da criança. A **infecção bacteriana** é a complicação mais frequente em lesões decorrentes da mordedura de cão, seguida pela arranhadura de gato, em razão da flora bacteriana presente na pele e na cavidade oral desses e de outros animais.

Segundo a OMS, em nota publicada em 2018, as crianças, durante a primeira infância e a infância, são as principais vítimas de mordidas de cães. Muitas sofrem lesão na cabeça ou no pescoço, o que aumenta sua gravidade, o tratamento médico e, crescem as taxas de mortalidade. Os dados sobre os países de baixa renda são escassos. Nos Estados Unidos, por exemplo, em torno de 33% das pessoas que recorrem à assistência médica passam por procedimentos reconstrutivos; entre 3 e 18% contraem infecções, e em torno de 10% morrem. Em outros países de alta renda, como Austrália, Canadá e França, as taxas de incidência e letalidade são semelhantes.

Nas mordeduras de cães, a infecção pode ser causada pela associação de até cinco bactérias, sendo as mais encontradas: *Staphylococcus* sp, *Streptococcus* sp, *Capnocytophaga canimorsus*, *Bacteroides* sp, *Pasteurella multocida*, *Proteus* sp, *Haemophilus* sp, *Enterobacter* sp e *Eikenella corrodens*. As bactérias do gênero *Pasteurella* são responsáveis ou corresponsáveis pela maioria das infecções.

Semelhante aos cães, as bactérias *Staphylococcus* sp, *Streptococcus* sp e *Pasteurella multocida* também são responsáveis pelas infecções decorrentes de lesões causadas por agressão de felinos, assim como pelas *Bacteroides* sp, *Actinomyces* sp, *Clostridium* sp, *Wolinella* sp,

*Propionibacterium* sp, *Prevotella* sp, *Peptostreptococcus* sp, *Fusobacterium* sp e *Porphyromonas* sp. É importante destacar que o *Clostridium tetani* é considerado um risco para as crianças não vacinadas.

As lesões por **arranhaduras de gatos** são menos frequentes que aquelas ocasionadas pelos cães, mas sua **taxa de infecção é a mais alta** entre todos os animais, variando entre 50 e 80%. As **mordidas felinas** também são **mais propensas à infecção**, pois causam feridas puntiformes, que permitem a penetração de bactérias nos tecidos mais profundos, e ao fato de que as mãos são as mais atingidas, em qualquer idade, aumentando a probabilidade de infecções.

Independentemente do agressor ser canino ou felino, as lesões superficiais, isto é, as que não tiveram sangramento ou exposição das camadas inferiores da pele, são menos preocupantes. As lesões profundas, porém, possibilitam que o animal inocule bactérias naturais da boca, o que dificulta sua limpeza e favorece a ocorrência de infecções e outras complicações, como encefalite, osteomielite, septicemia, entre outras.

Embora as infecções causadas por roedores sejam menos frequentes, eles podem transmitir as bactérias *Streptobacillus moniliformis* e *Leptospira interrogans,* responsáveis, respectivamente, pelas doenças da mordedura do rato e a **leptospirose**.

Tanto os roedores quanto os seres humanos podem se contaminar pelo contato direto com urina, saliva, fezes, alimentos e água infectados, inalação de poeira contaminada por excretas e mordeduras de outros roedores.

Sinais de infecção, como vermelhidão na pele, inchaço, dor e febre surgem nas primeiras 72 horas após a exposição ao acidente, e a criança deve ser encaminhada a um serviço de saúde para avaliação e tratamento adequado.

## Cuidado seguro com crianças e animais

Considerando que a população infantil é vulnerável a acidentes por mordeduras ou arranhaduras de animais, a melhor estratégia de prevenção é aquela focada em **ações educativas**, ensinando a criança, seus familiares e cuidadores a lidarem adequadamente com o animal e o ambiente em que estão inseridos.

Essas ações devem favorecer o convívio seguro entre a criança e os animais, possibilitando o aumento da responsabilidade e da afetividade entre eles e a preservação da natureza, promovendo a saúde, o conforto e o bem-estar do animal para que ele não ofereça riscos às crianças.

## ▪ Cuidados com as crianças

Diferentes medidas podem ser adotadas para tornar a convivência da criança com os animais mais segura. Dentre as recomendações, destacam-se:

- **Reforce os laços afetivos entre a criança e o animal:** demonstre à criança atitudes de carinho e respeito pelos animais; explique à criança que não devemos deixá-los irritados; inclua as crianças nos momentos de oferecer o alimento, passeio, banho e outros cuidados, para que o animal perceba seu interesse (Figura 11.4).
- **Ensine a criança a cuidar do seu animal de estimação:** considerando a necessidade de cada espécie, seja cão, gato ou roedor e as características peculiares de suas raças.
- **Realize a adaptação do animal com uma nova criança no lar:** apresente-a ao animal, principalmente cães e gatos, permitindo que cheirem a criança. Esse momento é importante e não deve ser feito às pressas. Nunca deixe os dois sozinhos. Observe, atentamente, as reações do animal.

**Figura 11.4. Estimulando a integração da criança com os animais.**

*Ilustração: Pedro Félix.*

- **Supervisione as brincadeiras:** principalmente entre os menores de dois anos e os cães, pois mesmo aqueles mais dóceis podem empurrar e derrubar as crianças pequenas. Além disso, elas podem tocar em áreas que o animal não gosta, como, por exemplo, a cabeça e a cauda e isso pode irritá-lo.
- **Ensine a criança como usar brinquedos de ação:** bicicleta, *skate*, patins, patinetes e outras brincadeiras que provoquem movimento entre ela e o cão, pois podem parecer provocativas; assim, oriente a criança a ficar imóvel, sem dizer nada, mesmo que o animal se aproxime e tente cheirá-la.
- **Ensine como separar briga entre cães:** em caso de extrema necessidade, se a criança estiver entre animais se agredindo e quando não for possível a interferência imediata de um adulto, ela deve jogar uma vestimenta ou uma toalha sobre a cabeça do animal, ou inserir um objeto, como mochila, galho, bicicleta, entre os dois animais, conduzindo cada um deles para um local diferente. Será útil utilizar objetos que façam barulhos estridentes. Não é recomendado jogar água, dar pauladas ou gritar. Não segurar o animal pela cabeça, tronco ou cauda.
- **Mantenha atualizado o calendário vacinal da criança:** a profilaxia com a vacina antitetânica é extremamente importante em acidentes por mordedura de mamíferos, pois, diante de lesões extensas ou penetrantes, esse risco deve ser considerado.

## Cuidados com os animais

Outras medidas dizem respeito aos cuidados com o animal, propriamente dito, que influenciam na segurança da sua relação com os humanos. Entre elas:

- **Respeitar os animais:** orientar a não insultar, desafiar, mostrar domínio ou maltratá-los, especialmente o cão, pois os animais não esquecem uma afronta e podem vingar-se das crianças.
- **Proteger os animais:** evitando a exposição ao sol e chuva, impedindo que circulem sozinhos pelas ruas. Isso previne o contato com animais doentes, brigas, atropelamentos, envenenamentos e até mesmo crias indesejáveis.

- **Alimentar adequadamente os animais:** atender às suas necessidades nutricionais com alimentos/ração, de acordo com as características e faixa etária. Disponibilizar sempre água limpa e fresca.
- **Recreação:** proporcione momentos de passeios e brincadeiras com os animais de estimação, pois eles precisam de atenção. Passeie regularmente com os cães, e estimule-os a interagir com brinquedos, independentemente da raça. Outros animais como os hamsters, por exemplo, preferem as atividades dentro da própria gaiola, com as rodas de corrida e fora dela, com as bolas. Já os gatos podem ser entretidos com caixas de papelão, meias velhas amarradas, bolas de papel amassado e outros brinquedos.
- **Cumprir as regras de segurança para a condução responsável de cães:** como está previsto na Lei estadual n. 11.531, de 11 de novembro de 2003, regulamentada pelo Decreto n. 48.533, de 9 de março de 2004, na condução em vias públicas, logradouros ou locais de acesso público, de cães de grande porte ou das raças pit bull, rottweiler, mastim napolitano, american staffordshire terrier, é recomendado o uso de coleira, guia curta de condução, enforcador e focinheira. Nos passeios, o uso de coleira e guia de condução, é recomendado mesmo que seja um cão de pequeno porte.
- **Vacinar cães e gatos:** seguir o esquema vacinal, de acordo com a espécie, assim como os reforços anuais, administrados pelo médico veterinário. As vacinas previnem doenças graves, que podem levar o animal à morte, bem como doenças que podem ser transmitidas para os humanos (zoonoses).
- **Não tocar em animais desconhecidos ou agressivos:** algumas raças de cães, por exemplo, são mais agressivas do que outras e podem morder ou empurrar a criança. **Evitar olhar direto nos olhos do animal**. Aproximar-se do animal pelo lado e não pela frente ou por trás. Não tocar em cima da cabeça ou na área dos ombros do cão e não mostrar a palma da mão aberta, porque esse gesto pode parecer agressivo.
- **Carinhos:** não tocar as fêmeas gestantes ou com seus filhotes e evitar o contato com os animais quando estão se alimentando, mesmo que sejam conhecidos e considerados mansos.

- **Reconhecer a linguagem do cão:** "abanar o rabo" nem sempre significa que ele quer receber carinho. A posição da cauda, pode indicar uma situação de alerta, insegurança, medo ou atenção. Quando está cansado, aborrecido ou quer ficar sossegado, levanta os lábios, rosna, e anda, vagarosamente, para trás. A intensidade e a duração dos latidos podem representar: defesa territorial, incômodo com algo ou com alguém, ou um pedido, seja ele por comida, brinquedo ou atenção.
- **Reconhecer a linguagem do gato:** que se mostra peculiar e oscilante; em um determinado momento demonstra querer contato físico e, a seguir, demonstra rejeição. Caso a criança insista na ação, poderá sofrer uma mordedura ou uma arranhadura. A cauda levantada na vertical é o principal sinal de afeição entre os próprios felinos e o ser humano. Quando querem parar de brincar, sinalizam curvando as costas, empinando o rabo e saindo do local. Os gatos não gostam que toquem em suas patas. Seus miados frequentemente são direcionados às pessoas, para chamar a sua atenção e conseguirem o que querem. Quando estão com medo, encolhem-se e fogem sem serem notados ou tentam parecer maiores, curvando as costas e eriçando os pelos.
- **Controlar a presença de parasitas:** como as infestações por pulgas e carrapatos, porque, além de evitar a transmissão de doenças graves, para os animais e humanos, tal condição prejudica o seu bem-estar.
- **Realizar vermifugação:** a cada 4 ou 6 meses, pois alguns parasitas intestinais (vermes) podem comprometer a saúde dos animais, levando ao emagrecimento, queda de pelos, anemia e zoonoses.
- **Realizar a higiene bucal:** é recomendável escovar os dentes dos cães e gatos com produtos veterinários específicos. A não higiene bucal pode aumentar a proliferação de bactérias, ocasionando mau hálito, doenças periodontais, entre outras decorrentes da sua disseminação.
- **Banho e escovação:** a higiene corporal e a escovação dos pelos devem ser cuidadosas, com produtos veterinários e o mínimo de estresse. A frequência varia de acordo com a espécie.

- **Levar o animal para consultas com o médico veterinário:** realizar a consulta pelo menos uma vez ao ano ou quando o tutor identificar qualquer mudança de comportamento ou hábito do animal, pois isso pode sinalizar alguma doença. Muitas doenças podem ser evitadas com a prevenção.
- **Compartilhar a escolha do *pet* com a criança:** uma vez que é importante algumas precauções. São boas opções os cachorros de raças menores, como yorkshire e shih-tzu e, os de grande porte, labrador, golden retriever e boxer, por serem dóceis e brincalhões. Já com relação aos gatos, não há uma raça que seja a mais carinhosa, mas os persas são reconhecidos como os mais tranquilos. Ao escolher um hamster, verifique se ele morde ou arranha, agressivamente; o ideal é optar por aquele que demonstra comportamento curioso e que irá farejar a sua mão. É recomendável, sempre, independentemente da espécie e raça, observar o comportamento do animal.
- **Adestrar o animal:** para criar e facilitar a comunicação entre a criança e o *pet*, evitando acidentes.
- **Realizar castração de cães e gatos:** medida que previne a agressividade, a marcação de território, a superpopulação, os abandonos e as doenças.

## ▪ Cuidados com o ambiente

Os cuidados com o ambiente são essenciais para a saúde e o bem-estar dos animais. É importante delimitar um espaço para o *pet*.

- **Manter limpos os espaços do animal:** como canil, cama, gaiola. A higienização deve ser diária, para evitar a aproximação ou o aumento de vetores, como moscas, mosquitos e roedores.
- **Zelar pela limpeza da residência e arredores:** evite o acúmulo de entulhos (madeiras, telhas e objetos em desuso), matéria orgânica em decomposição (folhas, frutos, urina e fezes de animais, restos de alimentos e sobras de ração), mato alto; destine os resíduos de modo adequado.

- **Acondicionar os alimentos da família e do animal em recipientes apropriados e vedados:** longe do chão e afastados da parede, deixando-os inacessíveis aos roedores. Inspecione o local, diariamente, e mantenha-o limpo.
- **Descartar o lixo:** em local apropriado e usar lixeiras com tampa, para evitar o acesso de roedores.
- **Proteger a residência contra insetos e roedores:** utilizar telas nas janelas, vedar rachaduras e frestas em paredes, telhados, portas e janelas.
- **Manter o sistema de esgoto em boas condições:** fechados com tampa, para evitar a saída de roedores da rede.
- **Monitorar, cuidadosamente, medidas de desratização:** para o controle de roedores, pois o uso de raticidas envolve outros riscos, principalmente às crianças.

## Cuidados em caso de acidentes

De acordo com as recomendações do MS de 2017, a **profilaxia da raiva humana** deve ser pautada na gravidade do acidente, se leve ou grave, na espécie do animal e se apresentam ou não sinais clínicos sugestivos para a raiva.

**Acidentes leves** são aqueles ocasionados por mordeduras (Figura 11.5) ou arranhaduras de animais, provocados pela unha, dente ou lambedura de pele, que resultam em lesões superficiais, pouco extensas, geralmente únicas, em tronco e membros, com exceção das mãos, das polpas digitais e da planta dos pés.

**Acidentes graves** são aqueles originados por mordeduras ou arranhaduras **profundas**, ou até mesmo por **lambedura de mucosas** ou de pele com lesões graves. São caracterizadas pela profundidade, mas, também, pela região do corpo afetada, como, por exemplo, cabeça, face, pescoço, mão, polpa digital e planta do pé (Figura 11.6). As lesões também são consideradas graves, quando múltiplas ou extensas, em qualquer região do corpo da criança.

Os sinais que caracterizam os tipos de acidentes e as respectivas condutas adotadas para a profilaxia da raiva são apresentadas nos Quadros 11.1 e 11.2.

**Figura 11.5. Acidente leve por mordedura de cão.**

*Ilustração: Pedro Félix.*

**IMPORTANTE:** Se a criança for agredida por cão, gato, morcego ou roedores lave o ferimento, imediatamente, com água e sabão, e procure o serviço de saúde mais próximo para atendimento e avaliação.

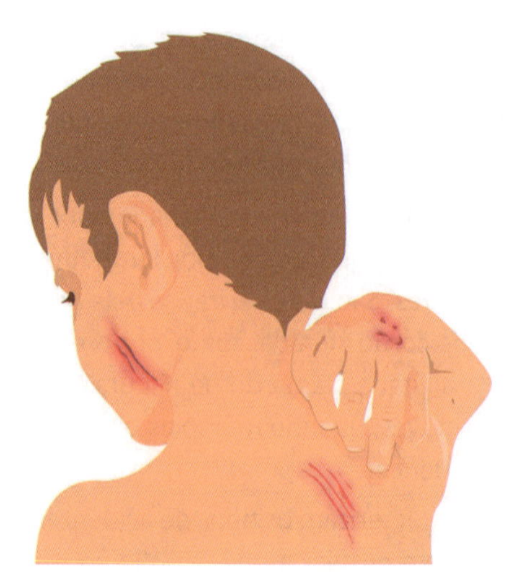

**Figura 11.6. Acidente grave por mordedura de cão.**

*Ilustração: Pedro Félix.*

**Quadro 11.1. Conduta e profilaxia da raiva humana em acidente do tipo leve, segundo a espécie animal**

| ***Cão ou gato sem suspeita de raiva no momento da agressão*** |
|---|
| • Lavar o ferimento com água e sabão<br>• Informar, imediatamente, a unidade de saúde<br>• Observar o animal durante 10 dias após a exposição<br>• Encerrar o caso se permanecerem sadios no período de observação<br>• Se o cão ou o gato morrer, desaparecer, apresentar mudanças de comportamento ou se tornar raivoso, vacinar a criança com quatro doses (dias 0, 3, 7 e 14) |
| ***Cão ou gato clinicamente suspeito de raiva no momento da agressão*** |
| • Lavar o ferimento com água e sabão<br>• Informar, imediatamente, a unidade de saúde<br>• Iniciar esquema profilático com duas doses de vacina (dias 0 e 3)<br>• Observar o animal durante 10 dias após a exposição<br>• Suspender o esquema profilático e encerrar o caso se a suspeita de raiva for descartada após o 10º dia de observação<br>• Se o cão ou o gato morrer, desaparecer, apresentar mudanças de comportamento ou se tornar raivoso, completar o esquema com mais uma dose entre o 7º e o 10º dia e a outra no 14º dia<br>• Informar a unidade de saúde sobre a morte, desaparecimento ou mudanças de comportamento do animal |
| ***Cão ou gato raivoso, desaparecido ou morto; animais mamíferos silvestres (inclusive os domiciliados), animais domésticos de interesse econômico ou de produção*** |
| • Lavar o ferimento com água e sabão<br>• Informar, imediatamente, a unidade de saúde<br>• Iniciar, imediatamente, o esquema profilático com quatro doses de vacina, administradas nos dias 0, 3, 7 e 14 |
| ***Morcegos ou qualquer espécie de mamífero silvestre*** |
| • Lavar o ferimento com água e sabão<br>• Informar, imediatamente, a unidade de saúde<br>• A equipe de saúde deve indicar soro e vacinação: iniciar, imediatamente, o esquema com soro e cinco doses de vacina administradas nos dias 0, 3, 7, 14 e 28, independentemente da gravidade da lesão, ou indicar conduta de reexposição (crianças que receberam anteriormente a vacina antirrábica ou vacina e soro – imunoglobulina humana, antirrábica, em esquemas de profilaxia pré ou pós-exposição. Para a conduta considera-se a vacina que foi utilizada, se o esquema anterior foi completo ou incompleto, e se ocorreu em um período inferior ou superior a 90 dias |

*Fonte: Elaborado pelos autores.*

**Quadro 11.2. Conduta e profilaxia da raiva humana em acidente do tipo grave, segundo a espécie animal**

| ***Cão ou gato sem suspeita de raiva no momento da agressão*** |
|---|
| • Lavar o ferimento com água e sabão<br>• Informar, imediatamente, a unidade de saúde<br>• Observar o animal durante 10 dias após a exposição<br>• Iniciar esquema profilático com duas doses (dias 0 e 3)<br>• Suspender o esquema profilático e encerrar o caso se a suspeita de raiva foi descartada após o 10º dia de observação<br>• Se o cão ou o gato morrer, desaparecer, apresentar mudanças de comportamento e se tornar raivoso, completar o esquema de tratamento à criança até 4 doses, aplicar uma dose entre o 7º e o 10º dia e uma dose no 14º dia<br>• Informar, imediatamente, a unidade de saúde sobre a morte, desaparecimento ou mudanças de comportamento do animal<br>• Avaliar, sempre, os hábitos do cão e do gato. Verifique os cuidados recebidos, se vivem dentro do domicílio, se não têm contato com animais desconhecidos, se saem na rua acompanhados de seus donos e se não circulam em área com a presença de morcegos |
| ***Cão ou gato clinicamente suspeito no momento da agressão*** |
| • Lavar o ferimento com água e sabão<br>• Informar, imediatamente, a unidade de saúde<br>• Iniciar o esquema profilático com soro/imunoglobulina e as quatro doses da vacina nos dias 0, 3, 7 e 14<br>• Observar o animal durante 10 dias após a exposição<br>• Suspender o esquema profilático e encerrar o caso se a suspeita de raiva foi descartada após o 10º dia de observação<br>• Se o cão ou o gato morrer, desaparecer, apresentar mudanças de comportamento ou se tornar raivoso, completar o esquema com mais uma dose entre o 7º e o 10º dia e a outra no 14º dia |
| ***Cão ou gato raivoso, desaparecido ou morto; animais mamíferos silvestres (inclusive os domiciliados), animais domésticos de interesse econômico ou de produção*** |
| • Lavar o ferimento com água e sabão<br>• Informar, imediatamente, a unidade de saúde<br>• A equipe de saúde deve iniciar, imediatamente, o esquema profilático com soro/imunoglobulina e quatro doses de vacina, administradas nos dias 0, 3, 7 e 14 |

*Fonte: Elaborado pelos autores.*

**IMPORTANTE:** Todos os acidentes por mordeduras de animais devem ser notificados.

## Comentários finais

Na última década, o acesso aos animais domésticos e silvestres vem crescendo substancialmente. O convívio entre a criança e os animais de estimação é saudável, tanto do ponto de vista emocional quanto físico, como comprovam os programas terapêuticos de inclusão de animais em unidades pediátricas, em diversas instituições de saúde.

Entretanto, é importante observar cuidados de segurança relacionados às crianças, aos animas e ao ambiente para que acidentes e doenças sejam evitados e proporcionem bem-estar a ambos. Além disso, os cuidadores e as próprias crianças devem ser orientados sobre como atender, adequadamente, acidentes como mordeduras e arranhaduras, antes de procurar um serviço de saúde, evitando, assim, complicações como infecções e raiva humana.

## Referências


- Brasil. Ministério da Saúde. Boletim Epidemiológico. Brasília: Ministério da Saúde; 2016;47(30). [acesso em 30 mai 2019]. Disponível em: http://portalarquivos2.saude.gov.br/images/pdf/2016/julho/29/2016-010.pdf.
- Brasil. Ministério da Saúde. Nota informativa n. 26-SEI/2017-CGPNI/DEVIT/SVS/MS, de 17 de julho de 2017. Informa sobre alterações no esquema de vacinação da raiva humana pós-exposição e dá outras orientações. Brasília: Ministério da Saúde; 2017.
- Brasil. Ministério da Saúde. Secretaria de Vigilância em Saúde. Departamento de Vigilância Epidemiológica. Normas técnicas de profilaxia da raiva humana. Brasília: Ministério da Saúde; 2014 [acesso em 30 mai 2019]. Disponível em: http://portalarquivos2.saude.gov.br/images/pdf/2015/outubro/19/Normas-tecnicas-profilaxia-raiva.pdf.
- Brasil. Ministério da Saúde. Secretaria de Vigilância em Saúde. Departamento de Vigilância das Doenças Transmissíveis. Manual de vigilância, prevenção e controle de zoonoses: normas técnicas e operacionais [recurso eletrônico]. Brasília: Ministério da Saúde; 2016 [acesso em 30 mai 2019]. Disponível em: https://www.researchgate.net/profile/Guilherme_Reckziegel/publication/305221538_MANUAL_DE_VIGILANCIA_PREVENCAO_E_CONTROLE_DE_ZOONOSES_NORMAS_TECNICAS_E_OPERACIONAIS/links/57852dc908aef321de2a9482/MANUAL-DE-VIGILANCIA-PREVENCAO-E-CONTROLE-DE-ZOONOSES-NORMAS-TECNICAS-E-OPERACIONAIS.pdf.
- Buso DS, Nunes CM, Queiroz LH. Características relatadas sobre animais agressores submetidos ao diagnóstico de raiva, São Paulo, Brasil, 1993-2007. Cad Saúde Pública. (Rio de Janeiro) 2009;25(12): 2747-2751. [acesso em 29 mai 2019]. Disponível em: http://www.scielo.br/pdf/csp/v25n12/21.pdf.
- Centers for Disease Control and Prevention. Injury, violence & safety. Preventing dog bites. Updated: April 9, 2018. Atlanta: CDC; 2018. [acesso em 29 maio 2019]. Disponível em: https://www.cdc.gov/features/dog-bite-prevention/index.html.
- Contreras-Marín M, Sandoval-Rodríguez JI, García-Ramírez R, Morales-Yépeza HA. Mammal bite management. Manejo de las mordeduras por mamíferos. Cirugía y Cirujanos. 2016 Nov-Dec;84(6):525-530. [acesso em 30 mai 2019]. Disponível em: https://doi.org/10.1016/j.circen.2016.10.003.

- Del Ciampo LA, Ricco RG, Almeida CAN, Bonilha LRCM, Santos TCC. Acidentes de mordeduras de cães na infância. Rev Saúde Pública [Internet]. 2000 Aug;34(4):411-412. [acesso em 30 mai 2019]. Disponível em: http://dx.doi.org/10.1590/S0034-89102000000400016.
- Frias DFR. Avaliação dos registros de profilaxia antirrábica humana pós-exposição no Município de Jaboticabal, São Paulo, no período de 2000 a 2006. Dissertação [Mestrado]. Jaboticabal: Faculdade de Ciências Agrárias e Veterinárias, Universidade Estadual Paulista; 2008.
- Grisolio APR, Picinato MAC, Nunes JOR, Carvalho AAB. O comportamento de cães e gatos: sua importância para a saúde pública. Rev Ciên Vet Saúde Públ. 2017;4(1):117-126. [acesso em 30 mai 2019]. Disponível em: http://dx.doi.org/10.4025/revcivet.v4i.
- Haddad Junior V, Campos Neto MF, Mendes AL. Mordeduras de animais (selvagens e domésticos) e humanas. Rev Patol Trop. 2013 Jan-Mar;42(1):13-19.
- Paranhos EA, Silva F, Bernardi MCNC, Mendes DMAG, Junqueira IOM, Souza JOM et al. Estudo das agressões por cães, segundo tipo de interação entre cão e vítima, e das circunstâncias motivadoras dos acidentes, município de São Paulo, 2008 a 2009. Arq Bras Med Vet Zootec. 2013;65(4):1033-40. [acesso em 29 mai 2019]. Disponível em: http://www.scielo.br/pdf/abmvz/v65n4/14.pdf.
- Perkins GA, Spanierman CS, Harris NS, Salas RN. Animal bites in emergency medicine. New York: Medscape; 2017. [acesso em 29 mai 2019]. Disponível em: https://emedicine.medscape.com/article/768875-overview.
- Piñeiro PR, Carabaño AI. Manejo práctico de mordeduras en Atención Primaria y en nuestro medio. Rev Pediatr Aten Primaria [Internet]. 2015 Sep;17(67):263-270. [acesso em 30 mai 2019]. Disponível em: http://dx.doi.org/10.4321/S1139-76322015000400018.
- São Paulo (Estado). Assembleia Legislativa do Estado de São Paulo. Lei n. 11.531, de 11 de novembro de 2003. Estabelece regras de segurança para posse e condução responsável de cães. São Paulo: Diário Oficial do Estado. 12 nov. 2003. Seção 1, p. 1 [acesso em 28 mai 2019]. Disponível em: http://dobuscadireta.imprensaoficial.com.br/default.aspx?DataPublicacao=20031112&Caderno=EXECUTIVO%20SECAO%20I&NumeroPagina=1.
- Veloso RD, Aerts DRGC, Fetzer LOl, Anjos CB, Sangiovanni JC. Perfil epidemiológico do atendimento antirrábico humano em Porto Alegre, RS, Brasil. Ciênc Saúde Coletiva [Internet]. 2011 Dec;16(12):4875-84. [acesso em 28 mai 2019]. Disponível em: http://dx.doi.org/10.1590/S1413-81232011001300036.
- Villagra V, Cáceres D, Alvarado S, Salinas E, Caldera M. LLucero Erick et al. Caracterización epidemiológica de mordeduras en personas, según registro de atención de urgencia: Provincia de Los Andes, Chile. Rev. chil. infectol. [Internet]. 2017 Jun [acesso em 30 mai 2019];34(3):212-220. Disponível em: http://dx.doi.org/10.4067/S0716-10182017000300002.
- World Health Organization. Animal bites. Geneva: WHO; 2018. [acesso em 28 mai 2019]. Disponível em: http://www.who.int/en/news-room/fact-sheets/detail/animal-bites.

## Testes

**1. Assinale a alternativa que apresenta a ação incorreta para a prevenção de acidente por mordeduras de animais em crianças:**

A. Reforçar os laços afetivos entre a criança e o animal, demonstrando atitudes de carinho e respeito pelos animais.

B. Não permitir que cães e gatos cheirem as crianças, pois isso prejudica a adaptação do animal ao novo lar.

C. Impedir que seu *pet* circule sozinho pelas ruas, para prevenir brigas e o contato com animais doentes.

D. Manter limpo os espaços do animal evita a aproximação ou o aumento de vetores, como moscas, mosquitos e roedores.

E. Todas as afirmativas estão corretas.

**2. Relacione as ações de primeiros socorros à uma criança atacada por cão, gato, morcego ou roedores.**

I. Lavar o ferimento, imediatamente, com água e sabão.

II. Levar a criança ao serviço de saúde mais próximo, para atendimento e avaliação.

III. A profilaxia da raiva humana é realizada segundo as características da lesão e a espécie do animal.

**Assinale a alternativa correta:**

A. Apenas a afirmativa I é correta.

B. Apenas as afirmativas I e II são corretas.

C. Apenas as afirmativas II e III são corretas.

D. Apenas as afirmativas I e III são corretas.

E. Todas as alternativas são corretas.

**3. Assinale V, se afirmativa for verdadeira e F, se falsa. São medidas seguras:**

( ) Ao conduzir cães de grande porte ou das raças pit bull e rottweiler, devidamente treinados, por lugares públicos, não é necessário o uso de coleira, guia curta de condução, enforcador e focinheira.

( ) Não é aconselhado, no contato com um cão: olhar direto nos olhos, aproximar-se dele pela frente ou por trás, tocar em cima da cabeça ou na área dos ombros e mostrar a palma da mão aberta, pois esses gestos podem parecer agressivos.

( ) A criança pode tocar o seu *pet* quando ele estiver se alimentando ou brincando com seus filhotes.

( ) Os cães não esquecem o maltrato e podem vingar-se de seus donos.

**4. Caça-palavras: encontre quatro espécies de animais que podem causar acidentes por mordeduras em crianças.**

| T | D | Ç | C | W | Ú | G | Z | Ú | L |
|---|---|---|---|---|---|---|---|---|---|
| H | P | Ò | I | Ò | Í | H | Ô | Ü | Í |
| S | Õ | S | K | V | N | Â | Z | L | P |
| Ã | X | Ô | J | Z | Q | Ç | Ò | Q | M |
| C | Ã | O | B | À | Ê | G | A | T | O |
| F | Í | Ô | J | O | Á | E | H | Ú | R |
| D | I | P | D | J | P | D | Y | D | C |
| Í | Z | H | A | M | S | T | E | R | E |
| S | C | S | Ê | I | Â | C | N | Q | G |
| Õ | A | Ã | H | Q | Ç | B | V | I | O |

| Respostas | |
|---|---|
| 1 | B |
| 2 | E |
| 3 | F, V, F, V |

**4. Caça-palavras:**

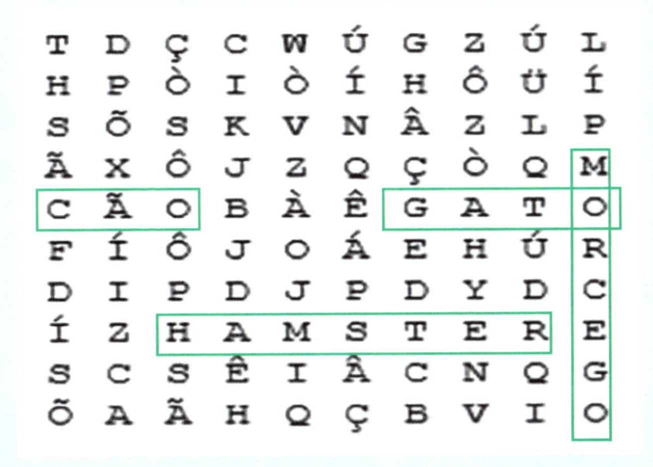

# 12 Telefones úteis

Aspásia Basile Gesteira Souza

No Brasil, os **acidentes** ou **injúrias não intencionais**, em suas diversas formas, são apontados como a **principal causa de morte** na faixa etária de 0 a 14 anos.

Na maioria das vezes, as vítimas são atendidas por **socorristas leigos**, geralmente os próprios familiares e educadores, que nem sempre estão preparados para assistir a criança. Esse fato, aliado aos escassos recursos de saúde disponibilizados à população, torna recomendável que todos os adultos envolvidos no cuidado à criança, em seus diferentes ambientes e contextos, sejam treinados para **instituir os primeiros socorros** até que a vítima receba o tratamento específico.

Entretanto, isso não é o bastante, uma vez que muitos tipos de acidentes necessitarão de **atendimento ou aconselhamento especializado**, nem sempre disponível nas imediações. Por isso, é extremamente importante que os cuidadores mantenham os **contatos para solicitar socorro profissional** e receber orientações gerais, quando for o caso, em **local visível e de fácil acesso**.

Os **endereços eletrônicos** são instrumentos que podem ser usados por leigos e profissionais para obter ajuda e outras informações confiáveis. Diferentes organizações disponibilizam telefones de emergência em seus *sites*, que podem ser utilizados quando necessário.

A tecnologia disponível através dos **aplicativos móveis** (Apps), também viabiliza o atendimento de urgência e deve ser incluído nos telefones móveis de pais e responsáveis de escolas, condomínios, clubes e creches infantis.

A Rede Nacional de Centros de Informação e Assistência Toxicológica (Renaciat), coordenada pela Agência Nacional de Vigilância Sanitária (Anvisa), foi criada em 2005 pela Resolução da Diretoria Colegiada – RDC n. 19. Essa rede é composta por 36 Centros de Informação e Assistência Toxicológica (CIATs), que funcionam em hospitais universitários, secretarias estaduais e municipais de saúde e fundações de 19 estados brasileiros.

Os CIATs fornecem informações toxicológicas à população e aos profissionais de saúde, orientando a conduta imediata, o diagnóstico e o tratamento das pessoas expostas e/ou intoxicadas. São Paulo foi o primeiro estado brasileiro a sediar um serviço especializado. Os CIATs são referência em toxicologia clínica do Sistema Único de Saúde (SUS) e realizam o atendimento gratuito, em regime de plantão permanente por teleconsultoria (0800), ou presencial e fazem parte da Rede de Atenção às Urgências e Emergências (RUE), a partir da recomendação da Portaria n. 1.678 de 2015 do Ministério da Saúde (MS). Os dados epidemiológicos ainda são escassos, por falta de pesquisas e um sistema de informação mais eficaz.

É importante que os cuidadores conheçam o número telefônico do **pronto-socorro infantil mais próximo**, do serviço nacional de atendimento de emergência, e do **centro de referência** para o atendimento dos casos de **envenenamento** de sua cidade como, por exemplo, o Centro de Assistência Toxicológica (**CEATOX**) do Instituto da Criança do Hospital das Clínicas da Faculdade de Medicina da Universidade de São Paulo (ICr-HCFMUSP).

Um dos objetivos do CEATOX é fornecer informações, via telefone, em situações de urgência para profissionais de saúde e população, nos casos de **envenenamento**, exposição a **substâncias tóxicas**, contaminação com **defensivos agrícolas**, acidentes com **animais venenosos** e **reações adversas a medicamentos**, auxiliando no diagnóstico e tratamento.

Outro recurso público disponibilizado para o atendimento da população é o **Serviço Móvel de Urgência (SAMU)**.

O SAMU foi normatizado em 2004, pelo Decreto presidencial n. 5.055, de 27 de abril de 2004, atende toda a população, ininterruptamente, através da **discagem rápida 192**, e tem como objetivo acessar, precocemente, todas as vítimas em situação de urgência ou emergência, que possam acarretar em **sofrimento**, **sequelas** ou **morte**, descritos adiante. É um serviço de **atendimento pré-hospitalar** (APH), que visa **encaminhar as vítimas aos recursos necessários**, com a maior brevidade possível.

Esse tipo de serviço voltado para as urgências e emergências, foi idealizado na França, em 1986, sob a denominação: *Service d'Aide Médicale d'Urgence* – "SAMU", e é considerado como o melhor do mundo. O primeiro SAMU implantado no Brasil foi na cidade de Campinas, em 1995, pelo médico José Roberto Hansen.

Nos eventos que envolvam crianças, o **SAMU deve ser acionado**, nas seguintes situações:

- A criança apresenta sinais de problemas cardiorrespiratórios: cansaço; **dificuldade para respirar**; cianose (dedos, lábios, nariz arroxeados); frequência cardíaca aumentada; palidez, pele descorada.
- **Intoxicação** exógena e envenenamento.
- **Queimaduras graves** (ver Capítulo 5), afetando um segmento corporal, como uma das faces do antebraço; um dos lados da cabeça etc.; regiões "nobres" como: olhos, orelhas, face, pescoço, mão, pé, genitais, grandes articulações.
- **Acidentes de trânsito** (atropelamento, colisões, capotamentos, entre outros).
- Quedas e **traumatismos** (cabeça, coluna).
- **Fraturas** expostas; fraturas de membros.
- **Afogamentos**; **engasgamentos**.
- **Choque elétrico**.
- Acidentes com produtos tóxicos, inflamáveis.
- Agressão por **arma de fogo ou arma branca**.
- Soterramento; desabamento.

- Crises convulsivas.
- Outras situações menos frequentes: dor intensa, amputações, grandes sangramentos (não cessam após compressão leve); perfurações.

O **SAMU não deve ser acionado** nos casos de: febre; dores crônicas ou de intensidade leve a moderada (dente, cefaleia, cólica intestinal, cólica renal); vômito e diarreia; transporte para consulta médica ou exames; pequenos sangramentos; entorses. Nesses casos e nos que não caracterizam urgência ou emergência, a criança pode ser encaminhada à unidade de saúde mais próxima.

As informações referentes aos serviços públicos e privados disponíveis para atendimento e orientação, nos casos de urgência e emergência foram compiladas nos Quadros 12.1 e 12.2.

| Quadro 12.1. Serviços de atendimento e orientação no casos de intoxicação | |
|---|---|
| SUSPEITA DE INTOXICAÇÃO<br>Disque 0800 771 3733<br>24h 5012 5311<br>Centro de Controle de Intoxicações<br>• Atendimento aos profissionais de saúde para apoio diagnóstico e tratamento<br>• Orientação à população sobre prevenção e primeiros socorros<br>• Plantão 24 h - Diariamente | Centro de Controle de Intoxicações de São Paulo<br>0800-771-3733<br>5012-5311 |
| CEATOX<br>0800-0148110 | CEATOX – Centro de Assistência Toxicológica do Instituto da Criança do HCFMUSP<br>0800-0148-110<br>*website: http://www.ceatox.org.br* |
| RENACIAT<br>Rede Nacional de Centros de Informação e Assistência Toxicológica | *Disque-Intoxicação*<br>*0800-722-6001* |

| Quadro 12.2. Telefones úteis | |
|---|---|
| Centro de Controle de Envenenamentos – CCE de Curitiba – PR | 0800-410-148<br>(41) 3264-8290 |
| Corpo de Bombeiros | 193 |
| Polícia Militar | 190 |
| Polícia Rodoviária Federal | 191 |
| "Queimou ligue" – Instituto Pró-Queimados | 0800-7077-575 |
| Serviço de Atendimento Móvel de Urgência – SAMU | 192 |
| Sociedade Brasileira de Queimaduras | (62) 3086-0896<br>Rua 101, 387, QD F-17 LT 43E, Ed. Columbia Center, Sala 307 – (62) 9698-0063<br>Setor Sul. CEP 74080-150. Goiânia/GO<br>*website: http//sbqueimaduras.org.br* |

Ao telefonar, forneça o máximo de dados possível, como:

- Idade e peso da criança.
- Como foi o contato com o produto.
- Há quanto tempo aconteceu a exposição.
- Os sinais e sintomas apresentados pela criança.
- Informações sobre o produto; guarde a embalagem, sempre que possível.
- Um número de telefone para contato.

## Comentários finais

Os acidentes ou injúrias não intencionais ocorrerão, em maior ou menor gravidade, em algum momento do desenvolvimento infantil. O problema não é quando eles acontecerão, mas, sobretudo, quais as medidas tomadas para a sua **prevenção** e como o **atendimento** será prestado. Independentemente do tipo, o socorrista deve estar preparado para identificar os sinais de risco, acionar o serviço de urgência e prestar os primeiros socorros, enquanto aguarda o atendimento especializado.

## Referências


- Agência Nacional de Vigilância Sanitária (Anvisa). Rede Nacional de Centros de Informação e Assistência Toxicológica (Renaciat). [acesso em 28 out 2019]. Disponível em: http://portal.anvisa.gov.br/renaciat.
- Brasil. Ministério da Saúde. Quando chamar o SAMU 192. [acesso em 2018 jul 10]. Disponível em: http://portalms.saude.gov.br/acoes-e-programas/samu/quando-chamar-o-samu-192.
- Brasil. Presidência da República, Casa Civil, Subchefia para Assuntos Jurídicos. Decreto n. 5.055, de 27 de abril de 2004. [acesso em 18 out 2019]. Disponível em: http://www.planalto.gov.br/ccivil_03/_ato2004-2006/2004/decreto/d5055.htm.
- Departamento de Informática do Sistema Único de Saúde (DATASUS). SAMU. Apresentação e Histórico [Internet]. [acesso em 2018 jul 10]. Disponível em: http://datasus.saude.gov.br/projetos/52-samu.
- São Paulo. Secretaria da Saúde (SP). Centro de Intoxicação. Intoxicação. 2018. [acesso em 2018 jul 10]. Disponível em: http://www.prefeitura.sp.gov.br/cidade/secretarias/saude/vigilancia_em_saude/doencas_e_agravos/centro_de_intoxicacao/index.php?p=6374.
- Sociedade Brasileira de Queimaduras. Serviços. [acesso em 2018 jul 10]. Disponível em: http://sbqueimaduras.org.br/categoria/servicos/.

# Índice remissivo

## A

## B



## C

## D



## E

## F

## G



## H



## I

## J



## L



## M



## N

## O



## P



## Q

## R

## S



## T

## U



## V



## X



## Z